读客经典文库

根据你的成长需求梳理经典名著
制定你一生的阅读计划

漫长的告别

[美]雷蒙德·钱德勒 著

姚向辉 译

海南出版社

HAINAN PUBLISHING HOUSE

The Long Goodbye

Raymond Chandler

Dogwork Clarke

我是个有执照的私家侦探，已经做了一阵子。

我独来独往，没结过婚，人近中年，不富有。

我进过不止一次拘留所，我不接离婚案。

我喜欢喝酒、女人、象棋和另外几样东西。

警察不怎么喜欢我，但有几个我还算合得来。

我是本地人，出生在圣罗莎，双亲都过世了，没有兄弟姐妹。

有朝一日要是我在黑暗小巷里被做掉——

我这个行当里的每个人都有可能碰到这种事，如今其他行当或者什么行当都不混的很多人也是这个下场——

没有人会觉得他或她的生活忽然掉进了万丈深渊。

——菲利普·马洛

《漫长的告别》第13章，p93

一张麦迪逊肖像是一张五千块大钞。

钞票放在我面前的咖啡桌上，绿油油的，崭新挺括。

我从没亲眼见过这东西。

很多在银行工作的人也没见过。

全美国只有一千张左右在流通。

我这张周围有着美丽的光泽。它制造出了属于它自己的阳光。

我坐在那儿，盯着它看了很久。

最后我把它收进信件夹，去厨房煮信里说的那壶咖啡。

——《漫长的告别》第12章，p86

就在这时，一个美梦走进酒吧。

有一瞬间，我觉得酒吧里没有了任何声音，

时代精英停下了唇枪舌剑，

高脚凳上的醉汉停下了滔滔不绝，

那情形就仿佛指挥轻轻敲打乐谱架，

手臂举起来悬而未落的那个瞬间。

——《漫长的告别》第13章，p90

屋子正在向晚风倾泻宾客。

人声渐息，车辆启动，再见像皮球似的弹来弹去。

我穿过法式落地窗，走上铺石板的露台。

坡面尽头是湖畔，小湖像睡猫似的毫无动静。

底下有个木板栈桥，白色系艇索系着一艘划艇。

不远处靠近对岸的水面上，一只黑色水鸡像溜冰似的慵懒转圈，

似乎没有激起一丝涟漪。

——《漫长的告别》第24章，p186

自杀者会用各种各样的方式做准备。

有人喝酒，有人吃精致的香槟大餐。

有人换上晚礼服，有人脱光所有衣服。

人们在屋顶自杀，在阴沟自杀，在卫生间，在水下，在水上，在水面上空。

他们在酒吧上吊，在车库吸尾气。

眼前这个似乎很简单。

——《漫长的告别》第36章，p262

一天二十四小时，总有人在逃跑，总有人想抓他。

外面千种罪恶的黑夜中，人们垂死，人们伤残，

人们被横飞的玻璃割喉、撞死在方向盘上、碾死在重型轮胎下。

人们被殴打、抢劫、勒死、强奸和谋杀；

人们饥饿、生病；

人们感到无聊，因为孤独或悔恨或恐惧感到绝望、愤怒、残忍、狂热，哭得浑身发抖。

一个不比其他城市更糟糕的城市，

一个富裕、繁荣、充满自尊的城市，

一个失落、挫败、充满空虚的城市。

完全取决于你的位置和你的个人成就。

我没有。我不在乎。

——《漫长的告别》第38章，p280

马洛的洛杉矶地图

之

《漫长的告别》

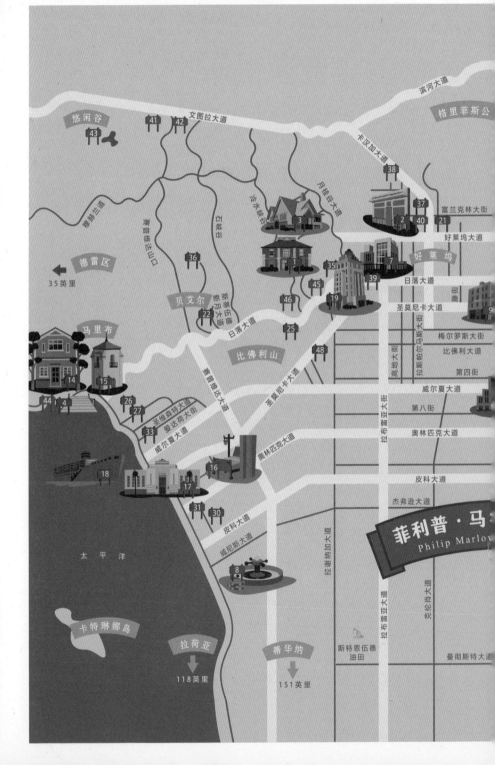

雷阿利托 →
40英里

山麓大道
科罗拉多大道
加州大道
帕萨迪纳

格兰岱尔

洛杉矶河

希尔哈斯特

银湖

阿罗约塞科高速公路

布鲁克林大街

菲格罗亚街
法院街

邦克山

第一街

第三街
第四街

百老汇

城区

第六街

第七街

洛杉矶地图
s Angeles

菲格罗亚街

中央大道

东五十四街

火石大道

巴

20

23

11

47

12

32
34

24

28

13

惠提尔大道

阿拉梅达街

长眠不醒

1.斯特恩伍德宅邸
2.A.G.盖格的珍本书店
3.A.G.盖格的住宅
4.里奇两栈桥
5.乔·布罗迪的公寓
　位于兰道尔街公寓
6.菲利普·马洛的公寓
　位于霍巴特纹章公寓

7.好莱坞公共图书馆
8.艾迪·马斯的柏树俱乐部
9.沃尔格林事务所
　位于富尔怀德大厦
10.布洛克百货
11.洛杉矶市政厅
12.怀尔德的住宅

再见，吾爱

13.弗洛里安酒吧
14.林赛·马略特的住宅
15.贝维德雷海滩俱乐部
16.桑德伯格博士的私人医院

17.湾城市政厅
18.蒙提西托号（皇冠号）
19.朱尔斯·安托尔的山顶庄园

高窗

20.默多克宅邸
21.菲利普·马洛的办公室
22.亚历克斯·莫尔尼的住宅
23.乔治·安森·菲利普斯的公寓

湖底女人

24.特紧劳尔大厦
25.德雷斯·金斯利的住宅
26.克里斯·莱弗瑞的住宅
27.阿尔默医生的住宅

28.洛杉矶运动家俱乐部
29.艾德丽安·弗洛姆塞特的公寓
30.孔雀酒吧
31.克丽丝特尔·金斯利的公寓

小妹妹

32.菲利普·马洛的办公室
33.奥林·奎斯特居住的出租公寓
34.凡努斯旅馆
35.舞者夜总会
36.斯蒂尔格雷夫的住宅
37.德洛丽丝·冈萨雷斯的公寓

漫长的告别

38.菲利普·马洛的公寓
39.维克多餐厅
40.穆索餐厅
41.西尔维娅·莱诺克斯的住宅
42.维林杰医生的牧场

43.罗杰·韦德的山谷住宅
44.罗杰·韦德的海湾住宅
45.舞蹈家俱乐部
46.眼镜贝弗利饭店

重播

47.洛杉矶联合车站
48.罗曼诺夫餐厅

01

我第一次瞅见特里·莱诺克斯是在舞蹈家俱乐部的露台外，他喝醉了，坐在一辆劳斯莱斯银魂里。停车场的服务员把车开了出来，此刻依然扶着车门，因为特里·莱诺克斯的左脚悬在车外，就好像他忘了自己还有一只左脚。他那张脸看上去挺年轻，但头发一片雪白。从他眼神看得出来，这个人在酒缸里已经淹到发际线了，不过除此之外，他就是一个身穿晚礼服的大好青年，刚刚在一个只为让你乱花钱而存在的地方花了太多的钱。

他身旁有个姑娘，头发是可爱的暗红色，嘴角挂着冷漠的笑容，肩膀上披着蓝色貂皮大衣，衬托之下险些让劳斯莱斯变成一辆普通轿车。只是险些。其实不可能。

服务生是个常见的混不吝角色，白色外套的前襟上用红线绣着场所的名字。他等得越来越不耐烦。

"我说啊，先生，"他说得话里带刺，"您要是不介意，能不能把腿收进去，好让我关上车门？还是要我一开到底，您干脆掉出来算了？"

姑娘瞪他的眼神能刺穿他再从背后戳出至少四英寸来，然而并不足以让他动摇。你觉得花大价钱打高尔夫球能磨炼气性，但舞蹈家俱乐部有一帮人专门帮你戳破幻觉。

一辆低底盘的外国敞篷跑车悄无声息地开进停车场，一个男人下车，用仪表盘上的打火机点了一支细长的香烟。他穿套头格子衫、黄色休闲裤和长筒马靴。他拖着芬芳的烟雾慢慢走远，甚至懒得多看劳斯莱斯一眼。大概觉得它太过时吧。来到露台的台阶底下，他停下脚步，戴上一枚单片眼镜。

　　姑娘忽然开口，魅力喷薄而出："我有个了不起的好主意，亲爱的。咱们不如叫出租车去你家，开你的敞篷车出来怎么样？多么美好的夜晚，正适合沿着海岸一路开到蒙蒂塞托。我有些熟人正在那儿开泳池舞会。"

　　白发小伙子彬彬有礼地答道："实在非常抱歉，但那辆车已经不在我手上了。我不得不卖掉它。"就声音和口齿而言，你会觉得他灌了一肚子的东西不会比橙汁更烈。

　　"卖了，亲爱的？卖了是什么意思？"她顺着座位从他身旁退开，但声音滑得要比那点距离远得多。

　　"意思是我非卖不可，"他说，"否则就没钱吃饭了。"

　　"哦，我懂了。"这会儿一片意式冰激凌含在她嘴里都不会融化。

　　服务生将白发小伙子放进了他触手可及的行列，也就是低收入阶层。"听着，混球，"他说，"我得去泊车了。回头再见了您哪——不过不见也罢。"

　　他松开手，车门完全打开。醉鬼立刻滑下座位，一屁股坐在柏油路面上。于是我过去横插了一杠子[1]。要我说，打扰醉鬼永远是个

1　drop the nickel，化自打电话塞硬币的动作，插进去。——译注（如无特别说明，本书中注释均为译注）

错误。哪怕他认识而且喜欢你，也往往会往回缩，然后一拳打在你脸上。我从背后把手伸到他的腋下，拉着他站了起来。

"实在是感激不尽。"他很有礼貌地说。

姑娘坐到方向盘前。"他喝多了就满嘴该死的英国腔，"她的声音宛如不锈钢，"谢谢你拉他起来。"

"我扶他上后排座位。"我说。

"真是太对不起了。我还有个约会，已经迟到了。"她踩下油门，劳斯莱斯开始滑动。"他只是一条走丢的狗，"她冷冰冰地微笑，"也许你能帮他找个人家。他训练得挺好——算挺好吧。"

劳斯莱斯顺着门口车道开上日落大道，右转消失得无影无踪。我目送她离开的当口，服务生回来了。我还扶着那个男人，他已经睡熟了。

"嗯，也算一种处理方法。"我对白外套说。

"那是啊，"他讽刺道，"何必浪费在一个酒鬼身上呢？妹子曲线玲珑正得很。"

"你认识他？"

"听女人叫他特里。除此之外，他和母牛屁股对我来说没区别。不过嘛，我来这儿才两个星期。"

"帮我取一下车，谢谢。"我掏出停车票递给他。

他把我的奥兹开过来，这时候我已经觉得我抱着的是一袋铅块了。白外套帮我扶他坐进前排乘客座。尊敬的客人睁开一只眼睛，对我们说谢谢，然后继续呼呼大睡。

"第一次遇见这么有礼貌的醉鬼。"我对白外套说。

"高矮胖瘦什么举止态度的都有，"他说，"而且一个个都是废物。这个似乎做过整容手术。"

"是啊。"我给他一块钱，他说声谢谢。至于整容手术，他没说错。我这位新朋友的右脸僵硬发白，能看出几道接缝线似的细长疤痕。疤痕两侧的皮肤过于光滑。确实做过整容手术，而且还相当大。

"打算拿他怎么办？"

"带他回家，等他清醒过来，告诉我他住在哪儿。"

白外套朝我咧嘴笑笑。"行啊，好心人。换了是我，我会把他扔进阴沟，然后转身就走。这些酒棍只会给人招惹许多麻烦，半点乐趣也不会有。我对这种事有一套哲学。如今的竞争那么激烈，你必须养精蓄锐，干架的时候才能保护自己。"

"看得出来你获益匪浅。"我说。

他先是一脸困惑，然后恼羞成怒，但这时候我已经坐进车里，扬长而去了。

当然了，他说对了一半。特里·莱诺克斯给我招惹了许多麻烦。然而话说回来，麻烦就是我的老本行。

那年我住在月桂山谷的丝兰大道。屋子不大，坐落于山坡上，所在的小街是个死胡同，长长的一段红杉台阶通往前门，马路对面是一片桉树林。屋子带家具，女房东去爱达荷州陪守寡的女儿了。房租很便宜，一半因为房东希望能通知一声就回来住，另一半因为台阶。她年纪大了，不愿意每次回家都必须面对那么长的台阶。

我想方设法把醉鬼弄上了台阶。他也想帮忙，可惜两条腿是橡皮做的，道歉的话每次说到一半就睡着了。我打开门锁，拖着他进去，扶他在长沙发上躺平，找块毯子给他盖好，然后让他继续睡。他像虎鲸似的打了一个钟头呼噜，然后忽然醒来，说他想上厕所。回来以后，他眯着眼睛打量我，想知道他究竟在什么鬼地方。我告诉了他。

他说他叫特里·莱诺克斯，住西木区的一套公寓，家里没人等他。他声音响亮，口齿清楚。

他说他这会儿受得住一杯黑咖啡。我把咖啡端给他，他抿着咖啡，小心翼翼地紧靠杯子拿住托碟。

"我怎么会在这儿？"他问我，环顾四周。

"你醉倒在舞蹈家外面的一辆劳斯莱斯里。你女朋友甩了你。"

"做得好，"他说，"不怪她，她完全有这个资格。"

"你是英国人？"

"在英国住过。不是在那儿出生的。能叫到出租车吗？我就自己告辞了。"

"有辆现成的听你差遣。"

他凭自己的力气走下台阶。去西木区的一路上他没怎么开口，只说我是个大善人，他很抱歉给我添麻烦了。这番话他大概经常说，对许多人说过，已经习惯成自然了。

他的公寓很小，憋闷，没什么人味儿。说他是今天下午搬进来的也行。绿色硬底沙发前摆着咖啡桌，上面有一个半空的苏格兰威士忌酒瓶、一碗已经融化的冰块、三个空的苏打水瓶子、两个酒杯和一个塞满烟头的玻璃烟灰缸，有些烟头沾着口红，有些没有。房间里没有照片和任何个人物品。你可以当它是个旅馆房间，租来的用途可以是开会或话别，是喝酒或聊天甚至滚床单。总之不像是住人的地方。

他问我要不要喝点什么。我说不了谢谢。我没有坐下。我离开时他又是一番感谢，不过既不像是我为了他翻山越岭，也不像是什么事都没发生过。他有点虚弱，有点害羞，但礼貌得没话说。他站在敞开的门口，直到自动电梯上来我进去为止。别的他或许没有，但礼貌他多得是。

他没再提过那个姑娘，也没提过他一没工作二没前途，最后一块钱在舞蹈家付了账单，而那朵高档小花都不肯多待几分钟，确定他不会被巡警丢进班房，或者被黑心出租车司机掏空口袋，然后找块建筑空地随便一扔。

坐电梯下楼的路上，我一瞬间有冲动想回去抢走他那瓶威士忌。但这件事和我没关系，这么做也不可能有用。非要喝酒的酒鬼总能想办法搞到酒。

我咬着腮帮子开车回家。按理说我有一副铁石心肠，但那家伙身上有些东西打动了我。我不知道究竟是什么，也许仅仅是白发、脸上的疤痕、清澈的嗓音和彬彬有礼的举止。也许这些就够了。我没有理由会再次见到他。正如那个姑娘所说，他只是一条走丢的狗。

02

感恩节过后的那个星期，我再次见到了他。好莱坞大道的商店已经摆出了价钱虚高的圣诞破烂，报纸开始每天嚷嚷你要是不早点完成圣诞购物会有多糟糕。其实完不完成都一样糟糕。向来如此。

离我办公室那幢楼还有三个街区，我看见一辆警车当街停着，车里有两个铜纽扣盯着商店橱窗旁人行道上的什么东西。这个什么东西就是特里·莱诺克斯，或者说他本人剩下的一点东西，而且这一点东西怎么看都不太诱人。

他靠着一家店的门脸。他必须靠着点什么东西才行。他的衬衫脏兮兮的，领口敞开，半边扯在上衣外，半边还在里面。他四五天没刮脸了。他的鼻梁有点歪。他的皮肤苍白得连那些细长的伤疤都快看不见了。他的眼睛像雪堆上戳出来的两个窟窿。巡逻车里的铜纽扣显然打算动手抓他了，于是我加快步伐走过去，拉住他的胳膊。

"站起来跟我走，"我说，装得凶巴巴的，背对着街道朝他使眼色，"能做到吗？又喝醉了？"

他蒙蒙眬眬地打量我，然后露出只有半边脸的微笑。"之前是醉了，"他低声说，"这会儿好像只是有点——没力气。"

"好吧，但你给我站起来。你已经半截身子进醒酒仓了。"

他勉强站直，让我扶着他从人行道上的闲汉之间走到路旁。有辆出租车正在等客，我试了试车门。

"他先。"司机说，用大拇指点了点前面一辆出租车。他扭过头，看见特里。"只要他肯接这一单。"他又说。

"有点急。我朋友不舒服。"

"是吗，"司机说，"他可以换个地方不舒服。"

"五块，"我说，"你给我笑得好看一点。"

"那好吧。"他说，把封面画着火星人的杂志插到后视镜后面。我打开车门，把特里·莱诺克斯塞进去，巡逻车的黑影挡住了另一侧的车窗。一个灰发警察下车走过来，我绕过出租车迎上去。

"老弟，等一下。怎么回事？脏衣服里的这位先生是你的亲密朋友？"

"亲密得足够让我知道他需要朋友。他没喝醉。"

"肯定是为了钱吧。"警察说。他伸出手，我掏出执照放上去。他看了看还给我。"哦哦，"他说，"一位私家侦探捡了个客人。"他的语气变得强硬。"但是，马洛先生，执照上只有你的一丁点儿信息。他呢？"

"他叫特里·莱诺克斯。从事电影业。"

"好极了。"他把脑袋伸进出租车，盯着瘫在后排角落里的特里。"我得说他最近好像没工作。我得说他最近没在室内睡过觉。我甚至得说他是无业游民，我们似乎应该送他进去。"

"你们的逮捕纪录没那么低吧，"我说，"毕竟是好莱坞嘛。"

他继续盯着特里看。"哥们儿，你这位朋友叫什么？"

"菲利普·马洛，"特里慢悠悠地说，"家住月桂山谷的丝兰大道。"

警察把脑袋从车里拔出来，转过身，打个手势。"说不定是你刚刚告诉他的。"

"说不定，但我没有。"

他盯着我看了一两秒。"这次我就信了，"他说，"别再让他出现在街上。"他坐进警车，警车开走了。

我坐进出租车，我们走了三个街区多一点，来到我停车的停车场，换上我那辆车。我掏出一张五块递给出租车司机。他凶巴巴地瞪我一眼，摇摇头。

"表打多少就是多少，老弟，实在大方就给一块好了。我自己也倒霉过。在弗里斯科[1]。没人拉我一把，也没出租车肯载我。那是个铁石心肠的城市。"

"圣弗朗西斯科。"我机械地纠正他。

"我就叫它弗里斯科，"他说，"去他妈的少数群体。谢了。"他接过一块钱，开走了。

我们去了一家免下车餐厅，他们做的汉堡包味道不像连狗也不肯吃的那种玩意儿。我请特里·莱诺克斯吃了两个汉堡包和一瓶啤酒，然后开车带他回家。台阶对他来说还是个挑战，但他咧咧嘴，喘息着爬了上去。一小时后，他刮过脸洗过澡，看上去又是个人类了。我们坐下来，一人一杯度数非常低的小酒。

"算你走运，还记得我叫什么。"我说。

"我特地记住的，"他说，"我还查过你是谁。否则我成什么人了？"

"那为什么不打电话给我？我一直住在这儿。还有一间办公室。"

1　弗里斯科（Frisco）是圣弗朗西斯科的别称，被认为有侮辱倾向。

"我为什么要劳烦您呢？"

"你似乎总得劳烦一个什么人。你似乎没几个朋友。"

"哦，我有朋友，"他说，"算是吧。"他转动桌子上的酒杯。"求助的话我不太能说出口，尤其一切还都是我自作孽。"他抬起头，露出疲惫的笑容。"也许有朝一日我能戒酒。酒鬼都这么说，对吧？"

"需要三年左右。"

"三年？"他震惊道。

"通常如此。那是另一个世界。色彩会变得没那么绚烂，声音会变得没那么嘈杂，你必须习惯才行。你还必须接受反弹的可能性。你以前的熟人会变得有点生疏。大部分人你甚至都喜欢不起来，当然了，他们也不会太喜欢你。"

"这个倒是算不上多大的变化，"他说，扭头看挂钟，"我有个两百块的手提箱存在好莱坞汽车站。我可以取出来当掉，买个便宜的，剩下的钱够我坐大巴去维加斯了。我在那儿能找到工作。"

我没说话，只是点点头，坐在那儿抿酒。

"你在想这个主意来得未免太快了一点。"他静静地说。

"我在想这些事背后肯定有名堂，但反正和我没关系。工作是百分之百能找到还是仅仅希望而已？"

"百分之百。我在军队里的一个老熟人在那儿管一家大型俱乐部，水龟俱乐部。他有一半是个黑道，当然了，这种人都是——但另一半是个好人。"

"车票和其他费用我可以帮你出。但花出去的钱你别让我打水漂。你最好先打个电话跟他聊聊。"

"谢了，但不需要。兰迪·斯塔尔不会让我失望。他从来没让我失望过。那个手提箱能当五十块。我有经验，我知道。"

"听我说，"我说，"你需要的东西我能解决。我可不是什么软心肠的滥好人。所以我给你什么你就收下，然后好好做人。我希望你能滚出我的生活，因为我对你有一种感觉。"

"真的？"他低头看酒杯。杯里的东西他只品了一小口。"咱们只见过两次，两次你对我都好得不一般。什么样的感觉？"

"感觉等我下次见到你，你的麻烦会大得我想帮也帮不了你。我不知道我为什么会有这种感觉，但有就是有。"

他用两根手指的指尖轻轻抚摸右脸。"也许是因为这个。让我看上去有点凶相，大概吧。但这是光荣的伤疤，至少也是光荣负伤的结果。"

"不是因为那个。那个对我来说什么都不是。我是私家侦探。你是个我不必解决的难题。但难题确实存在。就说是预感好了。要是想让我说得特别客气，说是对性格的感觉也行。舞蹈家俱乐部那姑娘甩了你也许不仅因为你喝醉酒。也许她也感觉到了。"

他无力地笑了笑。"我曾经娶过她。她叫西尔维娅·莱诺克斯。我娶她是为了她的钱。"

我站起来，皱起眉头看着他。"我炒几个鸡蛋给你吃。你需要食物。"

"稍等一下，马洛。你在想既然我穷困潦倒，西尔维娅有的是钞票，我为什么不问她要几块钱花花。你听说过自尊吗？"

"莱诺克斯，你要笑死我了。"

"是吗？我这种自尊不一样，是除此之外什么都没有的男人的自尊。惹你生气，对不起了。"

我走进厨房，做了加拿大熏肉、炒蛋、咖啡和吐司。我们在早餐角吃东西。这幢屋子属于一个是屋子必然有早餐角的时代。

我说我要去趟办公室，回来路上替他取手提箱。他把存根给我。他的脸上有了一点血色，眼睛不再深陷于脑袋里，你得找一会儿才能发现。

出门前，我把威士忌酒瓶放在沙发前的咖啡桌上。"在这上面试试你的自尊吧。"我说。

"还有，给维加斯打个电话，就当卖我一个人情了。"

他只是微笑，耸耸肩。下台阶的时候我还在生闷气。我不知道为什么，就像我不知道一个人为什么宁可饿肚子流浪也不肯典当他的行头。天晓得他有什么人生准则，总之他遵守得倒是很严格。

你这辈子都见不到这么夸张的一个手提箱。漂白的猪皮质地，崭新的时候应该是淡奶油色。配件金灿灿的。英国制造，要是能随便买到现货，价钱应该是八百，而不是两百。

我把手提箱咣当一声放在他面前。我望向咖啡桌上的酒瓶。他没碰过。他和我一样清醒。他在抽烟，看上去并不怎么乐意。

"我给兰迪打了电话，"他说，"他怪我为什么不早点找他。"

"结果要陌生人帮你，"我说，"西尔维娅的礼物？"我指着手提箱。

他望向窗外。"不是。别人在英国给我的，在认识她之前很久。事实上，非常久了。要是你能借我一个旧的，我愿意把它留给你。"

我从皮夹子里取出五张二十块扔在他面前。"用不着抵押物。"

"我不是这个意思。你又不是开当铺的。我只是不想带它去维加斯，而且也用不着这么多钱。"

"行啊。钱你拿着，手提箱我留着。不过这屋子很容易遭贼。"

"无所谓，"他漠不关心地说，"完全无所谓。"

他换了身衣服，五点半左右，我们在穆索餐厅吃饭。没喝酒。他在卡温格大道上了大巴，我开车回家，想想这个，想想那个。他的空手提箱放在我床上，他拿出了里面的东西，放进我的一个轻便手提箱。他的手提箱有一把金钥匙，插在一个锁眼里。我锁好空手提箱，把钥匙拴在提手上，手提箱放进衣橱最高的一格。它似乎不完全是空的，但无论里面有什么都和我没关系。

那是个安静的夜晚，屋子似乎比平时更空旷。我摆出棋盘，和斯坦尼茨[1]下了一盘法兰西防御。他用了四十四步击败我，但我也让他冒了两次冷汗。

九点半，电话铃响了，说话的声音我听过。

"是菲利普·马洛先生吗？"

"对，我是马洛。"

"马洛先生，我是西尔维娅·莱诺克斯。上个月的一天晚上，我们在舞蹈家俱乐部门外短暂地见过一面。听说后来你大发善心，送特里回家了。"

"确实是我。"

"你应该知道我们已经不再是夫妻了，但我还是有点担心他。他搬出了西木区的公寓，似乎没人知道他去了哪里。"

"咱们见面的那天晚上，我注意到了你有多担心他。"

"听我说，马洛先生，我和他曾经是夫妻。我对酒鬼没什么同情心。也许因为我有点冷酷，也许因为我有更重要的事可做。你是私家侦探，要是你不想和我聊天，咱们可以当生意谈。"

1　国际象棋第一位正式世界冠军。

"当什么谈都没必要，莱诺克斯夫人。他上了一辆去拉斯维加斯的大巴。他在那儿有个朋友，能给他安排一份工作。"

她一下子高兴了起来。"噢——拉斯维加斯？他真是恋旧。那是我们结婚的地方。"

"我猜他大概是忘记了，"我说，"否则他肯定会去别的什么地方。"

她没有挂电话，而是笑了起来。吃吃的笑声十分可爱。"你对客户总是这么没礼貌？"

"莱诺克斯夫人，你不是我的客户。"

"说不定以后会是。谁知道呢。就当我是你的女性朋友好了。"

"答案是一样的。他穷困潦倒，又脏又饿，一毛钱也没有。假如你认为值得花这个时间，就肯定能找到他。他以前不想要你的东西，现在多半还是不想要。"

"这个，"她冷冰冰地说，"就不是你有可能知道的了。晚安。"她挂断电话。

她说得当然完全正确，我做得完全不对。但我不觉得我做错了什么。我只感到气恼。要是她早半小时打给我，我说不定会恼怒得打斯坦尼茨一个落花流水——不过他已经死了五十年，棋局是从书上看来的。

　　圣诞节前三天，我收到一张拉斯维加斯某家银行的支票，金额是一百美元。附带的字条写在旅馆信笺上。他感谢我，祝我圣诞快乐，拥有各种各样的好运，说他希望能很快再次见到我。精彩的在附言里。"西尔维娅和我开始度第二次蜜月了。她说请别生她的气，因为她还想再努力一下。"

　　我在报纸社交版的一个势利眼专栏里知道了其他细节。我很少读这种专栏，只有找不到可以讨厌的东西的时候才拿来看看。

　　　亲爱的读者，本报通讯记者惊喜获悉特里与西尔维娅·莱诺克斯在拉斯维加斯破镜重圆。众所周知，西尔维娅是家住圣弗朗西斯科和圆石滩两地的百万富翁哈兰·波特的小女儿。西尔维娅聘请马塞尔、杜赫和让娜·杜赫翻修他们在恩奇诺的豪宅，从地下室到屋顶以最具爆炸性的时髦风格重新装潢。我亲爱的读者，你们或许还记得，这个十八个房间的小窝棚是西尔维娅倒数第二任丈夫科特·韦斯特海姆送给她的结婚礼物。你们是不是想问，科特后来去哪儿了呢？想知道吗？答案在圣特罗佩，而且我听说是永久定居。另外还有一位血液特别特别蓝的法国女公爵和两个极其可爱的孩子。你们是不是也想问，哈兰·波特怎么看待他们的复婚？这个就只能瞎猜了。波特先生从不接受采访。我的乖乖，一个人怎么能这么孤傲呢？

我把报纸扔进墙角，打开电视。看过了野狗呕吐物般的社交版，连摔跤节目都变得赏心悦目。然而事情多半是真的。能上社交版，通常都是真事。

十八个房间的所谓窝棚搭配波特家的几个一百万，我能想象那是什么样子，再加上杜赫夫妇最新潮的生殖崇拜装潢就更不在话下了。但我无法想象特里·莱诺克斯穿着花裤衩在其中一个游泳池旁消磨时间，用无线电话吩咐管家冰香槟和烤松鸡。不过我也没有理由能够想象。一个人想当别人的毛绒玩具，我反正也不会掉块肉什么的。我只是不想再次见到他。然而我知道在所难免，光是他那个该死的猪皮镶金手提箱就让我想躲也躲不掉了。

三月里潮湿的一天，傍晚五点钟，他走进我那间破旧的头脑小卖部。他似乎变了个人。更老，更清醒，更严肃，更优雅和冷静。他像个学会了退一步海阔天空的好男人。他穿一件牡蛎白的雨衣，戴着手套，没戴帽子，白发光滑得仿佛雏鸟的胸毛。

"找个清静的酒吧喝一杯如何？"他说，语气像是已经来了十分钟。"当然了，前提是你有时间。"

我们没有握手。我们从不握手。英国人不像美国佬这样没完没了握手，尽管他不是英国人，但学了不少他们的习性。

我说："咱们去我家拿你的高级手提箱。那东西害得我有点担心。"

他摇摇头。"你要是能替我保管，就算帮了我一个大忙。"

"为什么？"

"就是有这种感觉。你介意吗？它算是某种联系，总让我想起我还不是一个窝囊废的那段时间。"

"胡说八道，"我说，"但那是你的事情。"

"假如你担心是因为你觉得它会被偷走——"

"那还是你的事情。咱们去喝那杯酒吧。"

我们去了维克多餐厅。他开一辆锈红色的乔伊特朱庇特[1]跑车，轻薄的帆布雨篷底下只容得下我们两个人。车里装着浅色皮革内饰，配件似乎是银质的。我对车不怎么讲究，但这个鬼东西确实让我有点流口水。他说这辆车一秒内能加速到六十五英里。粗粗短短的小变速杆还不到他的膝盖。

"四速。"他说，"车厂还没发明能在这种车上用的自动变速箱。其实本来就不需要。上坡也能三挡起步，进了车流反正最高也只能到三挡。"

"结婚礼物？"

"只是'我凑巧在橱窗里看见了这个小玩意儿'的日常礼物。我已经被娇惯坏了。"

"挺好，"我说，"只要别随身挂标价牌就行。"

他瞥了我一眼，视线随即回到湿漉漉的路面上。一对雨刷轻柔地刮着小小的挡风玻璃。"标价牌？好兄弟，标价牌是永远摘不掉的。你是不是觉得我不快乐？"

"对不起，我嘴巴太坏。"

"我有钱。谁他妈还需要快乐呢？"声音里有一丝我没听见过的

---

1 Jowett Jupiter，英国汽车品牌，产于1950—1954年间。

苦涩。

"喝酒方面呢？"

"特别会喝，老兄。说来奇怪，我似乎很能应付这东西。不过话说回来，谁知道呢？"

"也许你从来就不是真正的酒鬼。"

我们坐在维克多餐厅的酒吧一角喝螺丝起子。"这儿不会调酒，"他说，"他们所谓的螺丝起子只是青柠或柠檬汁兑金酒，加一丁点儿砂糖和苦味酒。真正的螺丝起子是一半金酒一半罗斯牌青柠汁，其他什么都不加。能打得马丁尼落荒而逃。"

"我对酒不怎么讲究。你和兰迪·斯塔尔处得如何？我这个行当里大家都知道他是狠角色。"

他向后一躺，看样子若有所思。"我看也是。我看他们都是。但从他外表看不出来。好莱坞有些和他一个路数的人也扮演这种角色，我可以告诉你几个名字。兰迪懒得装样子。在拉斯维加斯，他怎么看都是正经生意人。下次你去了不妨找他聊聊。你和他肯定谈得来。"

"不太可能。我讨厌黑道。"

"仅仅是个名词，马洛。我们就是有那么一个世界。两场大战把它给了我们，咱们只能留着它了。兰迪和我还有另一个哥们儿挤过一条战壕，我们之间从此就有了某种纽带。"

"那你需要帮助的时候为什么不找他？"

他喝完他那杯酒，招手叫侍者。"因为他不能拒绝。"

侍者又端来两杯酒，我说："你这也就是跟我说说而已。要是一个人欠你点什么，你从他的角度想一想。他很乐意能得到机会报答你。"

他缓缓摇头。"我知道你说得对。我也确实找他要了份工作。但我得到工作以后做得很认真。欠人情或者要人施舍？免了。"

"但陌生人给的你就收下了。"

他直勾勾地看着我的眼睛。"陌生人可以继续往前走，假装没听见。"

我们喝了三轮螺丝起子，不是双份的，对他毫无影响。这个量足以勾起一个正牌酒鬼的瘾头。因此我猜他的毛病应该是治好了。

然后他开车送我回办公室。

"我们八点一刻吃晚餐，"他说，"只有百万富翁才消受得起。如今只有百万富翁的仆人才容忍得了。会来很多可爱的人儿。"

从那天起，五点左右来访就成了他的习惯。我们不总是去同一家酒吧，但去维克多餐厅的次数比其他地方多。那地方和他也许有什么我不知道的联系。他从不贪杯，这一点让他自己很惊讶。

"肯定和间日疟是一个道理，"他说，"发病的时候很严重。不发病就好像你根本没病。"

"我不明白的是你这么一位高尚人士为什么想和一个私家侦探喝酒。"

"你这是在自谦？"

"不。只是困惑。我当然是适合交朋友的那种人，但咱们并不生活在同一个世界里。我甚至不知道你住在哪儿，只知道在恩奇诺。按理说你的家庭生活应该很美满。"

"我没有任何家庭生活。"

我们又在喝螺丝起子。酒吧里没什么人。几个每天来报到的强迫性酒徒零零星星地坐在高脚凳上对着吧台培养情绪，这种人伸手拿第一杯酒的时候动作特别慢，眼睛会盯着自己的手，免得碰倒不该碰倒的东西。

"我没听懂。我应该能听懂吗？"

"就像电影片场的人喜欢说的，大制作，没故事。我猜西尔维娅大概挺快乐，但我就未必了。我们那个圈子，快不快乐并不怎么重要。一个人不需要工作，不需要考虑开支，他总得做点什么事情吧。没什么真正的乐趣，但有钱人不知道。他们从没体验过真正的快乐。除了别人的老婆，他们从不特别想要什么东西，和水管工的老婆想给客厅添置新窗帘相比，这种欲望实在苍白得很。"

我一个字也不说。我让他带球继续跑。

"大多数时候我只是在杀时间，"他说，"时间却不太肯死。打一会儿网球，打一会儿高尔夫，游一会儿泳，骑一会儿马，看着西尔维娅的朋友们尽量撑到午餐时间才开始进攻宿醉，享受其中的美妙乐趣。"

"你去维加斯的那天晚上，她说她不喜欢酒鬼。"

他歪着嘴笑了笑。我已经习惯了他的疤痕脸，只在表情变化显得半边脸格外僵硬时才会注意到。

"她指的是没钱的酒鬼。有钱了就只是酒喝得很凶而已。要是吐在凉台上，自会有管家去收拾。"

"你没必要非得过这种生活。"

他一大口喝完杯子里的酒，站起身。"我得走了，马洛。而且我已经招你烦了，上帝做证，我都觉得我自己烦。"

"你没有招我烦。我是个训练有素的倾听者。迟早我会搞清楚你为什么会喜欢当一条家养的狮子狗。"

他用指尖轻轻抚摸伤疤，脸上露出若有若无的一丝笑容。"你该琢磨的是她为什么要留我在身边，而不是我为什么想待在那儿，耐心地趴在缎面软垫上，等她爱抚我的脑袋。"

"你喜欢缎面软垫，"我说，起身和他一起离开，"你喜欢丝绸床单，喜欢一摇铃管家就会出现，还带着一脸恭顺的假笑。"

"有可能。我在盐湖城的一家孤儿院长大。"

我们走进疲惫的黄昏，他说他想走走。我们是开我那辆车来的，今天我总算动作比较快，抢到了账单。我目送他走出视线。就在他即将隐没在薄雾中的时候，商店橱窗的灯光有一瞬间照得他的白发闪闪发亮。

我更喜欢以前的他，醉醺醺的，穷困，潦倒，饿肚子，沮丧，但有尊严。不过，我真的喜欢吗？也许我只是喜欢高高在上。我猜不透他做事情的理由。在我这个行当，有些时候你该提问，有些时候你该由着小火慢炖，直到他自己爆发。优秀的警察都知道这个道理。很像下象棋或打拳击。有些人你必须围追堵截，让他失去平衡。有些人你只需要陪他玩，他迟早会自己败下阵来。

要是我问他，他会说出他的人生故事。但我连他的脸怎么会伤成那样都没问过。要是我问了，而他告诉了我，说不定就能挽救几条生命。只是说不定，没法保证。

04

我们最后一次在酒吧喝酒是五月，那天他来得比平时早，刚过四点就到了。他看上去很累，瘦了不少，但他环顾四周的时候，脸上慢慢浮现出愉快的笑容。

"我喜欢酒吧刚开门迎接傍晚客人的时候。屋里的空气还凉爽干净，所有东西都亮晶晶的，酒保正在最后一次照镜子，看领带正不正、头发光不光。我喜欢架子上整整齐齐的酒瓶和闪闪发亮的可爱酒杯，还有那种期待的感觉。我喜欢看着酒保调当晚的第一杯酒，放在清清爽爽的杯垫上，旁边还要放一块叠得漂漂亮亮的餐巾。我喜欢慢慢地品这杯酒。一个安静酒吧里傍晚第一杯安静的鸡尾酒——真是美妙。"

我表示赞同。

"酒精就像爱情，"他说，"第一个吻是魔法，第二个是亲密，第三个是例行公事。然后你就要脱姑娘的衣服了。"

"难道不好吗？"我问他。

"那是高度刺激的事情，但也是一种不纯粹的情感——美学角度而言的不纯粹。我不是看不起性爱。性爱必不可少，而且不一定总是惹人讨厌。然而你必须仔细经营它。让性爱显得光彩照人是个几十亿美元的大产业，每一分钱都物有所值。"

他左右张望一圈，打个哈欠。"最近睡得不好。现在这儿很舒服。但用不了多久，酒鬼就会挤满这个地方，扯着喉咙聊天大笑，该死的女人们会手舞足蹈，挤眉弄眼，该死的手镯晃得叮当乱响，卖弄包装贩卖的美丽，不过等到晚些时候，就会变成虽然淡但肯定存在的汗味。"

"别那么苛刻，"我说，"她们毕竟是人类，会流汗，会弄脏，也必须上厕所。否则你以为呢，金色蝴蝶在粉红色的雾气里翩翩起舞？"

他喝完一杯酒，把杯子翻过来，望着一滴酒在杯口逐渐凝聚，继而颤抖、滴落。

"我为她感到抱歉，"他慢吞吞地说，"她是个不可救药的贱人。从某个遥不可及的角度说，我也挺喜欢她的。有朝一日她会需要我，而她身边只有我不打算落井下石。不过那会儿我多半会转身就走。"

我只是望着他。过了一会儿，我说："你把自己卖了个好价钱。"

"是啊，我知道。我性格软弱，没胆识也没雄心。我抓住铜戒指不放手，诧异地发现那不是黄金。我这种人一辈子会有一个光辉时刻，秋千架上完美的一荡。然后余生就全花在尽量不从人行道掉进臭水沟上了。"

"说这些是什么意思？"我掏出烟斗，开始填烟丝。

"她害怕。怕极了。"

"怕什么？"

"不知道。我们最近不怎么交谈。也许怕她老爸。哈兰·波特是个铁石心肠的龟孙子。外表全是维多利亚式的贵族气概。内心比盖世太保暴徒还无情无义。西尔维娅是个荡妇。他知道，他不喜欢，然而他没办法。但他在耐心等待和观察，只要西尔维娅搞出个大丑闻，他就会把她砍成两截，一段埋在这儿，另一段埋在那儿，中间远隔千里。"

"你是她丈夫。"

他举起空酒杯，重重地砸在桌子边缘。酒杯碎了，发出刺耳的砰的一声。酒保瞪着他，但没有说话。

"就像这样，兄弟。就像这样。哦，对，我是她丈夫。登记册上这么说的。我是三级白色台阶、绿色大门和青铜门环，你一长两短叩三下，女仆就会带你走进百元档次的妓院。"

我站起身，掏出酒钱扔在桌上。"你说得太他妈多了，"我说，"说你自己说得太他妈多了。回头见。"

我扔下他走了出去，他震惊地坐在那儿，脸色惨白，借着酒吧里的那种灯光我也能看清。他在我背后喊了句什么，但我没有停下。

走了十分钟，我后悔了。但走了十分钟，我已经来到了另一个地方。他不再来我的办公室。一次也没有来过。我肯定刺中了他的什么痛处。

接下来，我有一个月没见过他。他再次出现是某个清晨五点，天刚开始蒙蒙亮。门铃执着地响个不停，硬是把我从床上拽了起来。我拖着脚穿过走廊和客厅，打开正门。他站在门外，看样子像是一个星期没合过眼了。他穿一件轻便大衣，领子竖起来，他似乎在颤抖。他戴着一顶黑色呢帽，帽檐拉下来盖过眼睛。

他拿着一把枪。

05

　　枪口没有指着我，他只是拿着枪而已。中等口径的自动手枪，外国牌子，当然不可能是柯尔特或萨维奇[1]。疲惫的惨白面庞、竖起来的衣领、拉下来的帽檐、手里的枪，他活像刚从倒地还要踢三脚的那种老派黑帮电影里走出来。

　　"开车送我去蒂华纳，赶十点一刻的飞机，"他说，"我有护照和签证，全准备好了，只缺交通工具。出于某些特定的原因，我不能坐火车或汽车或飞机离开洛杉矶。五百块的车费算不算合理？"

　　我站在门口，没有让他进来。"五百块加那把枪？"我问。

　　他低头看枪的眼神颇为茫然。他随即把枪塞进衣袋。

　　"也许可以防身，"他说，"保护你。不是我。"

　　"那就进来吧。"我让开，他筋疲力尽地冲进来，倒在一把椅子里。

　　客厅还很暗，房东放任其生长的浓密灌木丛遮住了窗户。我打开一盏灯，翻出一支烟。我点燃香烟。我低头看着他。我挠了挠已经乱蓬蓬的头发。我照例露出疲惫的笑容。

　　"我这是犯了什么毛病，居然在这么美妙的一个早晨睡大觉？十

1　都是美国本土的枪械品牌。

点一刻对吧？嗯，时间还有的是。咱们去厨房，我煮一壶咖啡。"

"我惹了天大的麻烦，包打听。"包打听，他第一次这么称呼我。不过倒是很般配他闯进来的方式、穿衣打扮的风格和那把枪。

"今天会是多么讨人喜欢的一个好日子。微风习习。你能听见街对面的老桉树在交头接耳。聊它们在澳大利亚的往日时光，小袋鼠在树枝底下蹦来蹦去，树袋熊你背背我我背背你。说真的，我大致看得出来你惹了麻烦。等我先喝几杯咖啡咱们再谈不迟。刚醒来的时候我总是有点轻飘飘的。咱们去请教一下希金斯先生和扬先生。"

"听我说，马洛，现在不是——"

"别担心，老弟。希金斯先生和扬先生是两位伟人。他们制造希金斯-扬氏咖啡。那是他们的毕生杰作，他们的骄傲和快乐。总有一天我会见到他们得到应得的认可。目前他们得到的只有金钱。你不可能指望那东西能满足他们。"

兴高采烈地说完这些，我撇下他走向后面的厨房。我打开热水，取下架子上的咖啡壶。我打湿滤芯[1]，量些咖啡粉从壶顶倒进去，这时候水刚好开了。我倒水灌满那玩意儿的下半截，把它放在火上。我把上半截放上去，拧一下扣紧。

他已经跟着我走进了厨房。他在门框上靠了一会儿，然后一点一点挪到早餐角，贴着墙滑进座位。他还在颤抖。我取下架子上的一瓶老祖父威士忌，在一个大杯子里倒了一注的量。我知道他会需要一个大杯子。即便如此，他还是必须用两只手捧起杯子才能把酒送进嘴里。他咽下烈酒，砰的一声放下杯子，咚的一声躺在座位靠背上。

1　Filter rod，虹吸式咖啡壶（塞风壶）的组件。塞风壶由上下两部分组成，上半部分放咖啡粉，下半部分放水，中间由滤芯连接，水烧开后由于沸腾作用从下半部流到上半部，关火后通过滤芯流下来的就是煮好的咖啡。

"险些晕过去，"他嘟囔道，"感觉就像一个星期没合眼了。昨天夜里一分钟都没睡。"

咖啡壶即将冒泡。我关小炉火，望着水位升高，稍稍碰到玻璃滤管的底部。我开大炉火，让水刚好漫过滤芯中央的隆起部分，然后立刻转回小火。我搅拌咖啡，盖上壶盖。我用计时器定了个三分钟。非常有条理的好老弟，马洛。什么也不能扰乱他煮咖啡的章程。哪怕是一个走投无路的家伙手里的一把枪。

我又给他倒了一注酒。"你坐着别动，"我说，"一个字也别说。坐着就行。"

他用一只手喝完了第二杯酒。我走进卫生间，飞快地洗漱，回来时计时器刚好振铃。我关掉炉火，把咖啡壶放在桌上的一块草编垫子上。我为什么这么注重细节？因为气氛太紧张，每一件小事都突出得活像一场表演、一个独一无二且异常重要的动作。此刻属于那种超级敏感的时刻，你每一个无意识的动作，无论多么不由自主，多么习惯成自然，都变成了彼此分离的有意识行为。你就像小儿麻痹症患者在学走路。没有任何事情是理所当然的，完全没有。

咖啡全流下来了，空气像平时一样咝咝涌入，咖啡沸腾冒泡，逐渐平息。我取掉咖啡壶的上半截，盖子槽口向下放在沥水板上。

我倒了两杯咖啡，在他那杯里加了一注威士忌。"特里，给你喝黑的。"我在我的咖啡里加了两块方糖和少许炼乳。这会儿我开始清醒过来了。我都不知道自己是怎么开冰箱拿炼乳盒的。

我在他对面坐下。他没动过地方。他靠在早餐角的拐角里，身体僵硬。然后，他毫无征兆地一头趴在桌上。他在抽泣。

我探出身子，从他的口袋里掏出手枪，他丝毫没有在意。毛瑟7.65，一个小美人儿。我闻了闻。我打开枪膛。弹仓是满的。一颗都不缺。

他抬起头，看见咖啡，慢慢地喝了几口，眼睛就是不看我。"我没开枪打任何人。"他说。

"嗯——至少最近没开过。再说这把枪早该清理一下了。我不认为你用它能打死任何人。"

"我会告诉你的。"他说。

"稍等一下。"咖啡很烫，我尽快喝完，又给自己倒了一杯。"是这样的，"我说，"想清楚你打算告诉我什么。要是你真希望我送你去蒂华纳，那么有两种事情你千万别告诉我。第一——你在听我说吗？"

他微不可查地点点头。他茫然地望着我头顶上方的墙壁。今天早晨他的伤疤非常显眼。他的皮肤白得近乎尸体，但伤疤照样泛着红光。

"第一，"我非常慢地重复道，"假如你有犯罪行为，或者做了法律会称之为犯罪的事情——我指的是严重犯罪——请不要告诉我。第二，假如你掌握了这类犯罪的确凿情况，同样请不要告诉我。只要你希望我送你去蒂华纳就别告诉我。听清楚了？"

他看着我的眼睛。视线集中，但死气沉沉。咖啡已经喝进他的肚子。他面无血色，但身体不再颤抖。我又给他倒了些咖啡，照例加上烈酒。

"我说过我惹事了。"他说。

"我听见了。我不想知道是什么事。我要挣钱糊口，我要保护我的执照。"

"我可以拿枪逼你。"他说。

我咧嘴笑笑，把枪从桌上推给他。他低头看着枪，但没有伸手去拿。

"特里，你不可能拿枪逼我送你去蒂华纳。不可能穿过边境，爬舷梯上飞机。我这个人经常要和枪打交道。咱们就别提你这把枪了。我要是告诉警察说我怕得要死，只能按你说的做，你倒是看他们信不信吧。当然了，前提是我有东西可以告诉警察，但这个我就说不准了。"

"听我说，"他说，"要到中午甚至再晚一些才会有人敲那扇门。用人都知道她睡懒觉的时候最好别去打扰。但中午前后她的女仆会直接敲门进去。然后会发现她不在房间里。"

我喝着咖啡，一言不发。

"女仆会发现她的床没人睡过，"他继续道，"然后会想到去另一个地方找她。我们有一幢招待客人的大屋子，离主宅有段距离，有自己的车道、车库和其他设施。西尔维娅昨晚是在那儿过夜的。女仆最后会在那儿找到她。"

我皱起眉头。"特里，我向你提问的时候必须非常谨慎。她有没有可能在家以外的地方过夜？"

"她的衣服会扔得整个房间到处都是。她从来不会把东西挂起来。女仆会知道她在睡衣外套了一件睡袍，然后就那么出去了。因此她只可能在客人房。"

"也未必吧。"我说。

"肯定是客人房。妈的，你以为他们不知道客人房在搞什么名堂吗？仆人永远知道。"

"略过。"我说。

他用一根手指使劲挠没伤疤的那半边脸，重得足以留下一道红印。"在客人房，"他慢慢地继续道，"女仆会发现——"

"西尔维娅醉得昏死过去，动弹不得，醉得不省人事，连眼皮都冻住了。"我厉声道。

"哦。"他想了想。仔细想了想。"当然了，"他又说，"应该就是这样。西尔维娅酒量一般。要是喝多了，样子会很吓人。"

"故事到此结束，"我说，"或者差不多结束了。听我现场编一段。上次咱们喝酒的时候，我对你有点凶，扔下你自己走了，你应该还记得吧。你气得我七窍生烟。事后想了想，我看得出你只是在挖苦自己，想摆脱大难临头的感觉。你说你有护照和签证。办墨西哥签证需要一点时间。他们不会随随便便放人进门。所以你早就在计划远走高飞了。我还在琢磨你到底能坚持多久呢。"

"我猜我隐约觉得有点义务应该留下，想着她说不定真的需要我，而不是仅仅充当幌子，免得她老爹问东问西的。说起来，半夜我试过打电话给你。"

"我睡得很实。没听见。"

"然后我去了一家土耳其浴室。我待了几个小时，洗了个蒸汽浴，池子里泡了一会儿，出来冲个喷淋浴，做完全身按摩，然后在浴室打了两个电话。我把车停在拉布雷亚大道和喷泉大道路口，然后步行过来。没人看见我拐进你这条街。"

"那些电话有打给我的吗？"

"一个打给哈兰·波特。老头子昨天飞到帕萨迪纳谈生意。他没来家里。我费了许多周折找他。但最后还是和他说上了话。我说我很抱歉，但我要离开了。"他说话时不肯看我，望向水槽上方的窗户和蹭着纱窗生长的黄钟花树丛。

"他有什么反应？"

"他说他很抱歉。祝我好运。问我要不要钱。"特里发出刺耳的笑声。"钱，他的字典里排在第一位的字。我说我的钱够用了。然后我打给西尔维娅的姐姐。差不多也是这么一番话。就这样了。"

"有件事我要问一下，"我说，"你有没有在那幢客人房里发现她和其他男人在一起？"

他摇摇头。"从来没试过。否则肯定不难。不可能有多难。"

"你的咖啡要凉了。"

"喝不下了。"

"很多男人，对吧？但你还是吃回头草，和她复婚了。我知道她是一盘好菜，但就算这样——"

"我说过我没什么长处。妈的，最开始我为什么会离开她？为什么后来每次见到她都会喝个烂醉？我为什么宁可在阴沟里打滚也不肯问她要钱？她结过五次婚，不包括我。她随便勾勾手指，其中任何一个都会吃回头草。而且不止是为了百万家财。"

"她确实是一盘好菜。"我说。我看看手表。"为什么非得赶蒂华纳十点一刻那班飞机？"

"因为那个航班总是有空位。从洛杉矶出发的人谁也不想乘DC-3翻山越岭，他们搭康妮[1]用不了七个钟头就能到墨西哥城。另外，我去的地方康妮不停。"

我起身靠在水槽上。"咱们理一理思路，你别打断我。今天清晨你来找我，情绪非常激动，要我开车送你去蒂华纳赶早班飞机。你口袋里有枪，但我未必见过。你说你一直在尽量忍耐，但昨晚你终于爆发了。你发现你老婆醉死过去，而且还和另一个人在一起。你离开家，去一家土耳其浴室消磨时间直到天亮，你给你老婆的两个直系亲属打电话，告诉他们你打算怎么做。你去什么地方不关我事。你有人

1　洛克希德星座飞机的昵称，比DC-3更大更舒适。

境墨西哥的必要证件。你怎么去同样不关我事。我们是朋友，我照你说的做，没有多想。我为什么要花心思？你又不付我钱。你有自己的车，但觉得自己心情太差，不适合开车。这个也还是不关我事。你是个情绪化的人，在战争中伤得很重。我认为我该去取你的车，找个车库存起来。"

他从衣服里掏出皮革钥匙夹，隔着桌子推给我。

"听起来怎么样？"他问。

"那得看说给谁听了。我还没说完。除了你身上的衣服和你岳父给的一些钱，你没拿走任何东西。你没拿她给你的任何东西，包括停在拉布雷亚大道和喷泉大道路口的漂亮小车。你想尽可能清清白白地离开，但日子总得过下去嘛。很好。我买账。现在让我刮脸换衣服。"

"马洛，你为什么要这么做？"

"我刮脸的时候你自己倒杯酒喝。"

我走了出去，留下他蜷缩在早餐角的角落里。帽子和轻便大衣还在他身上，但他看起来像个活人了。

我走进卫生间刮脸，然后回卧室换衣服，领带打到一半，他过来靠在门框上。"杯子我洗掉了，以防万一，"他说，"我又想了一下。也许你更应该报警。"

"要报你自己报。我没什么可以告诉他们的。"

"你要我报警？"

我蓦地转身，恶狠狠地瞪着他。"真该死！"我几乎对他吼道，"你他妈就不能少说几句吗？"

"对不起。"

"你当然对不起我。你这种人永远在说对不起，而且永远说得太迟。"

他转过身，顺着走廊回到客厅。

我穿好衣服，锁上后门。回到客厅，我发现他在椅子里睡着了，脑袋耷拉在一旁，脸上毫无血色，身体疲惫得像是散了架。他看上去很可怜。我碰了碰他的肩膀，他苏醒得很慢，就好像从他所在的地方到我所在的地方有好长一段路。

等他的眼神聚集在我身上了，我说："带个手提箱如何？你那个白色猪皮箱子还塞在我衣柜的最顶层呢。"

"空的，"他毫无兴趣地说，"再说也太显眼。"

"没有行李你只会更显眼。"

我回到卧室，站在衣柜里的踏脚上，从最高一层架子上取出白色猪皮手提箱。天花板上有个四四方方的翻板活门，就在我的头顶上，我推开活门，胳膊尽量往远处伸，把皮革钥匙夹扔在一根积灰的系梁背后。

我拿着手提箱爬下来，掸掉灰尘，找了些东西塞进去：我没穿过的睡裤，牙膏，备用牙刷，两条便宜毛巾和洗脸巾，一包棉布手帕，一毛五一管的剃须膏，整盒刀片附赠的剃须刀架。没有任何一样使用过，没有任何一样有我名字，没有任何一样会惹人注意，然而他自己的东西档次肯定比较高。我加上一品脱连包装都没拆的波本威士忌。我锁上手提箱，钥匙插在一侧的锁眼里，拎着手提箱回到前面。他又睡着了。我开门的声音没吵醒他，我拎着手提箱去车库，放在敞篷轿车的前座背后。我把车开出来，锁好车库门，爬台阶上去叫醒他。我锁好正门，开车带他离开。

我开得很快，但没快到会被抄牌的地步。向南的一路上，我们几乎没有交谈。我们也没有停车吃东西。我们没有那么多的时间。

边检站的人没什么话想对我们说。我开上蒂华纳机场所在的多风台地，在离办公楼不远处找个地方停车，坐在车里等特里去买票。DC-3的螺旋桨已在缓缓转动，不过速度只够预热引擎。机长身穿灰色制服，高个子，梦中情人那一型，正在和四个人聊天。一个身高六英尺四，拎着枪械箱。他身边是个穿长裤的姑娘，还有一个小个子的中年男人和一个灰发女人，女人个子很高，相比之下男人显得又瘦又小。另有三四个人站在附近，明显都是墨西哥人。乘客大概就是这些人了。舷梯已经推到舱门口，但似乎没有人急着登机。这时，一名墨西哥空服人员走下舷梯，站在那儿等着大家。机场似乎没有广播系统。墨西哥人上了飞机，但机长还在底下和美国人聊天。

我旁边停着一辆帕卡德大轿车。我探出脑袋瞥了一眼车牌。也许有朝一日我能学会别管闲事。缩头回来的时候我发现高个子女人在盯着我看。

这时特里踩着尘土飞扬的砾石地面走了过来。

"全办好了，"他说，"咱们就此别过。"

他伸出手。我抓住握了握。他这会儿看上去还不错，只是疲倦，只是疲倦得要死。

我从奥兹车里拿出猪皮手提箱，放在砾石地面上。他气呼呼地瞪着它。

"我说过了我不要。"他喝道。

"里面有一品脱好酒，特里。还有睡裤和各种生活用品。全都没有名字。不想要就寄存在机场。要么扔掉也行。"

"我有我的理由。"他生硬地说。

"我也有。"

他忽然露出微笑。他拎起手提箱，用另一只手捏了捏我的胳膊。"好吧，老兄。你说了算。记住，要是情况太糟糕，你就看着办吧。

你什么都不欠我的。我们一起喝过几杯酒，有了点小交情，我说自己说得太多。我在你的咖啡罐里留了五百块。别生我的气。"

"真希望你没留。"

"我的钱我一辈子也花不完一半。"

"祝你好运，特里。"

两个美国人爬舷梯上飞机。一个黑皮肤宽脸膛的矮胖男人走出办公楼，挥挥手，指了指飞机。

"登机吧，"我说，"我知道你没杀她。所以我才会在这儿。"

他身子一挺，整个人变得僵硬。他缓缓转身，然后扭头望着我。

"对不起，"他静静地说，"但这一点你说错了。现在我要非常慢非常慢地走向飞机。你有足够多的时间拦住我。"

他走了。我望着他。办公楼门口的男人在等待，但没怎么丧失耐心。墨西哥人很少会不耐烦。他弯腰拍了拍猪皮手提箱，对特里咧嘴笑笑，然后让到一旁，特里走进那扇门。没多久，特里走出办公楼另一侧的一扇门，航班抵达时海关人员会守在那儿。他继续走，依然很慢，穿过砾石地面走向舷梯。他在舷梯前停下，扭头望向我。他没有朝我示意或挥手。我也没有。他爬上舷梯走进飞机，舷梯随即收回。

我坐进奥兹，发动引擎，倒车，拐弯，开过半个停车场。高个子女人和矮个子男人还在停机坪上。女人拿着手帕挥舞。飞机开始向跑道尽头滑行，掀起了大量灰尘。飞机在跑道尽头掉头，引擎加快转速，轰鸣声震耳欲聋。飞机开始前进，慢慢地越来越快。

飞机在背后掀起漫天的尘土，然后就起飞了。我望着它在大风阵阵的空中逐渐爬升，最终消失在东南方毫无遮蔽的蓝色天空中。

然后我就离开了。边检站没人多看我一眼，就仿佛我这张脸和表盘上的指针一样，看一眼就什么都知道了。

06

从蒂华纳回洛杉矶路途漫长，是本州最无聊的车程之一。蒂华纳什么都不是，那儿的人只想要钱。小孩怯生生地走到你的车旁，大眼睛满怀渴望地看着你说，"给我一毛钱吧，先生，求求你。"再开口就要给他姐姐拉皮条了。蒂华纳不是墨西哥。没有哪个边境城市仅仅是个边境城市，正如没有哪片海滩仅仅是一片海滩。圣迭戈？全世界最美丽的海港之一，只有海军和几艘渔船会来靠岸。到了晚上就是人间仙境。波浪和缓得仿佛老太太唱赞美诗。不过嘛，马洛必须回去，看看家里有没有少东西。

向北的道路比船夫的号子还单调。你穿过一个镇子，下一道山坡，沿着海滩开一阵，你再穿过一个镇子，下一道山坡，沿着海滩再开一阵。

到家的时候是两点钟，他们在一辆黑色轿车里等我，车上没有警察的徽标，没有红色警灯，只有一双天线，而装这种天线的又不是只有警车。台阶爬到一半，他们钻出车门朝我嚷嚷，照例的两人小组，照例的蹩脚正装，照例冷漠而悠然的举止，就好像全世界都屏住呼吸，默默听候他们的差遣。

"你叫马洛？我们想和你谈谈。"

他给我看徽章的反光。就我看见的那一眼而言，说他是虫害控制部门的人也有可能。他的头发是灰金色，整个人看上去黏糊糊的。他的搭档个子很高，相貌堂堂，收拾得干净利落，有一种考究的恶毒气质，像个受过教育的暴徒。他们长着窥伺和守候的眼睛，耐心和谨慎的眼睛，冷漠而倨傲的眼睛，警察的眼睛。这种眼睛是他们在警校毕业典礼上一人一双领到的。

"格林警司，中央分局凶杀科。这位是戴顿警探。"

我爬完台阶，打开门锁。你不会和大城市的警察握手。那种亲近未免过于亲近。

他们在客厅坐下。我打开窗户，微风飒飒低语。格林负责和我交谈。

"有个叫特里·莱诺克斯的男人。认识？"

"我们时不时一起喝两杯。住在恩奇诺，老婆很有钱。我没去过他家。"

"这个时不时，"格林说，"是多久一次？"

"时不时是个模糊的说法。我是存心这么说的。有时候一星期一次，有时候两个月一次。"

"见过他夫人？"

"见过一次，非常短暂，在他们结婚前。"

"上次见到他是什么时候，在什么地方？"

我拿起咖啡桌上的烟斗填烟丝。格林俯身凑近我。高个子坐得比较远，手里的圆珠笔悬在翻开的红边笔记本上。

"现在我该说，'这到底是为什么？'然后你说，'提问的是我们。'"

"那就好好回答问题吧。"

我开始点烟斗。烟草稍微有点潮。我花了不少时间和三根火柴才点燃。

"我有时间，"格林说，"但花了很多用来等你。所以啊，先生，你就干脆点吧。我们知道你是谁，你也知道我们来这儿不是为了培养胃口。"

"我只是在回忆，"我说，"维克多餐厅我们去得比较频繁，不太常去绿灯笼和公牛与熊——那地方在日落商业街[1]的尽头，努力装扮成一家英国小酒馆——"

"别拖延时间。"

"谁死了？"我问。戴顿警探开口了。他用严厉而成熟的"别企图耍我"语气说："马洛，你好好回答问题。我们在做例行调查。你需要知道的只有这个。"

也许我累了，性情暴躁。也许我有点内疚。我不需要认识这家伙就知道应该讨厌他。隔着一整个餐馆的宽度看他一眼就想踢掉他的满嘴牙齿。

"打住，小子，"我说，"这种淡留给少年署去扯吧。连他们都会觉得是一通屁话。"

格林吃吃笑。戴顿脸上没什么你能说清的明显变化，但他忽然间像是老了十岁和恶毒了二十岁。进出他鼻孔的气息咝咝作响。

"戴顿通过了律师资格考试，"格兰说，"你糊弄不了他。"

我慢慢起身，走到书架前。我取下一本精装的《加州刑法》递给戴顿。

"能麻烦你找一下规定我必须好好回答问题的条款吗？"

他很沉得住气。他会狠狠收拾我，我和他都知道这一点。但他要

1　Strip，日落大街最繁华的一段，有许多夜总会和餐厅。

等待一个好机会。说明要是他做了出格的事情，他不确定格林会不会给他打掩护。

他说："每个公民都必须配合警方工作。以各种方式，甚至身体力行，尤其是回答警方认为有必要询问的非定罪性质的问题。"他这番话说得严厉、响亮而平稳。

"这种结果，"我说，"一般总是通过直接或间接恫吓的手段达到的。法律上并不存在这个义务。没有人必须在任何时间、任何地点告诉警方任何事。"

"哦，闭嘴吧，"格林不耐烦地说，"你在兜圈子，你自己也知道。坐下。莱诺克斯的妻子被谋杀了。在他们恩奇诺住所的客人房里。莱诺克斯已经潜逃。我们无论如何都找不到他。因此我们在找一名谋杀嫌犯。满意了吧？"

我把法典扔在一把椅子上，回去坐进沙发，我和格林之间隔着咖啡桌。"那为什么来找我？"我问，"我没靠近过那幢屋子。我说过了。"

格林拍着大腿，一上一下，一上一下。他无声无息地朝我咧开嘴。戴顿坐在椅子上一动不动，眼神像是要生吞了我。

"因为在过去二十四小时内，你的电话号码曾写在他房间的一个记事本上。"格林说，"记事本上有日期，昨天那页被撕掉了，但今天这页上能看见印子。我们不知道他打电话给你是什么时候。我们不知道他去了哪儿和什么时候为什么去的。因此，当然了，我们必须要问你。"

"为什么会在客人房？"我问，以为他不会回答，然而他却回答了。

他有点脸红。"她似乎经常去那儿。夜里。会客人。用人隔着树丛能看见那儿的灯光。车来了又走，有时候很晚，有时候非常晚。说这么多总够了吧？别骗自己了。莱诺克斯就是凶手。他凌晨一点朝客人房的方向去了。管家碰巧看见了。大概二十分钟后，他一个人回来。然后就没了。灯一直开着。今天早晨莱诺克斯不见了。管家去客人房。那位女士躺在床上，赤条条的像条美人鱼，怎么说呢，看脸已经认不出她了。简而言之就是她没有脸了。被一尊青铜猴子雕像砸得稀烂。"

"特里·莱诺克斯做不出那种事，"我说，"没错，她背着他偷腥。又不是新鲜事了。她一直这么做。他们离婚又复婚。她偷人他不可能高兴，这个我理解，但为什么会忽然间爆发呢？"

"没人知道为什么，"格林耐心地说，"这种事经常发生。男人女人都有。男人忍啊忍啊忍啊忍。然后有一天忍不下去了。他自己多半也说不清楚，为什么会在那个瞬间忽然发疯。但他就是失控了，结果是有人丧命。于是我们就有事要做了。所以请让我们问你一个最简单的问题。你就别满嘴跑火车了，否则我们只能带你回去了。"

"警司，他不会告诉你的，"戴顿酸溜溜地说，"他读过法典。他和很多读过法典的人一样，以为法律就在书里。"

"你记你的笔记，"格林说，"就别瞎动脑子了。要是你表现特别好，我们就让你在警察聚会上唱《慈母颂》。"

"去你妈的，警司，我尊重你的官衔，但还是请允许我这么说。"

"你和他打一场吧，"我对格林说，"他倒下了我会扶住的。"

戴顿放下笔记本和圆珠笔，动作一丝不苟。他站起身，眼睛发亮。他走过来，在我面前停下。

"站起来，聪明人。我上过大学不等于我会忍你这种下三烂胡说八道。"

我开始起身。我还没站稳，他就动手了。他一个漂亮的左勾拳，接着一个右直拳。铃声响叮当，但不是晚餐铃。我重重地坐下，使劲晃脑袋。戴顿还站在原处，此刻笑得很开心。

"要不要再试一次？"他说，"你刚才没摆好架势。不是很带劲。"

我望向格林。他盯着大拇指，像是在找肉刺。我没有动弹，也没有开口，只是等他抬起头。要是我再站起来，戴顿会继续揍我。就算我不站起来，他说不定还是会揍我。但要是我起身，他向我出拳，我就会把他撕成碎片，因为刚才那两下证明他只会拳击。打的地方虽然没错，但这种拳需要很多下才能打得我倒地不起。

格林几乎心不在焉地说："干得好，愣小子。他要什么你就给了他什么。妙不可言。"

然后他抬起头，不咸不淡地说："我正式再问一次，马洛。你最后一次见到特里·莱诺克斯，是在什么地方，怎么见面的，你们谈了什么，还有，你刚才是从哪儿回来的。说，还是不说？"

戴顿站得很放松，重心稳固，眼睛里闪着柔和而愉快的光彩。

"另一个男人呢？"我说，没有理他。

"什么另一个男人？"

"在床上，客人房的床上。没穿衣服。你不会想说她非得去那儿玩单人纸牌吧？"

"这个回头再说，等我们找到她丈夫。"

"很好。等你们抓到替罪羊，要是不太麻烦，就来跟我说一声吧。"

"你不交代，马洛，我们就带你回去。"

"作为关键证人？"

"关键个屁。作为嫌犯。杀人案的事后从犯嫌疑。协助嫌犯逃跑。要我猜，你送那家伙去了什么地方。眼下我只需要猜测就够了。头儿最近日子不好过。他懂规章制度，但经常走神。对你恐怕不是好事。我们无论如何都会从你嘴里掏出一份证词来。越难搞到，我们就越相信我们需要它。"

"这些对他只是好大一堆废话，"戴顿说，"他知道规矩。"

"对所有人都是好大一堆废话，"格林冷静地说，"但还是有用处的。说吧，马洛。我这就要抓你回去了。"

"行啊，"我说，"抓吧。特里·莱诺克斯是我的朋友。我在他身上投注了相当可观的感情。区区一个警察命令我交代还不足以让我毁掉它。你有个对他不利的案子，情况也许比你告诉我的更严重。他有动机，有作案时间，再加上他逃跑的事实。但动机是陈年往事，早就泄气了，差不多算是他们婚姻的一部分。我并不羡慕这种关系，但他就是那种人，有点软弱，非常绅士。除此之外的一切都毫无意义，然而假如他知道他妻子死了，那他就成了你们的头号靶子。案子要是能上法庭，要是他们传讯我，我会不得不回答问题。但我不需要回答你们的问题。格林，我看得出你为人不错。就像我看得出你搭档喜欢借着徽章逞威风，有他妈的威权情结。你希望我惹上真正的麻烦是吧？让他再揍我两拳好了。看我不打断他那根小铅笔。"

格林站起身，悲哀地看着我。戴顿没有动弹。他是那种会热血上头的暴力分子。他需要被人拍着后背帮他冷静下来。

"借电话一用，"格林说，"但我知道我会得到什么答案。你大难临头了，马洛。非常大的大难。你他妈别挡道。"最后这句是对戴顿说的。戴顿转身回去坐下，拿起他的记事本。

格林走到电话前，慢慢地拿起听筒，费力而不讨好的漫长折磨让他皱起了他那张淡漠的脸。和警察打交道就是有这个麻烦。你打定主意要恨他们到骨子里，却遇见了一个把你当人看待的家伙。

　　队长说带我回去，没什么好客气的。

　　他们给我戴上手铐。他们没有搜查我家，似乎是一时疏忽。也可能他们认为我经验丰富，身边不会有能对我构成危险的东西。假如是这样，那他们就猜错了。他们要是稍微认真搜查一下，就会找到特里·莱诺克斯的车钥匙。警察找到他那辆车是迟早的事情，到时候把钥匙一对，他们就会知道他曾经和我待在一起。

　　不过，事实证明这个想法毫无意义。警察再也没找到那辆车。它在夜里某个时候被偷走了，窃贼很可能一路开着它去了埃尔帕索，配上新钥匙和伪造的文件，最后流入墨西哥城的市场。整套做法早就成了惯例。大部分赃款会以海洛因的形式流回美国。在黑道看来，这是睦邻政策的一部分。

07

那年凶杀科的老大是个叫格里高利的警监，他这种铜纽扣如今越来越稀有，但绝对没有灭绝，他这种人破案靠的是强光灯、胶皮棒、脚踹后腰、膝撞腹股沟、拳打心口、警棍戳尾椎。六个月后他受指控在大陪审团前做伪证，于是未经审判就被一脚踢出警队，后来在怀俄明州自家牧场被一匹雄壮大马活活踩死。

然而此刻我是他砧板上的肉。他坐在办公桌前，脱掉了外衣，袖子挽得都快到肩膀了。他秃得像块砖头，腰上正在长肥膘，肌肉结实的男人到了中年都会这样。他的眼睛是死鱼那种灰色。他的大鼻子上破裂的毛细血管纵横交错。他在喝咖啡，响动可不小。他粗壮双手的手背上汗毛浓密。几撮灰毛从他耳朵里支棱出来。他玩着桌上的什么东西，眼睛望向格林。

格林说："头儿，我们只知道他什么都不肯说。电话号码带着我们找到他。他开车出去过，不肯说去了哪儿。他和莱诺克斯很熟，不肯说最后一次见到他是什么时候。"

"以为自己是条硬汉，"格里高利淡然道，"坏毛病可以帮他改一改。"语气像是根本不在乎。他很可能确实不在乎。在他眼里，没有人是硬汉。"关键是地检官在这个案子里闻到了很多头版头条。不能怪他，看看那姑娘的老爸是谁就知道了。我觉得咱们得为他抖搂抖搂这位朋友。"

他看我的眼神仿佛我是个烟头，顶多是把空椅子。只是他视线里的一件东西，引不起他的任何兴趣。

戴顿毕恭毕敬地说："显然他是存心做出这种态度的，就是为了制造出他可以拒绝回答问题的局面。他向我们引用法条，撩拨我动手打他。队长，我当时有点出格了。"

格里高利阴森森地看了他一眼。"连这孙子都刺激得了你，说明你很吃撩拨那一套。谁摘掉了他的手铐？"

格林说是他。"戴回去，"格里高利说，"戴紧点。帮他提提神。"

格林给我戴手铐，更确切的说法是开始给我戴手铐，只听见格里高利一声怒吼，"背后！"格林从我背后铐上我。我坐在一把硬椅子上。

"再紧点，"格里高利说，"咬到肉里。"

格林把手铐又扣紧了几个齿。我的双手渐渐发麻。

格里高利终于背看我了。"现在你可以交代了。干脆点儿。"

我没有理他。他向后一靠，咧开大嘴。他抬起一只手，慢吞吞地伸向咖啡杯，巴掌弯过来抓住杯子。他微微向前欠身。杯子突然跃起，但我快了一拍，向侧面跳下椅子。我的肩膀重重地撞在地上，我翻个身，慢慢地爬起来。我的双手完全没了知觉。什么都感觉不到。手铐以上的胳膊开始觉得酸痛。

格林扶我坐回椅子里。咖啡淋湿了椅背和部分座位，但大部分洒在了地上。

"他不喜欢咖啡，"格里高利说，"他很敏捷。动作够快。反应迅速。"

没有人接话。格里高利的死鱼眼上下打量我。

"在我这儿，先生，私家侦探执照不比名片更管用。来，咱们给你录口供，先说一遍，等会儿再写下来。从头到尾别有什么遗漏。你给我，怎么说呢？完整陈述你从昨晚十点开始的一举一动。我们在调查一起凶杀案，头号嫌犯不知去向。你和他有关联。那家伙撞见他老婆偷人，把她的脑袋打得血肉模糊，只剩下碎骨头和浸透鲜血的头发。用的是大家的老相识，青铜雕像。没什么想象力，但很管用。先生，你以为随便哪个狗娘养的私家侦探都能引用法律吓唬我？那你就等着吃他妈好大一个苦头吧。这个国家没有一个警察局光靠法律就能破案。你有情报，我想要。你可以说你没有，我可以不相信。但你连没有都不肯说。你蒙不了我，我的朋友。你在我这儿连个屁也不是。开始吧。"

"能摘掉手铐吗，队长？"我问，"我是说要是我给你供词的话。"

"也许吧。简短点。"

"要是我说我在过去二十四小时内没见过莱诺克斯，没和他交谈过，也不知道他有可能在什么地方，你说你能满意吗，队长？"

"也许吧，要是我相信的话。"

"要是我说我在什么时间什么地点见过他，但对他杀人或犯下的其他罪行一概不知情，而且也不知道他这会儿在什么地方，你恐怕不可能满意的，对吧？"

"加些细节，我也许会听听看。比方说时间和地点，当时他什么样子，你们谈了什么，他朝哪儿去了。查下去说不定能长出点什么来。"

"按照你的处理方式，"我说，"说不定长到最后我就变成从犯了。"

他的下巴肌肉鼓了起来，眼睛是两坨浑浊的冰块。"所以？"

"我说不准，"我说，"我需要法律方面的建议。我愿意配合。从地检署叫个人过来如何？"

他发出短促而沙哑的笑声。笑声很快就结束了。他慢慢起身，从办公桌里面走出来。他凑近我，一只大手按着木头桌面，对我微笑。他一拳打在我脖子侧面，拳头硬得像铁块，脸上的表情毫无变化。

这一拳只挥动了八到十英寸的距离，顶多。险些打掉我的脑袋。胆汁涌进我的嘴里。除了胆汁我还尝到了鲜血的味道。我什么都听不见了，只觉得脑袋嗡嗡作响。他低头看着我，依然面带微笑，左手依然按着桌面。他的声音似乎从很远的地方飘来。

"我以前很能打，但毕竟年纪大了。你结结实实挨了一拳，先生，我能给你的只有这么多。市局拘留所有几个弟兄应该去养牲口才对。也许我们不该雇他们的，因为他们可不像戴顿，只会打干干净净的小粉拳。他们也不像格林，有四个孩子和玫瑰花园。他们有不一样的人生乐趣。人嘛，各有所长，再说劳动力也短缺。你还有什么好玩的花花点子吗，不妨说来听听？"

"戴着手铐我没法说，队长。"连说这么几个字我都疼得要死要活。

他继续凑近我，我闻到他的汗味和腐败的气息。他直起腰，绕过办公桌，把他沉重的屁股塞回椅子里。他拿起一把三角尺，大拇指顺着一条边摩挲，就好像那是什么匕首。他望向格林。

"警司，你在等什么？"

"命令。"格林吐出这两个字，就好像他也讨厌自己的声音。

"非得要我开口？档案里说你是个经验丰富的老手。我要这个人过去二十四小时内行踪的详细供述。也许还要更久一些的，但先从二十四小时开始好了。我想知道他每一分钟都干了什么。我要证词上有他的签名，有保证人的签名，而且核实过。我两小时内就要。然后我要他干干净净整整齐齐看不出痕迹地回到这儿。对了，警司，还有一点。"

他停顿片刻，瞪格林的眼神能冻住刚出炉的烤土豆。

"下次看见我向嫌犯请教几个文明的问题，你别给我站在那儿像是我生撕了他耳朵似的。"

"是，长官。"格林转向我，"咱们走。"他粗声粗气地说。

格里高利朝我呲牙。他需要刷牙了——非常需要。"哥们儿，来两句退场白吧。"

"好的，先生，"我彬彬有礼地说，"你也许不是存心的，但你帮了我一个忙。在戴顿警探的协助下。你为我解决了一个难题。没有人乐意出卖朋友，但我连敌人都不会出卖给你。你不但残暴，而且无能。你甚至无法主持最简单的调查。我在刀刃上左右为难，你随便一推我就会掉下去。但你非得虐待我，朝我泼咖啡，对我挥拳头，而我除了忍着什么都没法做。从现在开始，我什么都不会告诉你，你要我看你墙上的挂钟告诉你现在几点都不行。"

出于某些奇怪的原因，他坐在那儿一动不动，听着我说完。然后他咧开大嘴。"你只是一个痛恨警察的小角色，朋友。你就是这么一号人，包打听，只是一个痛恨警察的小角色。"

"有些地方的警察并不招人恨，队长。但去了那些地方，你当不上警察。"

这两句他同样忍了。他大概觉得算不了什么。他肯定听过无数次更难听的辱骂。这时他桌上的电话响了。他看了一眼，打个手势。戴顿几步蹿过去，拿起听筒。

"格里高利队长办公室。我是戴顿警探。"

他听了一会儿。细细的皱纹把两条好看的眉毛越拉越近。他轻声说："请稍等，长官。"

他把听筒递给格里高利。"长官，是奥尔布莱特专员[1]。"

格里高利怒目而视。"什么？傲慢的贱人要干什么？"他接过听筒，拿在手里酝酿一下，整理脸上的表情。"专员，我是格里高利。"

他听了一会儿。"是的，专员，他在我的办公室里。我问了他几个问题。不配合。完全不配合……你说什么？"突如其来的震怒将他那张脸扭曲成了阴沉的一团。额头越来越红。但他的语调连一丁点儿变化都没有。"假如这是直接命令，专员，那就应该通过刑侦处总探长下达……当然，我听你的，直到命令落实。当然……绝对没有。连他一根汗毛都没碰过……是的，先生。马上就办。"

他放下听筒。我觉得他的手有点颤抖。他抬起眼睛，扫过我的脸，然后望向格林。"摘掉手铐。"他用单调的声音说。

格林解开手铐。我揉搓双手，等待血液恢复流通后针扎般的麻痛。

"送他进县拘留所，"格里高利慢吞吞地说，"谋杀嫌疑。地检署从我们手上抢走了案子。咱们有一套多么迷人的制度啊。"

所有人都一动不动。格林离我最近，气息粗重。格里高利抬头看着戴顿。

"小白脸，你在等什么？冰激凌甜筒吗？"

1　Commissioner，洛杉矶警察系统的最高长官。

戴顿险些呛住。"头儿，你没给我任何命令啊。"

"该死的，叫我长官！警司及以上才能叫我头儿。你没资格，小朋友，你还没资格呢。出去。"

"是，长官。"戴顿飞快走到门口，钻了出去。格里高利抬起沉重的身体，踱到窗口，背对着房间站在那儿。

"来，咱们走吧。"格林在我耳畔嘟囔道。

"快带他走，免得我踢烂他的脸。"格里高利对窗玻璃说。

格林走到门口，打开门。我正要出去，格里高利忽然吼道："等一等！关上门！"

格林关门，靠在门上。

"你，给我过来！"格里高利对我吼道。

我没有动弹。我站在门口看着他。格林也没动弹。一阵可怕的沉默。格里高利以极慢的速度穿过房间，脚趾贴脚趾地站在我面前。他把两只硬邦邦的大手插进口袋，脚跟着地，身体前后晃动。

"连他一根汗毛都没碰过。"他咬牙切齿道，像是在说给自己听。他的眼神很遥远，毫无感情色彩。他的嘴巴抽动几下。

然后他朝我脸上吐口水。

他后退一步。"这样就可以了，谢谢。"

他转身回到窗口。格林再次开门。

我走出去，伸手掏手帕。

08

　　重案区三号牢房有两个铺位，卧铺车那种上下铺。拘留所没有满员，这间牢房只有我一个人。重案区的待遇不错。你有两条毛毯，既不脏也不干净，高低不平的床垫有两英寸厚，放在纵横交错的金属板条上。有抽水马桶、洗脸池、卫生纸和粗糙的灰色肥皂。牢房挺干净，没有消毒水的气味。活儿是模范犯人干的。模范犯人的资源非常充足。

　　狱警上下打量你，眼神睿智。只要你不是醉鬼或精神病或表现得像这种人，你就可以保留火柴和香烟。你可以穿自己的衣服直到预审。然后你就必须穿囚服了，不能打领带，没有腰带和鞋带。你坐在铺位上等开庭。你没有其他事情可做。

　　醉汉牢房的条件就没这么好了。没有铺位，没有椅子，没有毛毯，什么都没有。你躺在水泥地上。你坐在马桶上，朝自己的大腿呕吐。那是倒霉的深渊。我见识过。

　　天没黑，但天花板上的灯还是亮着。牢房铁门上有一扇用铁丝网罩着的窥视窗。电灯开关在铁门外。晚上九点准时熄灭。不会有人进来通知你。报纸或杂志的一句话你也许正读到一半。没有咔嗒声响或任何预兆，黑暗就那么突然降临。夏天的黎明到来前，你没有任何事可以做，只能睡觉——假如你睡得着，抽烟——假如你有烟可抽，思考——假如你有东西可以想，而想了不会让你比不想时心情更糟糕。

拘留所里的人没有个体区别。他是个需要处理的问题，是几份报告里的几个条目。没人在乎谁爱他，谁恨他，他什么模样，他靠什么消耗生命。没有人搭理他，除非他制造麻烦。没人虐待他。拘留所对他的要求很简单，无非是希望他安安静静地走到他该待的牢房，进去后继续保持安静。没有什么好抗争的，没有什么好生气的。狱警生性安静，没有敌意，也不虐待成性。你读到的那些桥段，囚犯惨叫嘶吼，拍打栏杆，用调羹顺着栏杆敲得叮当响，看守拿着棍棒冲进来，那些全都属于大型监狱。运转良好的拘留所是全世界最安静的地方。夜里你可以去普通牢房区转一圈，隔着铁栏杆往里看，你会看见一团棕色毛毯，或者一脑袋的头发，或者一双眼睛望着虚无。你也许会听见鼾声。多等一会儿，你也许会听见有人做噩梦。生活进了拘留所就会暂时中止，没有目标也没有意义。另一个牢房，你也许会看见一个人睡不着或者根本不想睡。他坐在铺位边缘，什么事情都不做。他看着你，也可能不看你。你看着他。他什么也不说，你什么也不说。没什么可交流的。

牢房区的一角多半还有第二道铁门，它通往指认间。这个房间的一面墙是漆成黑色的铁丝网。对面的墙上有带数字的身高标尺。头顶上是几盏水银灯。照规矩，每天早上夜班队长下班前你都要进去一趟。你贴着标尺站好，灯光直射你，铁丝网背后一片黑暗。但那儿有不少人：条子、警探和市民，受害者遭到抢劫、袭击或敲诈，被枪指着踹下车，被骗得倾家荡产。你看不见也听不见他们。你听见夜班队长的声音。他的声音响亮而清晰。他要你表演各种招式，就好像你是马戏团的小狗。他疲倦，愤世嫉俗，但他很称职。他是有史以来演出时间最长的一出戏的舞台总监，但这出戏已经无法引起他的兴趣了。

"好了，你。站直。收腹。抬头。挺胸。头摆正。直视前方。左转。右转。再看前方，伸出双手。掌心向上。掌心向下。撸起袖子。没有明显伤疤。深棕色头发，部分发灰。棕色眼睛。身高六英尺一英寸半。体重一百九左右。名叫菲利普·马洛。职业私家侦探。好，很好，马洛，很高兴见到你。就这样。下一个。"

不胜荣幸，队长。多谢赏光。你忘了要我张开嘴。我有几颗牙镶得很不错，有一颗非常高级的烤瓷牙冠。价值八十七美元的烤瓷牙冠。队长，你还忘了看我的鼻腔。那里有许多疤痕组织可供欣赏。鼻中隔手术，鸟人简直是屠夫！当初做了足足两个小时，听说现在二十分钟就行了。那是打橄榄球弄的，队长，企图拦一个凌空球，结果稍微算错了一点。没挡住球，而是挡住了那厮的脚，而且还是在球被踢出去之后。罚了十五码，手术后他们从我鼻子里一英寸一英寸拉出来的止血纱布也有这么长。不，队长，我不是在自夸。我只是想告诉你。这种小事有时候也很重要。

第三天上午过了一半，一名狱警打开我牢房的门锁。

"你的律师来了。把烟头灭了，别扔在地上。"

我把烟头冲下马桶。狱警带我去会客室。房间里有一个男人，他身材高大，白皮肤，黑头发，正在看窗外。桌上有个鼓鼓囊囊的棕色手提箱。他转过身。他等待房门关上。然后他在橡木桌另一侧靠着手提箱坐下，伤痕累累的橡木桌大概来自方舟，诺亚买来的时候就是二手货了。律师打开一个锻造的银色烟盒放在面前，这才抬头望向我。

"请坐，马洛。抽烟吗？我叫恩迪科特。休厄尔·恩迪科特。我受命担任你的律师，费用和开销不需要你出。我猜你很想离开这儿，对吧？"

我坐下，取了一支香烟。他拿起打火机给我点烟。

"很高兴再次见到你，恩迪科特先生。我们见过，当时你还是地检官。"

他点点头。"我不记得了，但很有可能。"他淡淡一笑。"那个职位不怎么适合我。大概是我心里的老虎不够大吧。"

"谁派你来的？"

"我无权回答这个问题。假如你接受我担任你的律师，费用自然有人解决。"

"我猜这说明他们逮住他了。"

他只是盯着我。我抽了一口烟。有过滤嘴的那种货色。味道像是隔着棉絮吸雾霾。

"假如你指的是莱诺克斯，"他说，"当然是他，对吧？不，他们还没有逮住他。"

"为什么神神秘秘的呢，恩迪科特先生？我说的是谁派你来的。"

"我的主顾希望能保持匿名。这是主顾对我的特权。你接受我吗？"

"我说不准。"我说，"既然他们没有逮住特里，为什么关着我不放？没人来问我任何问题，根本没人来找我。"

他皱起眉头，低头看着他雪白修长的手指。"地区检察官斯普林格亲自办理这个案件。他有可能太忙了，还没来得及盘问你，但你有义务接受传讯和预审。我可以通过人身保护程序保你出去。你应该知道法律怎么规定。"

"我是以谋杀嫌疑被收押的。"

他不耐烦地耸耸肩。"那只是个笼统的说法。他们可以指控你偷运非法物资去匹兹堡，或者其他十几个罪名里的任何一个。他们真正的意思大概是事后从犯。你送莱诺克斯去了某个地方，对吧？"

我没有回答。我把没滋没味的香烟扔在地上，用脚踩灭。恩迪科特又耸耸肩，皱起眉头。

"为了讨论方便，假设你确实这么做了。要指控你是从犯，他们必须证明你有动机。这样的话，就说明你知道罪行已经发生，而莱诺克斯畏罪潜逃。无论是哪种情况，你都是可以保释的。当然了，你实际上是一名关键证人。然而在本州，除非有法庭签发的命令，否则就不能把一个人作为关键证人拘押起来。只要法官不宣布他是，他就不是关键证人。不过，执法部门总能想出办法做到他们想做的事情。"

"是啊，"我说，"一个叫戴顿的警探把我当沙袋。凶杀科一个叫格里高利的队长朝我泼咖啡，朝我脖子抡拳头，重得险些打爆动脉，你能看见肿还没消呢，还好奥尔布莱特专员一个电话打进来，否则我就要被交给修理队收拾一顿了，然后他冲我脸上吐口水。你说得完全正确，恩迪科特先生。执法的弟兄们总能想干什么就干什么。"

他看了一眼手表，用意明显。"你是想保释出去还是不想？"

"谢谢。我看我就算了吧。保释出去的人在公众眼中是半个罪犯。就算以后能洗清嫌疑，也是因为有个能干的律师。"

"这太蠢了。"他不耐烦地说。

"是的，很蠢。我是个蠢人。否则我就不会进来了。假如你和莱诺克斯有联系，告诉他不必为我担心。我进来不是因为他。我进来是因为我自己。全无怨言。这是工作的一部分。我混的那个行当，人们总是带着麻烦来找我。大麻烦，小麻烦，但永远是不想去找警察的麻烦。要是随便一个戴警徽的打手就能让我头下脚上、掏心掏肺，你说他们还会不会来找我？"

"我明白你的意思了。"他说得很慢，"但允许我纠正你的一个错误。我和莱诺克斯没有联系。我几乎不认识他。我和律师一样，也受法庭的约束。假如我知道莱诺克斯的下落，就不能向地区检察官隐瞒这项信息。我顶多只能在和他面谈后，在指定的时间和地点将他交给警方。"

"除了他，谁也不会有兴趣派你来这儿捞我。"

"你是说我骗你？"他在桌子背面揿熄烟头。

"我似乎记得你是弗吉尼亚人，恩迪科特先生。这个国家的人对弗吉尼亚人都有某种历史情结，认为他们是南方侠义和荣誉精神的化身。"

他微笑道："这个说法很动听。但愿如此吧。但我们在浪费时间。假如你还有一丁点儿理性，你就会对警方说你有一个星期没见过莱诺克斯了。不需要是真话。当庭宣誓后你必须说实话。但法律并不禁止你对警察撒谎。他们料到你会撒谎。他们更愿意接受你骗他们，而不是拒绝和他们交谈。那是直接挑战他们的权威。你觉得你这么做能得到什么？"

我没有回答。我答不上来。他起身拿帽子，合上烟盒，揣进衣袋。

"你非要演大戏，"他冷冷地说，"维护你的权利，引用法律。马洛，一个人究竟能天真到什么程度？你这样的人应该知道该走什么路。法律不等于正义。法律是一种非常不完善的机制。你恰好按对了正确的按钮，而且运气特别好，跳出来的答案会是正义。法律的意图也仅仅是提供一种机制。我看你没心情接受我的帮助。那么我就告辞了。要是你改变主意，请和我联系。"

"我再坚持一两天。要是他们逮住了特里，肯定不会在乎他是怎么逃跑的。他们只在乎他们能靠审判演一场多大的马戏。哈兰·波特的女儿惨遭谋杀足够上全国各地的头版头条。斯普林格这么一个喜欢哗众取宠的小丑借着这场马戏能当上总检察官，然后是州长宝座，然后嘛——"我停下来，让剩下的话袅袅飘散。

恩迪科特慢慢露出嘲讽的笑容。"我不认为你很了解哈兰·波特先生。"他说。

"要是抓不住莱诺克斯，恩迪科特先生，他们恐怕也不想知道他是怎么逃跑的，只会想以最快速度忘记这堆烂事。"

"你全搞清楚了，对吧，马洛？"

"我有时间。我对哈兰·波特先生的了解仅限于他据说家产上亿，拥有九家还是十家报纸。曝光的情况如何？"

"曝光？"他的声音冷如冰块。

"是啊。媒体怎么还没来采访我？我准备在报纸上弄出很大一场动静。招揽许多生意。私家侦探宁可蹲号子也不愿出卖朋友。"

他走到门口，抓住门把手，转过头来。"你很会说笑话，马洛。你在许多方面非常幼稚。没错，一亿美元能买到海量的曝光。但是，我的朋友，若是运用得当，也能买到海量的沉默。"

他打开门，走了出去。狱警进来，带我回重罪区三号牢房。

他边锁门边说："看来你待不了几天了，因为恩迪科特在帮你。"我说但愿他说得对。

09

早晚班的狱警是个金发大块头，有着肉乎乎的肩膀和友善的笑容。他人到中年，怜悯和愤怒早就被岁月甩得不见踪影。他只想轻轻松松地上八小时班，他的世界里似乎没什么烦心事。他打开我的牢房门锁。

"有人找。地检署。没睡吧？"

"对我来说还有点早。几点了？"

"十点十四。"他站在门口，扫视牢房。一条毛毯铺在下层铺位上，另一条毛毯叠成枕头。垃圾桶里有几张用过的卫生纸，洗脸池边缘搁着一小卷厕纸。他点点头表示赞许。"有个人物品吗？"

"只有我这个人。"

他没锁牢房门。我们走过一条寂静的走廊，搭电梯下楼到登记台。一个穿灰色正装的胖男人站在登记台旁抽玉米芯烟斗。他指甲脏兮兮的，身上臭烘烘的。

"我叫斯普兰克林，地检署的。"他用硬邦邦的声音对我说。"格伦兹先生要你上楼。"他从背后掏出一副手铐。"来，试试尺寸。"

狱警和登记台的文员笑得乐开了花。"怎么着，斯普兰克林？害怕他在电梯里非礼你？"

"麻烦能省则省，"他咆哮道，"以前有个家伙从我手里跑了。上头险些活吃了我。小子，咱们走。"

文员把一张表格推给他，他用花体签上名字。"我从不冒不必要的险，"他说，"在这个城市，一个人永远猜不到他会撞上什么鸟事。"

一个巡警带着一个醉汉进来，醉汉有只耳朵血淋淋的。我们走向电梯。"你有麻烦了，小子。"斯普兰克林在电梯里对我说，"一堆大麻烦。"他似乎有点幸灾乐祸，"在这个城市，一个人能给自己招惹许许多多的麻烦。"

开电梯的男人扭头朝我挤挤眼睛。我咧嘴笑笑。

"别动歪脑筋，小子，"斯普兰克林厉声道，"我朝人开过枪。他企图逃跑。上头险些活吃了我。"

"里外不是人，对吧？"

他想了想。"是啊，"他说，"不管怎样，上头都会活吃了我。一个没人性的城市。人不尊重人。"

我们下电梯，推开地检署的双开门进去。晚上总机关了，接线都插在底板上。等候座位空无一人。有几间办公室亮着灯。斯普兰克林打开一扇门，里面的小房间亮着灯，有一张书桌、一个文件柜、两把硬椅子和一个下巴宽大、眼神愚蠢的魁梧男人。他脸膛通红，忙着把什么东西塞进书桌抽屉。

"怎么不敲门！"他朝斯普兰克林吼道。

"对不起，格伦兹先生，"斯普兰克林结结巴巴地说，"我只顾着犯人了。"

他把我推进办公室。"手铐要摘掉吗，格伦兹先生？"

"我都不知道你他妈为什么要给他戴手铐。"格伦兹乖戾地说。

他望着斯普兰克林打开手铐。钥匙串足有一个葡萄柚那么大，他费了不少时间才找到钥匙。

"行了，滚吧，"格伦兹说，"外面等着送他回去。"

"我好像已经下班了，格伦兹先生。"

"我说你下班了你才下班。"

斯普兰克林涨红了脸，带着他的肥屁股慢慢挪出门。格伦兹恶狠狠地盯着他的背影，门关上了，他把同样的眼神投向我。我拉开椅子坐下。

"我没说你可以坐下。"格伦兹吼道。

我从口袋里掏出一根零散的香烟塞在嘴里。"我也没说你可以抽烟。"格伦兹咆哮道。

"牢房里都允许我抽烟，这儿反而不行？"

"因为这是我的办公室，规矩我说了算。"纯威士忌的气味从桌面上飘过来。

"再喝一小口吧，"我说，"你就镇定下来了。刚才我们进来打断了你。"

他的后背狠狠撞上椅背，脸膛变成了深红色。我擦燃火柴，给自己点烟。

漫长的一分钟过后，格伦兹开口了，说得轻声细气。"好啊，硬汉子。有种得很，是吧？知道吗？大家进来的时候什么体型什么姿势的都有，但出去的时候只有一个体型——瘦瘦小小。姿势也只有一个——弯腰驼背。"

"格伦兹先生，你找我有何贵干？想掏出瓶子吹两口，就当我不存在好了。我这个人呢，碰到疲惫、紧张和操劳过度的时候，也会灌他一两口的。"

"你似乎还没意识到你的麻烦有多大。"

"我不觉得我有什么麻烦。"

"咱们走着瞧。现在我要一份你的完整口供。"他朝书桌旁边架子上的录音机弹弹手指。"先录音，明天誊写。要是副总检察官过目后觉得满意，你承诺不离开本市，他也许会考虑释放你。开始吧。"他打开录音机。他的声音冰冷而坚决，恶毒得达到了他想象力的极限。但他的右手向着抽屉一点一点挪动。他年纪不是很大，鼻子上不该有红血丝，但红血丝确实存在，他眼白的颜色非常不妙。

"我受够了。"我说。

"受够了什么？"他怒喝道。

"刻薄的小人物在简陋的小办公室里撂些狗屁不如的刻薄狠话。我在拘留所重罪区待了五十六个小时，没人对我逞能，没人企图证明他是狠角色，他们没这个必要，他们的狠劲儿放在冰箱里，有需要才拿出来。另外，我为什么在这儿？我是被当嫌犯收押的。什么样的法律系统会因为警察从一个人嘴里掏不出答案就把他扔进拘留所？警察有什么证据？一个本子上的一个电话号码。他想用把我关起来证明什么？除了他有权能这么做，屁也证明不了。现在你也在玩同一套把戏，想让我觉得你在你这个自称办公室的鞋盒子里拥有生杀大权。你派一个战战兢兢的傻保姆半夜三更提我上来。你以为胡思乱想了五十六个小时我的脑子就变成糨糊了？你以为我会趴在你大腿上痛哭流涕，恳求你摸摸我的脑袋，因为我在那么大的拘留所里待得太他妈寂寞了？算了吧，格伦兹。喝口酒，有点儿人味吧，我愿意假设你只是在完成工作。但动手前请摘掉铜指套。你够厉害，就不需要那东西。你需要那东西，说明你不够厉害，没法对我逞能。"

他坐在那儿看着我，听我发火。末了，他阴森森地咧开嘴。"好口才，"他说，"既然废物都从身体里排出来了，咱们录口供吧。一问一答还是自己说？"

"我在对小鸟说话，"我说，"也只听见了飕飕风声。我不录口供。你是律师，你知道我没这个义务。"

"这是真的，"他冷冷地说，"我懂法律，我懂警务工作，我给你一个机会洗清嫌疑，你不想要，我无所谓。我可以明早十点提你，安排你接受预审。你也许能得到保释，不过我会尽量抗争，但假如法庭点头了，条件也会很苛刻，会花你好大一笔钱，咱们可以选择这条路。"

他低头看着桌上的一张纸，读了一会儿，翻过来放下。

"什么罪名？"我问他。

"刑法三十二条。事后从犯，重罪。最高可判圣昆廷五年。"

"还是先抓住莱诺克斯再说。"我谨慎地说。格伦兹掌握了什么情况，我看他的脸色就知道。我不知道他掌握了多少，但肯定知道些什么。

他靠在椅背上，拿起钢笔，在手掌之间慢慢搓动。然后他笑了。他自得其乐。

"莱诺克斯这个人很难藏起来，马洛。对大多数人而言，你需要一张照片，照片还必须足够清晰。但一个半边脸全是伤疤的人就不一样了。更不用说他不到三十五岁就满头白发。我们已经有了四个目击证人，甚至更多。"

"目击什么的证人？"我嘴里有苦味，就像格里高利队长那一拳后我尝到的胆汁。这提醒了我，我的脖子还又肿又痛呢。我轻轻揉搓脖子。

"别装傻，马洛。圣迭戈高等法院的一名法官和妻子正好送儿子和儿媳上了那架飞机。四个人都看见了莱诺克斯，法官的妻子看见了他坐什么人开的什么车到机场。老天不帮你啊。"

"非常好，"我说，"你们是怎么找到他们的？"

"电台和电视上播出特别公告。体貌特征描述一下就够了。法官打电话给我们。"

"听上去不错，"我心平气和地说，"但光是这个还不太够，格伦兹。你必须抓住他，证明他犯了谋杀罪。然后你必须证明我知情。"

他对着那份电报的背面打个响指。"我看我还是喝一杯吧，"他说，"最近晚上加班太多。"他拉开抽屉，取出酒瓶和注杯放在桌上。他倒了满满一注杯酒，端起来咕咚一口就喝掉了。"好点了，"他说，"好多了。不好意思，你还在拘押中，我没法请你喝一杯。"他盖上瓶塞，把酒瓶从手边推开，但没有推出伸手可及的范围。

"哦，对了，你刚才说我们必须证明些什么。嗯，老弟，有可能我们已经拿到认罪书了。觉得不妙了吧？"

一根虽小但异常寒冷的手指顺着我的脊梁从头摸到底，就像一只冰冻的小虫在爬。

"那你为什么还要我的口供？"

他咧咧嘴。"我们喜欢条理清楚的案卷。莱诺克斯很快就会被带回来受审。我们需要我们能查到的所有情况。与其说想从你嘴里问出点什么来，不如说我们希望打发你滚蛋才对，当然了，前提是你必须好好配合。"

我盯着他。他乱翻了一会儿文件。他在椅子里扭来扭去，望向酒瓶，怕是使出了许多意志力才没有伸手去拿。"你大概很想知道一下前因后果吧。"他忽然说，不怀好意斜眼看我，"好吧，机灵仔，我说给你听听，证明一下我不是在蒙你。"

我俯身凑近他的书桌，他以为我想拿他的酒瓶。他抓起酒瓶塞进抽屉。我只是想把烟头扔进他的烟灰缸而已。我坐回去，又点了一支烟。他说得飞快。

"莱诺克斯在马萨特兰下飞机，那是个航线交会点，市区居民大约三万五。他失踪了两三个小时。然后一个高大男人买了去托雷翁的机票，他黑色头发，深色皮肤，脸上有好几道似乎是刀伤的疤痕，用的名字是席尔瓦诺·罗德里格斯。他的西班牙语很好，但对这个名字来说还不够好。对肤色那么深的墨西哥人来说，他的个头也太高。机长举报了他。托雷翁警方反应太慢。老墨的警察都是慢性子，只擅长朝人开枪。等他们行动起来，那个人已经包了一架飞机，前往一个名叫奥塔托克兰的山区小镇了，那是个有湖的冷门避暑胜地。包机的驾驶员在得克萨斯受过开战斗机的训练，英语说得很好。莱诺克斯假装听不懂他说什么。"

"假如那是莱诺克斯。"我插嘴道。

"你省省吧，老弟。当然就是莱诺克斯。总之，他在奥塔托克兰下飞机，住进旅馆，登记的名字是马里奥·德·塞尔巴。他随身带枪，毛瑟7.65，不过这在墨西哥算不了什么。但包机驾驶员觉得这家伙很可疑，于是就通知了当地部门。他们监视莱诺克斯，找墨西哥城核实了一下，然后就插手了。"

格伦兹拿起一把尺子瞄来瞄去，毫无意义的举动，只是为了不让他自己看我。

我说："嗯哼。你这位包机驾驶员够精明的，对客人可谓无微不至。这个故事太烂了。"

他突然抬头看我。"我们只想要，"他干巴巴地说，"一场速战速决的审判，我们愿意接受他认罪二级谋杀。有些角落我们能不碰就不碰。那个家族毕竟很有影响力。"

"指的是哈兰·波特？"

他轻轻点头。"要我说，这整个想法就很蠢。斯普林格靠它可以欢腾好一阵子。性，丑闻，金钱，不忠的美貌妻子，负伤的战争英雄丈夫——我猜伤疤是从那儿来的——妈的，猛料足够头版报道好几个星期。全国上下每一家小报都会照单全收。所以我们只能尽快让案子消失。"他耸耸肩，"好吧，老大说了算，他要这么做就这么做吧。现在能录口供了吗？"他转向一直在嗡嗡运转的录音机，录音机正面的灯亮着。

"关掉吧。"我说。

他转回来，恶狠狠地盯着我。"你就这么喜欢拘留所？"

"并不是很糟糕。确实遇不到最好的那些人，但谁他妈想遇到呢？讲点道理吧，格伦兹。你企图诱使我告密。我这人或许固执，甚至多愁善感，但我同时也说到做到。假如你不得不雇一个私家侦探——好的，好的，我知道你有多么痛恨这种想法——但雇私家侦探是你唯一的出路，你难道想雇一个会出卖自己朋友的私家侦探？"

他憎恨地看着我。

"还有几点。你难道不觉得莱诺克斯的逃跑手法有点过于简单了吗？要是他想被逮住，何必费这么多的周折。要是他不想被逮住，他的脑子够用，不会在墨西哥乔装成一个墨西哥人。"

"所以？"格伦兹朝我怒吼。

"所以你多半只是编了一通瞎话喂给我，不存在什么染发的罗德里格斯，也没有一个马里奥·德·塞尔巴来到奥塔托克兰，你不知道莱诺克斯的下落，就像你不知道海盗黑胡子的藏宝地点。"

他又取出了酒瓶，给自己斟了一杯，和刚才一样飞快地灌进肚子。他慢慢放松下来。他在椅子里转身，伸手关掉录音机。

"我很愿意审一审你，"他的声音让人烦躁，"你这种自以为是的鸟人，我见了就想治一治。这个案底会在你头上挂很长一段时间。你走路带着它，吃饭带着它，睡觉也带着它。下次你再敢越线，我们就用它宰了你。现在我要做一件让我倒胃口的事情了。"

他从桌上拿起那张面朝下的纸，翻过来签字。你总是能辨别一个人正在写他的名字。移动手臂的方式和其他时候不一样。然后他站起来，绕过书桌，猛地拉开门，在鞋盒大的办公室里喊斯普兰克林。

胖子带着体臭走进来。格伦兹把那张纸递给他。

"我刚签署了你的释放令，"他说，"我是人民公仆，有时候不得不履行令人不愉快的职责。想知道我为什么签字吗？"

我站起身。"您但说无妨。"

"莱诺克斯案件告结了，先生。不存在什么莱诺克斯案件了。今天下午他在旅馆房间里写了一份完整的自白书，然后开枪自杀。在奥塔托克兰，如我所说。"

我站在那儿，眼神茫然。我从眼角余光看见格伦兹慢慢后退，像是以为我有可能会揍他。那个瞬间我的模样肯定很凶恶。他回到书桌前，斯普兰克林抓住了我的胳膊。

"来，走吧，"他用哀怨的声音说，"男人时不时也该回家过夜的。"

我跟着他出去，关上门。关得很轻，像是房间里刚死了人。

10

我翻出物品清单的复写件交进去，在原件上签字领东西。我把我的物品放回口袋里。有个男人懒洋洋地倚着登记台的另一头，我转过身，他直起腰对我说话。他身高约六英尺四，瘦得像一根铁丝。

"要搭车回家吗？"

暗淡的灯光下，他显得半老不老，疲倦而玩世不恭，但似乎不是骗子。"多少钱？"

"免费。我是《日报》的罗尼·摩根。正准备收工。"

"哦，跑警察新闻的。"我说。

"本周而已。我平时跑市政厅。"

我们走出那幢楼，在停车场找到他的车。我抬头看天空。天上有星星，但灯光太亮了。一个凉爽怡人的夜晚。我深吸一口气。然后我坐进他的车里，他开车离开。

"我住得比较远，月桂山谷，"我说，"随便哪儿让我下车就行。"

"他们用车拉你进来，"他说，"却不关心你怎么回家。我对这个案子感兴趣，特别反感的那种感兴趣。"

"似乎已经没有案子了，"我说，"特里·莱诺克斯今天下午开枪自杀。他们这么说。就是这么说的。"

"多省事啊。"罗尼·摩根说，望着挡风玻璃外的前方。他的车无声地驶过无声的街道。"太方便他们筑墙了。"

"什么墙？"

"有人围绕莱诺克斯案件筑了一道墙，马洛，你很精明，肯定看出来了，对吧？这个案子没得到它应有的待遇。地检官今晚去华盛顿了。开什么大会。主动放弃了近几年最有甜头的公关机会。为什么？"

"问我可没用。我一直待在冷库里。"

"因为有人给了他足够的好处，这就是原因。我指的不是大把钞票那么赤裸裸的好处。有人给了他什么承诺，对他来说非常重要，案件的关系人里只有一个能做到这种事情。姑娘的父亲。"

我把脑袋靠在车厢的角落里。"似乎不太可能，"我说，"媒体怎么处理？哈兰·波特确实有好几家报纸，但竞争者呢？"

他瞥了我一眼，像是觉得我很好笑，然后继续集中精神开车。"在报社干过吗？"

"没有。"

"报纸的所有者和发行人是富人。富人全都属于同一个俱乐部。没错，存在竞争——残酷而激烈的竞争，为了发行量、采访领域、独家新闻。但绝对不能损害所有者的声望、特权和地位，否则盖子就扣下来了。莱诺克斯案件，我的朋友，就被扣上了盖子。莱诺克斯案件，我的朋友，要是操作得好，能卖掉无数份报纸。它无所不有。庭审会引来全国各地的特稿写手。但现在不会有庭审了。因为庭审还没启动，莱诺克斯就自我了断了。就像我说的，太省事了——对哈兰·波特和他的家族而言。"

我坐起来，目光炯炯地望着他。

"你说这个结果是有人安排的？"

他挖苦地撇撇嘴。"说不定有人帮莱诺克斯自杀呢。稍微拒个捕什么的。墨西哥警察一拿枪，手指就特别痒。要是你愿意小赌一把，我敢一赔十押没人数过现场有多少个弹孔。"

"我觉得你猜错了，"我说，"我很熟悉特里·莱诺克斯。他早就自暴自弃了。要是警察把他活着带回来，他会随便听他们摆布。他会合作，认罪误杀。"

罗尼·摩根摇摇头。我知道他会说什么，而他果然这么说了。"完全不可能。要是他开枪打死她，甚至打碎她的颅骨，说不定还有可能。但犯罪手法过于残忍。她的脸被打成了肉泥。他顶多能争取到二级谋杀，即便如此，也还是会引起争论。"

我说："也许你说得对。"

他又看我一眼。"你说你和他很熟。你接受这个所谓的结果吗？"

"我累了。今晚我没心情思考。"

接下来是长久的沉默。然后罗尼·摩根静静地说："假如我是个真正的聪明人，而不是区区一个替报社跑腿儿的记者，我也许会认为他妻子并不是他杀的。"

"这是一条思路。"

他掏出一支烟塞进嘴里，在仪表盘上划火柴点燃。他默默抽烟，皱眉的表情凝固在瘦削的面庞上。我们来到月桂山谷，我告诉他在哪儿拐出大街，在哪儿拐上我那条小马路。他的车吃力地爬上山坡，在红杉木台阶的底下停车。

我下车。"谢谢你送我一程，摩根。上去喝一杯？"

"下次再说吧。你大概更愿意静一静。"

"我一个人待的时间已经够多了。太他妈多了。"

"你有一个朋友要告别，"他说，"他肯定是你的朋友，否则你怎么会让警察为了他把你关进拘留所。"

"谁说我这么做了？"

他淡淡一笑。"不能写文章不等于我不知道，老兄。再见了，回头见。"

我关上车门，他掉头下山。车尾灯拐弯消失，我转身爬上台阶，捡起报纸，开门走进空荡荡的屋子。我点亮每一盏灯，打开每一扇窗。屋里很憋闷。

我煮了壶咖啡喝，取出咖啡罐里的五张百元大钞。它们紧紧地团成一卷，贴着罐壁插在咖啡豆里。我拿着一杯咖啡走来走去，打开电视又关掉，坐下，起来，重新坐下。我翻了一遍堆在门前台阶上的报纸。莱诺克斯案件刚开始雷声很大，但到那天早晨已经是二版新闻了。有一张西尔维娅的照片，但没有特里的。有一张我的快照，我都不知道那是什么时候拍的。《洛杉矶私家侦探被拘留盘问》。有一张莱诺克斯家恩奇诺豪宅的大照片。仿英式建筑，有许多尖屋顶，清洗窗户至少要一百块。它坐落于小山丘上，周边土地足有两英亩，这在洛杉矶区域算是很大一片地产了。另外有一张客房的照片，它是主宅的缩微版，四周种着树篱。两张照片明显都是隔着一段距离拍摄的，经过放大和剪裁。没有报纸所谓"命案房间"的照片。

这些材料我在拘留所里都看过，但我还是又读了一遍，换个角度重新审视。它们什么都没说，我只看到一个富有的美丽姑娘遭到杀害，而媒体几乎完全被排除在外。因此女方家族很早就开始发挥影响力了。跑犯罪线的弟兄们肯定恨得咬牙切齿，但再恨也无济于事。说得通。她被杀的那天晚上，假如特里和他在帕萨迪纳的岳父谈过，肯定会有十几个保镖赶在通知警方前进驻那幢豪宅。

但有些地方完全说不通——她被殴打致死的残忍手法。无论是谁都没法让我相信那是特里干的。

我关灯，坐在一扇打开的窗户旁。外面树丛里有一只反舌鸟婉转鸣叫，在安歇前欣赏自己的歌喉。我的脖子有点痒，于是我刮脸洗澡，平躺在床上听着，就好像我会在茫茫夜色中听见一个声音，冷静而耐心的声音，向我解释清楚所有事情。我没有听见那个声音，我知道我不可能听见。不会有人向我解释莱诺克斯案件的前因后果。没有必要解释。凶手已经自白，凶手已经死了。连调查都不会有。

正如《日报》的罗尼·摩根所说：太省事了。假如特里·莱诺克斯确实杀死了妻子，那当然好。没必要审判他，公布令人不快的种种细节。假如不是他杀的，同样很好。死人是世上最好的替罪羊。死人绝对不会反驳。

11

第二天早上，我再次刮脸，穿戴整齐，和平时一样开车进城，和平时一样把车停在老地方，假如停车场管理员凑巧知道我是个重要的公众人物，那他掩饰得也着实不错。我上楼，顺着走廊向前走，掏出钥匙开门。一个相貌斯文的黝黑男人盯着我。

"你是马洛？"

"是又怎样？"

"别走开，"他说，"有人想见你。"他把后背和墙壁分开，没精打采地走远了。

我走进办公室，捡起地上的信件。桌上还有更多的信件，是晚班清洁女工放在那儿的。我打开窗户，撕开一个个信封，扔掉我不想要的那些，其实也就是全部。我打开另一扇门上的电铃开关，填好烟斗点燃，然后坐在椅子上等待客户喊救命。

我以超然的心情想着特里·莱诺克斯。他已经退隐到了远方，白发、疤脸、柔弱的魅力和他那种独特的自尊。我不想评判或分析他，正如我从不问他怎么受伤和为什么会允许自己娶西尔维娅那么一个女人。他就像你在客轮上认识的旅客，混得很熟，实际上对他一无所知。他离开时也像那么一个人，在码头和你道别，说老兄咱们保持联系，而你知道你不会和他联系，他也不会和你联系。你这辈子恐怕都不会再见到这个人了。就算见到，他也完全是另一个人，只是休闲车厢里的又一个扶轮社会员。生意怎么样？哦，还凑合。你气色不错。你也是。我长了不少肥肉。咱们谁不是呢？还记得"弗兰科尼亚"号上的那次旅行吗？当然记得，太精彩了，对吧？

　　那次旅行精彩个屁。你无聊得要死。你和他聊天仅仅因为周围其他人都无法引起你的兴趣。也许特里·莱诺克斯和我也是这样。不，不完全是。我拥有他的一部分。我在他身上投资了时间和金钱，还有冷库里的三天，更不用说下巴上吃的拳头和脖子上挨的那一下了，我每次吞口水都会记起来。现在他死了，我甚至没法把五百块还给他。这让我很生气。永远是鸡毛蒜皮的小事让你生气。

　　门铃和电话同时响起。我先接电话，因为门铃响只代表有人走进了我那间没有酒瓶大的等候室。

　　"是马洛先生吗？恩迪科特先生找你。稍等片刻。"

　　电话接通他。"我是休厄尔·恩迪科特。"他说，仿佛不知道他该死的秘书已经报过姓名了。

　　"早上好，恩迪科特先生。"

　　"很高兴听说他们放了你。我猜你大概想通了，没有和他们作对。"

　　"没什么想不想通的，只是固执而已。"

　　"我估计你大概不会再听到这个案子的消息了。但假如你听到了，需要帮助，给我打个电话就好。"

　　"为什么？那家伙死了。警察要耗费无数时间才能证明他曾经接触过我。然后他们还必须证明我知道犯罪事实。然后还要证明他是罪犯或畏罪潜逃。"

　　他清清喉咙。"也许，"他小心翼翼地说，"别人没有告诉你，他留下了一份完整的自白书。"

"他们告诉我了，恩迪科特先生。我知道我在和一位律师打电话。要是我主张自白书的真实性和准确性都必须得到证实，是不是就有点出格了呢？"

"很抱歉，我没时间和你讨论法律，"他不客气地说，"我正要飞往墨西哥，前去办理一项令人不愉快的事务。你大概能猜到是什么吧？"

"嗯哼。取决于你到底代表谁了。你并没有告诉我，还记得吗？"

"我记得很清楚。好了，马洛，再见。我提供帮助的承诺依然算数。但同时请允许我给你一个小小的建议。别太确定你已经脱身了。你这个行当的风险很大。"

他挂断电话。我慢慢地放下听筒。我呆坐片刻，一只手按着电话，恶狠狠地盯着它。然后我抹掉脸上的怒容，起身打开通往等候室的连接门。

一个男人坐在窗口翻杂志。他穿蓝灰色的正装，浅蓝色的格子图案淡得几乎看不见。他架着二郎腿，穿黑色软鹿皮系带鞋，这种鞋上有两个气孔，和健步鞋一样舒服，不会走一个街区就磨破袜子。他的白手帕叠得方方正正，背后露出墨镜的一端。他有一头浓密的黑色波浪卷发。他晒得非常黑。他抬起头，眼睛和小鸟的一样明亮，细如发丝的小胡子底下绽放笑容。他的领带是深棕色，在白得耀眼的衬衫上打成一个钻石结。

他扔下杂志。"垃圾杂志就喜欢狗屁文章。"他说，"我在读一篇说科斯特洛的。是啊，科斯特洛的事情他们全知道。就像特洛伊海伦的事情我全知道。"

"有什么能为你效劳的？"

他不慌不忙地打量我。"骑红色大摩托的人猿泰山。"他说。

"什么？"

"你，马洛。骑红色大摩托的人猿泰山。他们收拾了你一顿狠的？"

"这儿那儿挨了几下吧。和你有什么关系呢？"

"奥尔布莱特对格里高利发话以后？"

"不。不是以后。"

他轻轻点头。"算你有脸，居然请得动奥尔布莱特对那混球开火。"

"我问和你有什么关系。顺便说一句，我不认识奥尔布莱特专员，也没有请他做任何事情。他凭什么要为我做任何事情？"

他闷闷不乐地盯着我。他缓缓起身，优雅得像豹子。他穿过等候室，望进我的办公室。他朝我摆摆头，自己走了进去。他这种人，无论来到哪儿，那里都会变成他的地盘。我跟着他进去，随手关上门。他站在办公桌旁边环顾四周，似乎觉得很好玩。

"你是个小人物，"他说，"非常小的小人物。"

我走到办公桌后面，等他说下去。

"马洛，你一个月挣多少？"

我没理他，自顾自地点烟斗。

"顶多七十五块。"他说。

我把烧完的火柴扔进烟灰缸，吐出一口烟。

"你是个可怜虫，马洛。花生仁大的那么一丁点儿。你太小了，拿放大镜才能看见你。"

我什么都不说。

"你有一些廉价的情感。你从头到脚都廉价。你和人交朋友，喝了几杯酒，说了些笑话，他倒霉的时候塞给他几块钱，你就把自己卖给他了。简直像喜欢看《弗兰克·梅里维尔》的小学生。你没胆量，没脑子，没关系，没见识，于是你假模假式地摆出姿态，盼着人们扑到你怀里哭。骑红色大摩托的人猿泰山。"他露出厌烦的小小笑容，"在我的账本里，你一分钱都不值。"

　　他俯身越过桌面，用手背拍了拍我的脸，随意而轻蔑，没有要打疼我的意思，小小的笑容始终待在他脸上。我对此没有任何反应，他慢慢地坐下，一只胳膊肘撑着桌面，用晒成棕色的手托着晒成棕色的下巴。鸟一般明亮的眼睛盯着我，视线中除了明亮什么也没有。

　　"廉价货，知道我是谁？"

　　"你叫门南德斯。道上兄弟叫你门迪。日落商业街是你的地盘。"

　　"是吗？我怎么会这么厉害？"

　　"这我就不知道了。你起步时说不定是墨西哥妓院里拉皮条的。"

　　他从口袋里掏出金色烟盒，取出一支棕色香烟，用金色打火机点上。他吐出辛辣的烟雾，点点头。他把金色烟盒放在桌上，用指尖轻轻摩挲。

　　"我是个有本事的坏蛋，马洛。我挣许许多多的钱。我有许许多多的钱去孝敬我必须孝敬的人，为的是挣许许多多的钱去孝敬我必须孝敬的人。我在贝尔艾尔[1]有幢九万块的房子，花在装修上的钱已经不止这个数了。我有个比白金还白的漂亮老婆，两个孩子在东边

1　洛杉矶以西丘陵地带的富豪区。

的私立学校念书。我老婆在钻石上花了十五万，皮草和衣服上花了七万五。我有一个管家、两个女仆、一个厨子、一个司机，还有一只猢狲跟着我走来走去。我到处有情妇。我什么都是最好的，吃最好的食物，喝最好的酒，住最好的酒店套房。我在佛罗里达有幢房子，有一艘能出海的游艇，光船员就有五个人。我有一辆宾利、两辆凯迪拉克、一辆加长克莱斯勒，还有一辆名爵给我儿子用。过两年我女儿也会有一辆。请问你有什么？”

“没什么，”我说，“今年我有一幢屋子可以住——就我一个人。”

“没女人？”

“只有我。除此之外我还有你眼前看见的这些东西、银行里的一千两百块和几千块债券。算是回答了你的问题吗？”

“你接一单活儿最多能挣多少？”

“八百五。”

“我的天，一个人还能廉价到什么程度？”

“别演戏了，直说你要干什么吧。”

他熄灭抽到一半的香烟，立刻又取出一支点上。他靠在椅背上，朝我噘起嘴唇。

“我们三个人蹲过一个散兵坑，”他说，“比地狱还冷，到处都是积雪。我们吃罐头食物，冰凉冰凉的。偶尔有炸弹，迫击炮更多。我们冻得脸色发青，我说的是真的发青，兰迪·斯塔尔、我，还有这位特里·莱诺克斯。一颗迫击炮炮弹就落在我们中间，不知道为什么居然没爆炸。德国佬有很多花招。他们的幽默感非常扭曲。有时候你以为是哑弹，三秒钟后却忽然不是了。兰迪和我都还吓得动弹不得，特里抓起那颗炮弹，跳出了散兵坑。老兄，我是说他真的快，像个最优秀的控球手。他卧倒在地，同时把炮弹扔出去，它在半空中爆炸了。大部分从他头顶上飞过去，但有一块弹片打中了他的半边脸。就在这时，德国佬发动进攻。再回过神来，我们已经不在那地方了。"

门南德斯停了下来，明亮的黑眼睛一动不动地盯着我。

"谢谢你告诉我。"我说。

"你倒是开得起玩笑，马洛。你挺地道。兰迪和我讨论过，我们觉得特里·莱诺克斯遇到的那些事情足够搞坏任何一个人的脑子。我们有好几年一直以为他死了，但他没有。德国佬俘虏了他。他们修理了他差不多一年半。活儿干得不错，但他被摧残得太厉害了。我们花了很多钱查明真相，又花了很多钱找到他。不过战后我们在黑市上挣了大钱。我们付得起。特里救了我们的命，得到的却只有半张好脸、一头白发和严重的神经症。他在东面成天喝酒，这儿那儿地被抓了许多次，整个人差不多废了。他有心事，但我们一直不知道是什么。接下来我们忽然听说他娶了那个有钱娘们儿，走了上坡路。然后和她离婚，又走下坡路，又和她结婚，最后她死了。兰迪和我什么都没法为他做。他不肯，除了维加斯的那份短期工作。他惹上了真正的麻烦，不来找我们，却去找你这么一个廉价货，一个能被警察耍着玩儿的家伙。现在他死了，没有和我们告别，没有给我们机会还人情。我能把他弄出国，比赌神洗牌都快。他却去找你哭诉了。这让我很生气。一个廉价货，能被警察耍着玩儿的家伙。"

"警察能把任何人耍着玩儿。所以你要我怎么做？"

"放手。"门南德斯绷着脸说。

"放什么手？"

"不要企图靠莱诺克斯案件捞钱捞名声。事情结束了，板上钉钉。特里死了，我们不希望他再被打扰。他吃的苦已经够多了。"

"一个有情怀的流氓，"我说，"笑死我了。"

"当心你那张嘴，廉价货。当心你那张嘴。'门迪'门南德斯不和人吵架。他只下命令。自己另找办法挣钱。听懂了？"

他站起身。会面结束。他拿起手套。雪白的猪皮手套。新得像是从没戴过。衣冠楚楚的那种人，门南德斯先生，但表面伪装之下是个暴虐的男人。

"我对名声没兴趣，"我说，"也没有人要付我钱。他们为什么要付，付钱要我干什么？"

"别逗我玩了，马洛。你在冷库里待了三天不会只是因为你是个好人。你得到了好处。我不会说是谁给的，但我能猜到。我脑子里的那一位有的是钞票。莱诺克斯案件已经结案了，永远结案，除非——"他突然停下，手套一下一下地拍打桌角。

"除非特里没有杀她。"我说。

他的惊讶比露水姻缘婚戒上的黄金还要少。"我很乐意赞同你的这个想法，廉价货，可完全说不通。即便说得通，要记住特里想要的就是这个结果，所以该怎样就怎样吧。"

我没有说话。过了一会儿，他慢慢地咧嘴笑了。

"骑红色大摩托的人猿泰山，"他拿腔拿调地说，"一条硬汉。放我进来随便践踏他。几毛一块就可以雇他办事，任何人都能耍他玩儿。没钱，没家人，没前途，什么都没有。廉价货，咱们回头见。"

我一动不动地坐着，咬紧牙关，望着他的金色烟盒在办公桌一角闪闪发亮。我觉得自己又老又疲惫。我慢慢起身，伸手去拿烟盒。

"你忘了这个。"我说，从办公桌里面走出来。

"那东西我有五六个。"他嗤笑道。

我走到离他足够近的地方，拿着烟盒递给他。他小心翼翼地向它伸出手。"那你有没有五六个这个？"我说，使出全部力气一拳打在他的腹部中央。

他呻吟着弯下腰。烟盒掉在地上。他后退靠在墙上，两只手痉挛似的前后抖动。他拼命想把空气吸进肺里。他疼得冒汗。他付出巨大的努力，以极慢的速度直起腰，我们回到四目对视的姿势。我伸出手，一根手指顺着他下巴的线条从左摸到右。他一动不动地受着。最后，他棕色的脸上挤出一个笑容。

"没想到你有这个胆子。"他说。

"下次记得带枪，要么就别叫我廉价货。"

"我有个小子带枪。"

"那就带上他。你会需要他的。"

"你这人生起气来还挺厉害，马洛。"

我用脚把金色烟盒推到侧面，弯腰捡起来递给他。他接过烟盒，扔进衣袋。

"我看不透你，"我说，"你为什么要浪费时间跑到这儿来嘲笑我。然后我发现答案很无聊。所有的硬汉子都很无聊。就像玩一副里面全是A的牌。你什么都有，但又什么都没有。你只知道坐在那儿自我欣赏。难怪特里不肯找你帮忙。感觉就像找妓女借钱。"

他用两根手指轻轻按住腹部。"听你这么说我觉得很抱歉，廉价货。你的俏皮话说一句都嫌多。"

他走过去开门。靠在对面墙上的保镖直起腰，转过身。门南德斯摆摆头。保镖走进办公室，面无表情地打量我。

"仔细看清楚，奇科，"门南德斯说，"免得需要的时候认不出来。你和他有朝一日说不定有事情要谈。"

"我已经见过他了，老大。"文雅黝黑的男人抿着嘴说，他们这些人都喜欢这么说话。"他还烦不了我。"

"别让他打你肚子，"门南德斯苦笑道，"他的右勾拳不是开玩笑的。"

保镖只是轻蔑地看着我。"他近不了我的身。"

"好吧，廉价货，再见了。"门南德斯对我说，走了出去。

"回头见，"保镖冷冷地说，"我叫奇科·阿古斯帝诺。估计你会认识我的。"

"就像一张脏报纸，"我说，"提醒我别踩你的脸。"

他下巴的肌肉鼓了起来。他忽然转身，跟着老板出去了。

气压铰链门缓缓关上。我听了一会儿，但没有听见他们在走廊里走远的脚步声。他们的步伐像猫一样轻柔。等了一分钟，只是为了确认一下，我开门向外看。走廊里确实空无一人。

我回到办公桌前坐下，花了一点时间琢磨门南德斯这么一个挺有身份的流氓头子为什么舍得花时间，亲自来我办公室警告我别多管闲事，而仅仅几分钟前休厄尔·恩迪科特也提出了类似的警告，只是措辞有所不同而已。

这个方向我走不通，我心想不如干脆撞个南墙试试看。我拿起电话，打给拉斯维加斯的水龟俱乐部，传呼电话[1]，菲利普·马洛找兰迪·斯塔尔先生。运气不好。斯塔尔先生去外地了，要找其他人吗？算了。我甚至不是特别想找斯塔尔谈。心血来潮而已。他离我太远，没法揍我。

接下来的三天平安无事。没人朝我挥拳头或开枪，没人打电话给我，警告我别多管闲事。没人雇我找离家出走的女儿、偷人的老婆、

1　早期长途电话的一种，要求由指定接收方接电话，找不到就不收钱。

丢失的珍珠项链、不翼而飞的遗嘱。我傻坐在椅子里看墙。莱诺克斯案件死得和它出生一样突兀。有一场简短的庭审，没有传唤我。庭审选了个稀奇的时间开始，没有预先通知也没有陪审团。验尸官得出结论：西尔维娅·波特·韦斯特海姆·德·乔吉奥·莱诺克斯因其丈夫特伦斯·威廉·莱诺克斯的蓄意谋杀而死，而莱诺克斯已在法医办公室的管辖范围外亡故。他们多半读了一遍自白书以记录在案。自白书的真实性多半已经得到验证，足够让验尸官满意。

尸体发还家属，空运回北方，在家族墓园下葬。葬礼没有邀请媒体。没有任何人接受采访，尤其是哈兰·波特先生，他从来不接受采访。家产上亿的人自有其特别的生活方式，仆人、保镖、秘书、律师和听话的经理人像屏障似的挡在他前面。他们大概也会吃饭睡觉、理发穿衣。但你永远不可能确定。关于他们的所有消息都经过了公关团队的精心处理，然后才进入你的眼睛或耳朵，公关人员拿着丰厚的薪水，创造和维持一个合用的外在人格，简单、干净、明晰，就像消过毒的针头。不求真实，只求符合众所周知的事实，而这些事实你用手指都数得过来。

第三天下午很晚的时候，电话响了，找我的人自称霍华德·斯宾塞，说他是纽约一家出版社的代表，来加利福尼亚短期出差，他有个难题想和我探讨一下，问我能不能第二天上午十一点去丽兹贝弗利饭店的酒吧见他。

我问他什么样的难题。

"有点微妙，"他说，"但完全合乎道德。万一谈不成，我当然也会付钱弥补你损失的时间。"

"谢谢，斯宾塞先生，没这个必要。是我认识的什么人向你推荐我的吗？"

"这个人很了解你，马洛先生，也知道你最近和执法部门的小摩擦。我不得不说，让我感兴趣的正是这一点。不过，我想谈的事情和那桩悲剧毫无关系。只是——嗯，不在电话上说了，咱们还是边喝边聊吧。"

"你确定你想和一个蹲过拘留所的人搅和在一起？"

他笑了起来。他的笑声和说话声都很悦耳。纽约人开始学弗拉特布什[1]口音之前都这么说话。

"在我看来，马洛先生，这就是推荐了，允许我补充一句，不是因为，如你所说，蹲过拘留所的事实，而是因为，怎么说呢，你的口风似乎非常紧，哪怕受到了巨大的压力。"

他这个人说话充满了逗号，就像一本大部头小说。至少在电话上是这样。

"好吧，斯宾塞先生，我明天上午过去找你。"

他说声谢谢，挂断电话。我开始琢磨是谁给我牵的线。我猜有可能是休厄尔·恩迪科特，于是打电话求证。但他本周一直在外地，今天还没回来。无所谓。我这个行当偶尔也会遇到一个心满意足的客户。我需要工作，因为我需要钱——至少我以为是这样，直到那天晚上回家，发现一封信里夹了张麦迪逊的肖像。

1　Flatbush，纽约布鲁克林的一个区域。

12

我门前台阶底下的起点立着个红白相间的鸟舍信箱，这封信就躺在里面。信箱顶上与摇臂连接在一起的啄木鸟升了起来，然而即便如此，我本来也不一定会往里面看，因为我在家从没收到过信件。但是这几天啄木鸟没了尖嘴。木头的断面很新。不知是哪个机灵鬼用原子枪打掉的。

信封上有西班牙语的"航空信"标记、一大堆墨西哥邮票和几行文字，要不是墨西哥最近总在我脑子里打转，我都未必会认出那些文字来。邮戳是手工盖的，印泥大概早就用完了。信很厚。我爬上台阶，在客厅坐下，开始读信。这个夜晚似乎非常寂静。来自死者的信件也许会带着自己的一份寂静。

信的开头没有日期也没有寒暄。

　　我坐在二楼一个房间的窗口，这是一家不怎么干净的旅馆，位于名叫奥塔托克兰的小镇，一个有湖的山区小镇。窗户底下有个邮筒，服务员送咖啡来的时候，我已经吩咐过他待会儿要替我寄信，他必须举高这封信，让我看着他把信塞进邮筒。他完成任务后会领到一张一百比索的钞票，对他来说是很大一笔钱了。

为什么要来这么一手？门外有个肤色黝黑、穿尖头皮鞋和脏衬衫的家伙守着我。我不知道他在等什么，总之他不肯让我出去。只要这封信能寄出去，其他的我也无所谓。我希望你收下这笔钱，因为我不需要，而本地警察肯定会吞掉它。给你钱不是想收买什么东西。就当是我的道歉吧，我给你招惹了那么多麻烦，也是对一个相当地道的好人聊表敬意。和平时一样，我搞砸了所有事情，但枪还在我手上。我凭直觉知道你在某一点上有了自己的结论。我有可能杀死她，说不定我就是凶手，但另一件事是我无论如何也干不出来的。那种残忍不在我的性格里。因此肯定出了什么特别恶心的事情。不过也无所谓了，完全无所谓了。现在重要的是避免闹出毫无必要和毫无用处的丑闻。她的父亲和姐姐没伤害过我。他们有自己的生活要过，而我在这儿受够了自己的生活。西尔维娅没有把我变成废物，我早就是了。至于她为什么要嫁给我，我没法给你一个明确的答案。我猜大概只是一时兴起吧。至少她死得年轻而美丽。人们说色欲让男人衰老，却使女人年轻。人们说了许许多多屁话。人们说富人总能保护自己，他们的世界永远是夏季。我和他们生活过，他们是无聊和孤独的凡人。

我写了一份自白书。我有点难受，有不止一点害怕。你在书里读到过这种处境，但不会读到真相。等事情发生在你身上，你只剩下口袋里的一把枪，你被堵在异国他乡的肮脏小旅馆里，你会知道出路只有一条——相信我，朋友，这事情毫无刺激和精彩可言，其中只有纯粹的龌龊和凄惨，灰暗而狰狞。

忘了这件事也忘了我吧。不过还是先去维克多那儿为我喝一杯螺丝起子。下次你煮咖啡的时候，给我倒一杯，里面加点波本威士忌，给我点一支烟，放在杯子旁边。然后就忘记这整件事吧。特里·莱诺克斯就此退场。那么，再见了。

有人敲门。我猜是服务员送咖啡来了。假如不是他，那就会有一场枪战了。大体而言，我喜欢墨西哥人，但不喜欢他们的监狱。别了。

特里

信到此结束。我重新叠好信纸，放回信封里。来的肯定是端着咖啡的服务员。否则我就不可能收到这封信了。还有信封里的麦迪逊肖像。一张麦迪逊肖像是一张五千块大钞。

钞票放在我面前的咖啡桌上，绿油油的，崭新挺括。我从没亲眼见过这东西。很多在银行工作的人也没见过。只有兰迪·斯塔尔和门南德斯这种角色会带着它们当现金用。假如你去银行要求取一张，会发现他们手头多半没有。他们必须从联邦储备银行调一来给你，前前后后需要好几天时间。全美国只有一千张左右在流通。我这张周围有着美丽的光泽。它制造出了属于它自己的阳光。

我坐在那儿，盯着它看了很久。最后我把它收进信件夹，去厨房煮信里说的那壶咖啡。我照他说的做，也许出于感伤，也许不是。我倒了两杯，在他那杯里加了些波本威士忌，放在我送他赶飞机那天早晨他坐的位置上。我为他点了一支烟，放在咖啡杯旁的烟灰缸上。我望着咖啡冒出蒸汽，望着香烟冒出细细的一丝轻烟。外面黄钟花树丛里有只鸟跳来跳去，叽叽喳喳自言自语，偶尔扑棱棱地拍打翅膀。

咖啡不再冒蒸汽，香烟不再冒烟，只剩下烟灰缸边缘一个熄灭的烟屁股。我把烟头扔进水槽下的垃圾桶。我倒掉咖啡，洗干净杯子收好。

就这样了。对五千块来说，做这些似乎不怎么够。

过了一阵，我出门去看午夜场电影。毫无意义。我没怎么看银幕上在演什么。只是乱七八糟的声音和一张张放大的脸。我再次回到家，摆出一盘特别无聊的西班牙开局，同样毫无意义。于是我爬上床。

但睡不着。凌晨三点，我在屋里走来走去，听哈恰图良[1]在拖拉机工厂干活。他管这个叫小提琴协奏曲。我管它叫送风机皮带松了和去他妈的。

不眠之夜对我来说和肥胖的邮递员一样罕见。要不是还得去丽兹贝弗利见霍华德·斯宾塞先生，我会喝光一瓶酒，醉个不省人事。下次再见到彬彬有礼的醉汉坐在劳斯莱斯银魂里，我保证就地解体，飞快地朝好几个方向逃跑。最致命的陷阱莫过于你为自己设下的陷阱。

---

1 前苏联作曲家、指挥家，代表作《马刀舞曲》。

13

十一点，我坐在从餐厅附楼走进来右手边的第三个卡座里。我背对墙壁，进来出去的人我都看得见。今天上午天气晴朗，没有起霾，连高雾[1]都没有。游泳池从酒吧的平板玻璃墙外延伸到餐厅的尽头，水面反射的阳光令人目眩。一个姑娘顺着梯子爬向高台，她穿鲨鱼皮的泳装，身材好得没话说。我望着泳装和她晒黑的大腿之间的雪白肉体。我看得心痒难耐。她忽然从视线中消失了，从屋顶低垂的悬挂装饰挡住了她。没多久，我看见她跳了下来，空中转体一圈半入水。水花溅得很高，阳光照在上面，形成的彩虹几乎和姑娘一样美丽。她顺着扶梯爬出泳池，解下白色泳帽，抖散她漂染过的头发。她摇着屁股走向一张白色小桌，在一条壮汉身旁坐下，他穿白色工装裤，戴墨镜，黝黑的皮肤晒得非常均匀，只可能是在游泳池附近转悠吃软饭的男人。她大笑，嘴张得像消防水桶。这幅景象打消了我对她的兴趣。我听不见笑声，但见到她咧开两排大牙露出的那个黑窟窿就足够了。

酒吧里没几个人。往后隔着三个卡座有一对时代精英，他们互相推销二十世纪福克斯公司的作品，用挥舞双臂的手势而不是金钱结算。两人之间的桌上有一部电话，他们每隔两三分钟就会比赛一场，

---

1 High fog，加州特有的一种气象，从海面形成的云雾飘向内陆，在较高处形成层云。

看谁能拿出好点子打电话给扎努克[1]。他们年轻、黝黑、热情，充满活力。他们打一通电话活动的肌肉就够我扛一个胖子爬上四楼了。吧台前的高脚凳上坐着一个哀伤的男人，他对酒保说话，酒保边擦玻璃杯边听他说，脸上挂着人们强忍住尖叫的那种塑料笑容。这位顾客是个中年人，衣冠楚楚，已经喝醉了。他想聊天，即便不是真的想开口，这会儿也停不下来了。他彬彬有礼，态度和善，我听见他口齿还算清楚，但你知道他放不下酒瓶，只有晚上睡觉才会撒手。他在余生中都会是这个样子，这就是他的生活。你不会知道他是怎么变成这样的，因为就算他告诉你，也未必会说实话。顶多是事实留在他心目中的扭曲记忆罢了。全世界每一个安静的酒吧里都有这么一位悲伤的男人。

我看一眼手表，发现手眼通天的出版商已经迟到了二十分钟。我会等满半小时，然后起身离开。让客户制定所有规则永远不会有好结果。要是他能耍得你团团转，他就会认为其他人也能，然而他花钱雇你可不是为了这个。另外，这会儿我并不是特别需要工作，没兴趣给一个东边来的傻蛋当马童，这种高级经理人坐惯了八十五楼镶护墙板的办公室，面前排着一溜按钮和内线电话，秘书身穿海蒂·卡内基职业女性特别套装，美丽的大眼睛里全是期望。这种人会约你九点整到，自己却跑去喝双份吉布森鸡尾酒，两小时后晃晃悠悠走进来，要是你没有安安静静坐在那儿，而且还满脸怡人的笑容，他就会因为经理人才华受到侵犯而大发雷霆，事后必须在阿卡普尔科休养五个星期，方能恢复他高高在上的职业巅峰。

年长的侍者慢吞吞地踱过来，随便瞥了一眼我那杯寡淡的苏格兰

1　好莱坞著名电影制作人，二十世纪公司创始者，与福克斯公司合并后任总裁多年。

威士忌加水。我摇摇头，他浓密的白发上下点了点，就在这时，一个美梦走进酒吧。有一瞬间，我觉得酒吧里没有了任何声音，时代精英停下了唇枪舌剑，高脚凳上的醉汉停下了滔滔不绝，那情形就仿佛指挥轻轻敲打乐谱架，手臂举起来悬而未落的那个瞬间。

她身材苗条而修长，穿白色亚麻的定制服装，脖子上系一条黑白圆点的丝巾。她的头发是淡金色，就像童话故事里的公主。头发上有一顶小小的帽子，淡金色头发像巢中小鸟似的蜷在里面。她的眼睛是罕有的矢车菊蓝，睫毛很长，颜色浅得有点夸张。她走到过道对面的桌子前，脱掉白色长手套，老侍者为她拉开桌子，绝对不会有哪个侍者会用这种方式为我拉开桌子。她落座，把手套塞进挎包皮带底下，感谢侍者，笑容是那么温柔，那么优雅而纯洁，迷得他几乎动弹不得。她对侍者说了句什么，声音非常低。侍者哈着腰快步走开。这位老兄有了真正的人生使命。

我盯着她看。她发觉我盯着她看。她抬高视线半英寸，我的视线就转开了。然而无论我看哪儿都屏着呼吸。

世上有这样的金发女郎，也有那样的金发女郎，金发女郎如今都快变成笑话了。每个金发女郎都有自己的特点，也许只有散发金属光泽的那些除外，她们的金发在漂白剂底下和祖鲁人一样金，性情和人行道一样软。有娇小玲珑的可爱金发女郎，喜欢叽叽喳喳。有仿佛希腊雕像的高个子金发女郎，会用冰蓝色的眼睛拒你于千里之外。有仰视你的金发女郎，香喷喷亮晶晶地吊在你的胳膊上，你带她回家她总是非常非常累。她打着无可奈何的手势，说头疼得厉害，你想扇她，但你也觉得庆幸，因为你在投入太多时间金钱和希望前就发现了她的头疼。因为头疼会永远存在，那是一件永不过时的武器，比杀手的刀剑和卢克雷齐娅的毒药瓶还致命。

有柔弱温顺爱喝酒的金发女郎，只要是貂皮质地，什么衣服都愿意穿，只要有星光屋顶和喝不完的香槟，什么地方都愿意去。有活泼自在的小个子金发女郎，她是你的好伙伴，喜欢自己付账单，浑身都是阳光和理性，精通柔道，能一边过肩摔摔倒一个卡车司机，一边读《星期六评论》社论版还顶多只看漏一个句子。有皮肤异常苍白的金发女郎，罹患某种非致命但不可治愈的贫血症。她没精打采，弱不禁风，说话轻声细气，声音不知是从哪儿发出来的，你一个指头都不能碰她，因为首先你不想，其次她在读的不是《荒原》或原版但丁，就是卡夫卡或克尔恺郭尔，甚至在研究普罗旺斯语[1]。她热爱音乐，听纽约爱乐乐团演奏辛德米斯，她能告诉你六把低音提琴的哪一把慢了四分之一拍。据说托斯卡尼尼也能做到。倒是正好凑成一对。

最后还有一种美艳动人的展品金发女郎，她比三个黑帮老大都活得久，然后连嫁两个百万富翁，每次离婚都能带走一百万，老来住在昂蒂布海角的浅粉色别墅里，有一辆带司机和副手的阿尔法罗密欧大轿车，豢养一群没落贵族，她对他们全都抱着心不在焉的亲昵态度，就是年老的公爵对管家说晚安的那种神情。

过道对面的美梦不属于以上任何一种，甚至不属于那个世界。她无法被归类，遥不可及和清澈透亮得仿佛山泉，比水色还要难以捉摸。我还在盯着她看，这时手肘边响起了一个声音。

"我迟到得太离谱了。非常对不起。都是这个的错。我叫霍华德·斯宾塞。你肯定就是马洛了。"

我转过头望向他。他人到中年，有点胖，衣着像是根本没考虑

1　奥克语（Occitan）的一个变种，使用者极少，居住在法国南部以普罗旺斯为主的地区。

过打扮，不过他刮过脸，头发仔仔细细服服帖帖地向后梳，盖住两耳之间颇为阔大的头顶。他穿俗气的双排扣马甲，除了在来访的波士顿人身上，你很难会在加利福尼亚见到这种东西。他戴着无框眼镜，像爱抚一只老狗似的轻轻拍打一个破旧的手提箱，它显然就是他所谓的"这个"。

"三本崭新的全书手稿。小说。要是没捞到机会退稿就弄丢，那可就太尴尬了。"他朝老侍者打个手势，老侍者刚把一高脚杯绿色的什么东西放在美梦面前，然后轻轻退开。"金酒加橙汁是我的命门。这么喝其实挺傻的。陪我来一杯吗？很好。"

我点点头，老侍者悄无声息地走开。

我指着手提箱问："你怎么知道会退稿？"

"要是有任何可取之处，就不会由作者本人送到旅馆给我了。肯定会落在纽约的哪个经纪人手上。"

"那为什么要收下呢？"

"一部分是不想伤害他们的感情。一部分是为了所有出版商都梦寐以求的千分之一机会。但主要是因为你去参加鸡尾酒会，被介绍认识各种各样的人，他们中有一些写过小说，而你喝得恰到好处，慈悲为怀，对全人类充满了爱，于是你说你愿意看一眼底稿。然后底稿就出现在了你住的旅馆，速度快得让人害怕，你只能读一读敷衍一下。不过，我猜你对出版商和他们的头疼事并不是很感兴趣吧。"

侍者端来了我们的酒。斯宾塞抓起他那杯，结结实实地喝了一大口。他没有看过道那头的金发姑娘。他的全部注意力都放在我身上。他是个出色的中间人。

"假如工作需要，"我说，"我偶尔也能读一本书。"

"我们最重要的作者之一就住在这附近，"他看似不经意地说，

"你说不定读过他的东西。罗杰·韦德。"

"哦。"

"我明白你的意思，"他苦笑道，"你对历史浪漫小说不感兴趣。但销量惊人。"

"我什么意思都没有，斯宾塞先生。我翻过他的一本书。我认为完全是垃圾。我是不是不该这么说？"

他咧嘴笑笑。"哦，没关系。有许多人赞同你的看法，但眼下的重点是他无论怎么写都畅销。最近成本太高了，每个出版商都必须养一两个这种作家。"

我扭头望向金发姑娘。她喝完了那杯酸橙汽水或者天晓得什么东西，正在看小得要用显微镜找的手表。酒吧里的人稍微多了一些，但还并不吵。两位时代精英依然在手舞足蹈，高脚凳上的孤独酒客有了两个伙伴。我转回来望着霍华德·斯宾塞。

"和你的难题有关吗？"我问他，"我指的是那个韦德。"

他点点头。他正在仔细打量我。"稍微说说你自己吧，马洛先生。当然了，假如你不反对我这个小小请求。"

"想听我的哪个方面？我是个有执照的私家调查员，已经做了一阵子。我独来独往，没结过婚，人近中年，不富有。我进过不止一次拘留所，我不接离婚案。我喜欢喝酒、女人、象棋和另外几样东西。警察不怎么喜欢我，但有几个我还算合得来。我是本地人，出生在圣罗莎，双亲都过世了，没有兄弟姐妹，有朝一日要是我在黑暗小巷里被做掉——我这个行当里的每个人都有可能碰到这种事，如今其他行当或者什么行当都不混的很多人也是这个下场——没有人会觉得他或她的生活忽然掉进了万丈深渊。"

"我懂了，"他说，"但我想知道的似乎不是这些。"

我喝完金酒兑橙汁。我不喜欢。我朝他咧咧嘴。"有一点忘了说，斯宾塞先生。我口袋里有一张麦迪逊的肖像。"

"麦迪逊的肖像？很抱歉，我不——"

"五千块美元的大钞，"我说，"总是带在身上。我的幸运符。"

"上帝啊，"他压低声音说，"难道不是非常危险吗？"

"谁说的来着？过了一定的程度，所有风险都是等同的。"

"好像是沃尔特·巴杰特[1]。他说的是高空作业的工人。"他也咧嘴笑笑。"抱歉，但你知道，我是个出版商。你说得对，马洛。我愿意在你身上试试运气，否则你肯定会让我滚远点儿。对吧？"

我也朝他咧嘴笑笑。他招呼侍者过来，又点了两杯相同的鸡尾酒。

"是这样的，"他谨慎地说，"罗杰·韦德给我们惹了个大麻烦。他无法完成一本书。他正在逐渐失控，背后有隐情。他似乎快崩溃了。疯狂喝酒，乱发脾气。每隔一段时间他就会失踪好几天。没多久以前，他把妻子推下楼梯，她断了五根肋骨住进医院。他们之间不存在常见的那些问题，完全没有。他每次一喝酒就发疯。"斯宾塞凑近我，阴郁地看着我的眼睛。"我们必须要他写完那本书。迫不及待地需要。从某种意义上说，我的职位全仰仗这本书了。但我们要的还不止这些。我们想挽救一位很有才华的作家，他有能力写出比他以前那些书好得多的作品。出了什么大问题。我这次来，他甚至不肯见我。我知道听起来现在该请精神病医生出场了，但韦德夫人不同意。她深深相信他完全正常，只是有什么事情害得他心神不宁。比方说，

---

1 英国最著名的经济学家、政治社会学家和公法学家之一。

遭人勒索。韦德夫妇结婚五年了。有可能是他过去生活中的幽灵来纠缠他了。甚至有可能——我瞎猜一下——是撞死人逃逸的交通事故，有人掌握了他的弱点。我们不知道究竟是什么。我们想知道。为了解决麻烦，我们愿意付出丰厚的酬劳。假如最后发现是个医学问题，那么——也好。假如不是，就肯定存在一个答案。另一方面，韦德夫人必须得到保护。下次他说不定会杀了她。谁知道呢。"

第二轮鸡尾酒送来了。我没碰我那杯，望着他一口气喝掉半杯。我点了一支烟，直勾勾地看着他。

"你需要的不是侦探，"我说，"而是魔术师。我他妈能做什么？要是我凑巧刚好在场，要是他没有强壮得让我难以对付，我说不定可以打昏他，把他拖到床上。但我必须要在场才行。几率顶多只有百分之一。你很清楚的。"

"他和你块头差不多，"斯宾塞说，"但状态远不及你。再说你可以一直待在他家。"

"不太可能。再说酒鬼都很狡猾。他大可以挑个我不在的时候撒酒疯。这是男护士的活儿，不是我的业务范围。"

"男护士派不上用场。罗杰·韦德不是会接受身边有个男护士的那种人。他才华横溢，只是在自制方面有点纰漏。他写垃圾给白痴看，挣了太多的钱。然而对作家来说，唯一的救赎就是写作。只要他身上还有好的一面，就自然而然会浮现出来。"

"好的，我相信他很了不起。"我疲惫地说，"他非常厉害。同时他也极其危险。他有个让他有负罪感的秘密，他想用酒精淹死这个秘密。斯宾塞先生，这不是我能解决的问题。"

"我懂了。"他看一眼手表，担忧地皱起眉头，整张脸抽成一团，让他的面容显得老了几岁和小了一圈。"好吧，我总得试试嘛，你别怪我。"

他伸手去拿鼓鼓囊囊的手提箱。我扭头望向金发姑娘。她正在准备离开。白发侍者拿着账单站在旁边。她给了侍者一些钱和一个可爱的微笑。他的模样像是刚和上帝握了手。她给嘴唇补口红，戴上白色长手套，侍者都快把桌子拉到房间另一头去了，她起身走出来。

我望向斯宾塞。他皱着眉头，盯着放在桌边的空酒杯。手提箱放在他大腿上。

"这样吧，"我说，"要是你坚持，我可以去见一见他，评估一下他的情况。我会和他妻子谈一谈。但我猜他会把我扔出家门。"

一个不属于斯宾塞的声音说："不，马洛先生，我不认为他会那么做。恰恰相反，我认为他很有可能会喜欢你。"

我抬起头，望向一双紫罗兰色的眼睛。她站在我们这张桌子的尽头。我站起身，斜靠着卡座的靠背，就是你出不去但又必须站起来的那种尴尬姿势。

"别起来了，"上帝大概就是用这个声音给夏日云朵镶金边的，"我想我欠你一声对不起，但我觉得在自我介绍之前我有必要先观察一下你。我是艾琳·韦德。"

斯宾塞没好气地说："艾琳，他不感兴趣。"

她温柔地微笑。"我不同意。"

我恢复了自制力。我刚才一直歪歪扭扭地站在这儿，张着嘴呼吸，活像个可爱的女学生。她确实是个尤物。在近处看，她让我几乎无法动弹。

"我没说我不感兴趣，韦德夫人。我话里话外的意思都是我不认为我能派上用场，勉强要我尝试恐怕也会酿成大错。很可能会造成巨大的损失。"

她变得非常严肃，笑容已经消失。"你决定得太快了。你无法仅仅凭借行为判断一个人。就算非要判断不可，也应该通过他们的为人。"

我茫然点头。因为我正是这么看待特里·莱诺克斯的。就表面的事实而言，他没有任何可取之处，只有散兵坑里的那个光辉瞬间除外，前提是门南德斯没有骗我，但这些事实无论如何都不足以反映一个完整的他。他是个你不可能不喜欢的人。你一辈子能遇到几个人可以让你这么说？

"而你必须了解他们，才能知道他们的为人。"她轻轻柔柔地说完。"再见了，马洛先生。假如你改变了主意——"她飞快地打开挎包，取出一张名片递给我，"还有，谢谢你能来这儿。"

她朝斯宾塞点点头，转身离开。我目送她走出酒吧，穿过镶着玻璃墙的附楼走向餐厅。她的一举一动都那么美丽。我望着她在通往大堂的拱廊下转弯。我看见她转弯时白色亚麻长裙的最后一闪。我终于松了口气，坐回卡座里，拿起我那杯金酒兑橙汁。

斯宾塞一直盯着我，眼神里有某种怨毒的东西。

"干得好，"我说，"但你偶尔也该看她一眼。她那么一个梦幻美人，而且又不是坐在房间另一头，二十分钟你居然连眼睛都不转一下。"

"是我犯蠢，对吧？"他努力挤出笑容，实际上并没有笑意。他不喜欢我看她的视线。"人们对私家侦探有很多稀奇古怪的念头。想到要请一个回家——"

"别想请这一个回你家，"我说，"至少先另外编个故事再说。你不可能指望我会相信任何人——无论有没有喝醉——能把那么一个美人儿推下楼，摔断她五根肋骨。"

他涨红了脸，双手攥紧手提箱。"你认为我在骗你？"

"有区别吗？你演了一出戏。说起来，你对那位女士似乎也有点动心了。"

他忽然站起身。"我不喜欢你的语气，"他说，"我恐怕不喜欢你这个人。帮个忙，忘了这件事吧。我看这点钱够买你的时间了。"

他扔了一张二十块在桌上，又加了几张一块给侍者。他站了几秒钟，低头瞪着我。他两眼放光，脸膛依然通红。"我结婚了，有四个孩子。"他突然说。

"恭喜恭喜。"

他从喉咙深处哼哼了一声，转身离开。他走得很快。我望着他的背影看了一会儿，然后就不看了。我喝完剩下的酒，掏出烟盒抖出一支，塞进嘴里点燃。老侍者走过来，看着桌上的钞票。

"还要什么吗，先生？"

"不要了。钱全归你。"

他慢慢地拿起钞票。"这是一张二十块，先生。那位先生弄错了。"

"他不识字。钱全归你，我说过了。"

"我确定我非常感激。要是你确定，先生——"

"完全确定。"

他点点头，转身走了，表情依然忧心忡忡。酒吧里的人越来越多。两个打扮摩登的假少女从我身边经过，又是欢呼又是挥手。她们认识后面卡座里的那两位精英。达令达令的叫声和猩红色的手指甲开始在半空中飞舞。

我抽完半支烟，怒目而视面前的虚无，然后起身离开。我转身去拿烟盒，有什么东西从背后重重地撞了我一下。我等的就是这个。我猛地转身，看见一个男人的侧脸，他笑得很灿烂，属于喜欢逗大家开心的那种人，穿一件宽松款的牛津纺法兰绒上衣。他像万人迷似的伸直手臂，上下各露六颗牙的笑容属于从不失手的推销员。

我抓住他伸直的那条胳膊，揪着他转了过来。"朋友你怎么回事？过道不够宽，容不下你整个人了？"

他挣脱手臂，发狠道："嘴巴放干净点，老兄。否则我就替你松松下巴。"

"哈，哈，"我说，"怎么不说你能替洋基队守中外野，用面包棍打出本垒打？"

他攥紧肉乎乎的拳头。

"达令，想一想你修过的指甲。"我对他说。

他控制住情绪。"神经病，就会嘴贱，"他轻蔑地说，"下次再收拾你，等我比较闲的时候。"

"能比现在还闲？"

"滚吧，"他吼道，"再说一句俏皮话，你就需要重做牙床了。"

我朝他咧嘴笑笑。"打电话给我，朋友。记住换几句好台词。"

他的表情变了，忽然笑道："哥们儿，你拍过片子？"

"只拍过钉在邮局墙上那种。"

"嫌犯相册里再见吧。"他说，转身走开，脸上还挂着笑容。

这么做确实很傻，但让我摆脱了刚才的感觉。我顺着附楼出去，穿过饭店大堂，来到正门口。我在门内停了停，戴上太阳眼镜。坐进车里，我这才想起艾琳·韦德给我的名片。一张雕版印刷的名片，但不是正规的商务名片，因为上面有住址和电话号码。罗杰·斯特恩斯·韦德夫人，悠闲谷路1247号。电话：悠闲谷5-6324。

我很熟悉悠闲谷，我知道那里已经改变了很多，当年悠闲谷有门卫室把守入口，有自己的警察局，湖畔有赌场，卖笑的女人要五十块一晚。赌场被关闭后，低调的有钱人占领了那片土地。低调的有钱人把那里变成了地块划分商的乐园。小湖和湖岸线归一家俱乐部所有，要是俱乐部不肯接纳你，那你就没资格去水上玩。专属性除了代表昂贵，剩下唯一的含义就是这个。

我之于悠闲谷就好比珍珠洋葱之于香蕉船冰激凌。

下午晚些时候，霍华德·斯宾塞打电话给我。他已经消了气，想说他很抱歉，局面他处理得不太好，问我愿不愿意再考虑一下。

"他请我，我就去见他。否则免谈。"

"我明白了。会有一份丰厚的额外——"

"听我说，斯宾塞先生，"我不耐烦地说，"命数是你没法雇佣的。要是韦德夫人害怕那家伙，她可以搬出去。那是她的问题。谁也不可能二十四小时保护她，不让她丈夫接近她。天底下不存在这么周到的保护。但那并不是你想要的。那家伙发神经，你想知道为什么、怎么发和什么时候发，然后要我解决问题，免得他再犯病，至少等他写完那本书再犯。但写不写取决于他。要是他撕心裂肺地想写完那本书，他就会远离烈酒直到写完。你的要求太出格了。"

"其实是一码事，"他说，"全都是同一个问题。不过我想我明白你的意思了。对你这个行当有点过于精细了。唉，算了，再见。我今晚飞回纽约。"

"一路顺利。"

他谢谢我，挂断电话。我忘了说我把他的二十块给了侍者。我考虑要不要打回去告诉他，随即想到他已经够倒霉了。

我关好办公室的门，走向维克多餐厅，打算按照特里那封信的请求，去喝一杯螺丝起子。路上我改变了主意。情绪还不够感伤。我去了罗利餐厅，喝了一杯马丁尼，吃了肉眼牛排和约克夏布丁。

回到家，我打开电视看拳击。没一个厉害的，全是舞蹈大师，应该去给亚瑟·莫里[1]打工才对。他们只会出刺拳，蹦蹦跳跳，佯攻让对手失去平衡。没有一个人的拳头重得能唤醒打瞌睡的老祖母。观众喝倒彩，裁判不断拍手要求进攻，但他们还是晃来晃去，慌里慌张地挥动左手打长刺拳。我换个频道看犯罪剧。这一幕发生在衣橱里，演员表情疲惫，长相过度熟悉，而且欠缺美感。对话的用词连填字游戏都不会用。侦探有个黑人男仆，为的是营造喜剧效果。侦探不需要他，他自己就够可笑的了。至于广告，连吃铁丝网和啤酒瓶碎片长大的山羊看了都会作呕。

我关掉电视，抽了根卷得很紧的长杆薄荷烟。让我的喉咙很舒服。原料也是上等烟草。我忘了记住是什么牌子。正准备上床，凶杀科的格林警司打来电话。

"觉得你大概想知道，几天前你朋友莱诺克斯就在他去世的墨西哥小镇下葬了。一个律师代表家族过去参加。这次算你走运，马洛。下次有朋友请你帮他偷越国境，千万别。"

"他身上有几个弹孔？"

"什么意思？"他吼道。他沉默片刻，然后颇为谨慎地说："一个，我应该这么说。通常情况下，一颗子弹就足够崩掉一个人的脑袋了。律师采了一套指纹，和他口袋里的所有东西一起带回来。你还有什么想知道的吗？"

"有，但你不可能告诉我。我想知道是谁杀了莱诺克斯的妻

---

1 美国著名的舞蹈教练。

子。"

"什么？格伦兹没告诉你他留下了一份完整的自白书？反正报纸是这么说的。你难道已经不看报纸了？"

"谢谢你打电话来，警司。你真是一个好人。"

"听我说，马洛，"他没好气地说，"你要是对这个案子有什么古怪念头，出去乱说话会让你后悔一辈子。案子已经结了，画上句号，埋在一堆樟脑丸里了。你算是他妈的走运。事后从犯在本州够你坐五年牢的。再听我说一句。我当警察很多年了，学到的一个教训是人坐牢不总是因为他做了什么，而是在法庭上看起来像什么。晚安。"

他对着我的耳朵摔上电话。我放下听筒，心想正直的警察良心不安就会发狠。然而不正直的警察也一样。几乎所有人都是这样，包括我在内。

14

第二天早晨，我正在擦耳垂上的爽身粉，门铃响了。我过去开门，发现一双紫罗兰色的眼睛看着我。今天她穿棕色的亚麻长裙，围红椒色的围巾，没戴耳环或帽子。她脸色有点苍白，但绝对不像一个曾被推下楼梯的女人。她犹豫着对我微笑。

"我知道我不该来打扰你，马洛先生。你很可能连早饭都还没吃。但我不怎么想去办公室找你，又讨厌打电话讨论私事。"

"没关系。请进，韦德夫人。喝杯咖啡吗？"

她走进客厅，坐在长沙发上，眼神茫然。她把挎包平放在大腿上，双脚并拢坐在那儿。看上去有点拘谨。我打开窗户，拉起百叶窗，拿起她面前咖啡桌上的脏烟灰缸。

"谢谢。请给我黑咖啡，不加糖。"

我走进厨房，在绿色金属托盘上铺开一张纸巾。看起来和赛璐珞假领一样廉价。我抓起纸巾揉成一团，取出与三角形小餐巾配套的花边衬垫。它们和大多数家具一样，也是租房子的时候就有的。我放下两个沙漠玫瑰咖啡杯，斟满咖啡，端着托盘走进客厅。

她尝了一口。"非常好，"她说，"你很会煮咖啡。"

"上次有人和我喝咖啡就在我进拘留所之前，"我说，"韦德夫人，我猜你肯定知道我进过冷库。"

她点点头。"当然，你涉嫌协助他逃跑，对吧？"

"警察没这么说。他们在他房间的记事本上发现了我的电话号码。他们盘问我，我不肯回答——主要是因为他们提问的方式不对。然而我想你对这些不感兴趣。"

她小心翼翼地放下咖啡杯，身体向后靠，对我微笑。我请她抽烟。

"谢谢，我不抽。我当然感兴趣。我们的一个邻居认识莱诺克斯夫妇。他肯定是精神错乱了。他听上去完全不像那种人。"

我拿起牛头犬烟斗，填满烟丝点上。"大概吧，"我说，"肯定是这样。他在战争中受了重伤。但他死了，事情已经结束了。我觉得你来找我不是为了谈这个。"

她慢慢摇头。"他是你的朋友，马洛先生。你肯定有非常强烈的看法。我认为你是个很有主见的人。"

我压紧烟斗里的烟丝，重新点上。我慢悠悠地做这些事情，边做边从烟斗上望着她。

"听我说，韦德夫人，"我最后说，"我的看法毫无意义。那种事情每天都会发生。最不可能的人犯下最不可能的罪行——和蔼的老太太毒死全家；好身世的孩子多重武装抢劫和开枪杀人；记录完美无瑕的银行经理人被发现二十年来长期贪污公款；广受欢迎的成功小说家，应该过得很开心，却喝得醉醺醺的，打得妻子住进医院。我们甚至不知道什么事会让我们最好的朋友精神紧张。"

我以为这么说会让她发火，但她只是抿紧嘴唇，眯起了眼睛。

"霍华德·斯宾塞不该告诉你的，"她说，"那是我自己的错。我不懂事，不知道应该避开他。后来我明白了，假如一个男人喝醉了，你最不能做的就是阻止他喝酒。你对此的了解肯定比我多。"

"你当然不能靠几句话阻止他，"我说，"要是你运气好，要是你有力气，有时候你能阻止他伤害自己或其他人。然而就连这个也需要运气。"

她默默地伸手去拿咖啡杯和托碟。她的手很好看，和她的整个人一样。指甲修成美丽的形状，涂了稍微有一丝颜色的指甲油。

"霍华德有没有说他这次来没见到我丈夫？"

"说了。"

她喝完咖啡，小心翼翼地把咖啡杯放回托盘上。她拿着调羹玩了几秒钟，开口时没有抬头看我。

"他没有告诉你原因，因为他不知道。我很喜欢霍华德，但他是支配欲很强的那种人，什么事都希望他说了算。他认为他很擅长管理。"

我没有插嘴，等她说下去。又是一段沉默。她瞥了我一眼，然后立刻转开视线。她用非常轻柔的声音说："我丈夫已经失踪三天了。我不知道他去了哪儿。我来找你是想请你找到他，带他回家。唉，这种事以前也发生过。有一次他自己开车去了波特兰，病倒在一家旅馆里，不得不请医生给他解酒。他开了那么远，居然没惹出麻烦，也算是个奇迹了。他三天三夜没吃东西。还有一次他躲在长滩的一家土耳其浴室，瑞典式，给你做灌肠排毒的那种地方。最近一次是一家私立的小型疗养院，名声恐怕不太好。到现在还不到三个星期。他不肯告诉我疗养院的名字和地址，只说他在接受治疗，一切都很好。但他的脸色白得像死人，看上去非常虚弱。我看了一眼送他回家的那个人。高个子年轻人，一身过于逼真的牛仔行头，你只会在舞台或彩色音乐电影里见到这种打扮。他让罗杰在门前车道上下车，然后立刻掉头开走了。"

"有可能是个观光牧场[1]，"我说，"养些好脾气的牛仔，把挣来的每一分钱都花在稀奇古怪的装备上。女人为他们疯狂。养他们就是为了这个。"

她打开挎包，取出一张折起来的纸。"我带了一张五百块的支票给你，马洛先生。你愿意当聘金收下吗？"

她把折起来的支票放在咖啡桌上。我看着支票，但没有去拿。"为什么？"我问她，"你说他失踪了三天。一个人醒酒和吃进去东西本来就要三四天时间。他难道不会像以前那样回来吗？这次有什么地方不一样吗？"

"再这样下去他是承受不了的，马洛先生。会害死他的。间隔越来越短了。我担心得要命。不，不止担心，我很害怕。他这么做不正常。我们结婚五年了。罗杰以前也爱喝酒，但不是一个精神错乱的酒鬼。肯定有什么事情不对劲。我想找到他。昨天夜里我睡了还不到一个小时。"

"知道他为什么喝酒吗？"

紫罗兰色的眼睛直勾勾地看着我。今天早晨她似乎有点脆弱，但离绝望还差得远呢。她咬住下嘴唇，摇摇头。"除非是因为我，"她最后说，声音几近耳语，"男人丧失了对妻子的感情。"

"我只是个业余的心理学家，韦德夫人。干我这一行，你非得懂点心理学不可。要我说，他更像是丧失了对他写的那些东西的感情。"

"完全有可能，"她静静地说，"我猜所有作家都会中这种诅咒。没错，他似乎无法完成他正在写的那本书。但他不缺房租钱，又

---

1 dude ranch，美国西部常见的农业旅游场所。

不是必须完成不可。我不认为这是一个足够充分的理由。"

"他清醒的时候是个什么样的人？"

她微笑道："嗯，让我说肯定是带偏见的。我认为他是个非常温和的好男人。"

"喝醉酒呢？"

"简直恐怖。聪明，残忍，无情。以为自己妙语连珠，其实只是出口伤人。"

"你忘了说暴虐。"

她挑起茶褐色的眉毛。"只有一次而已，马洛先生。仅仅凭那一次就下结论未免太过分了。我甚至没有告诉霍华德·斯宾塞。是罗杰自己告诉他的。"

我起身在房间里踱来踱去。今天会很热。这会儿已经热起来了。我调整百叶窗的角度以挡住阳光。然后我对她直话直说。

"昨天下午我在名人录里查过他。他今年四十二，娶你是他唯一的一场婚姻，没有孩子。他出身新英格兰家庭，上的是安杜佛和普林斯顿。他上过战场，记录优良。他写了十二本性爱加斗剑的那种长篇历史小说，每一本都上过畅销书排行榜。他肯定挣了很多钱。要是丧失了对妻子的感情，他似乎更像个会告诉你并提出离婚的男人。要是他和其他女人鬼混，你多半也会听到风声，总而言之，他不需要用喝醉来证明他心情不好。你们结婚五年了，所以结婚时他三十七岁。要我说，到了这个年纪，关于女人应该了解的事情，他应该已经了解得差不多了。我说差不多是因为谁也不可能完全了解女人。"

我停下来看她，她对我微笑。我没有伤害她的感情。我继续说了下去。

"霍华德·斯宾塞提出——具体凭什么提出我就不得而知了——

罗杰·韦德的问题根源是发生在你们结婚前很久的某些事情，现在开始对他造成影响，对他的打击超过了他的承受能力。斯宾塞认为有可能是勒索。你会知道吗？"

她缓缓摇头。"假如你指的是我知不知道罗杰付出很大一笔钱给什么人——不，我不会知道。我从不干涉他的账目。他有可能付了很多钱出去，而我一无所知。"

"那好吧。我不认识韦德先生，无从想象他被敲竹杠会是什么反应。假如他脾气暴虐，说不定会拧断什么人的脖子。假如秘密有可能损害他的社会或职业地位，甚至极端一些，引来执法人员登门拜访，那么他就会付钱——至少先稳住对方再说。但这些猜想对我们毫无用处。你希望他回来，你很担心，你不止是担心。然而我该怎么找他呢？我不要你的钱，韦德夫人。至少现在没法要。"

她的手再次伸进挎包，拿出两张黄色信纸。它们像是复写用的拷贝纸，折了起来，其中一张看上去皱巴巴的。她打开它们，递给我。

"一张是我在他书桌上发现的，"她说，"那天很晚了，说是第二天凌晨也行。我知道他一直在喝酒，知道他没有上楼。凌晨两点，我下楼去看他好不好——相对而言的好不好，有没有昏倒在地上或者沙发上什么的。但他不在家。另一张在废纸篓里，更确切地说是挂在废纸篓的边缘上，所以没有掉进去。"

我先看第一张，也就是没揉皱的那张。上面只用打字机打了短短的一段字："我没兴趣爱自己，也没有其他人供我去爱。署名：罗杰·（F. 斯科特·菲茨杰拉德）韦德。又：所以我才一直写不完《最后的大亨》。"

"你能看懂吗，韦德夫人？"

"装模作样而已。他一直非常仰慕斯科特·菲茨杰拉德。他说从嗑药的柯勒律治之后，最优秀的酗酒作家就是菲茨杰拉德。你看他打的字，马洛先生。清晰，轻重均匀，没有错别字。"

"我注意到了。大多数人喝多了连自己名字都不会写。"我继续看揉皱的那张纸。还是打字稿，同样没有错别字，轻重依然均匀。这一张的文字是："我不喜欢你，V医生，但此刻我需要的正是你。"

我还在看这张纸的时候，她开口道："我不知道V医生是谁。我们不认识名字以V打头的医生。我猜上次安排罗杰去那里的就是他。"

"牛仔送他回家那次？你丈夫没有说起任何名字，包括场所的名字？"

她摇摇头。"什么都没说。我在号码簿里查过。名字以V打头的有十几个各种各样的医生。另外，也不一定就是他的姓氏。"

"甚至有可能根本不是医生，"我说，"这就引出了现金的问题。合法的医生会收支票，但骗子不会。因为支票会变成证据。而且这种人的收费肯定不低。他那里的住宿膳食都会很贵，更不用说针头了。"

她困惑道："针头？"

"所有黑诊所都会给客户打麻醉药。更容易摆布他们。让他们不省人事十或十二个小时，等他们醒过来，就会变成乖宝宝了。但没有执照使用麻醉药会让你去享受山姆大叔的住宿膳食。代价非常高昂。"

"我明白了。罗杰身上大概有几百块。他的书桌里总是放着这么多钱。我不知道为什么。我以为只是他的怪癖。现在钱不见了。"

"好的，"我说，"我来试试看找V医生。我不知道该怎么找，但我会尽量努力的。韦德夫人，支票你收好。"

"为什么？那是你应得——"

"谢谢，回头再说。另外，我更愿意收韦德先生的钱。他反正不会喜欢我要做的事情。"

"但假如他病倒了，走投无路——"

"他可以打电话给他的医生，也可以请你打电话。但他没有。说明他不愿意。"

她拿起支票放回包里，站起身。她看上去非常绝望。"我们的医生拒绝治疗他。"她苦涩地说。

"医生成百上千，韦德夫人。每一个医生都能收治他一次。大多数医生都能陪他一段时间。医疗如今是个竞争激烈的行当。"

"我明白了。是啊，当然是这个道理。"她慢慢走向门口，我跟过去，打开门。

"你可以自己打电话叫医生的。为什么不叫？"

她转过来面对我。眼睛明亮，也许有一丝泪光。真是一个尤物，毫无疑问。

"因为我爱我丈夫，马洛先生。我愿意做任何事情来帮助他。但我也知道他是个什么样的男人。要是每次他多喝了几杯我就打电话叫医生，恐怕用不了多久就不会有这个丈夫了。你对待一个成年男人不能像对待一个喉咙痛的小孩。"

"假如他酗酒，你就当然可以。而且往往必须这么做。"

她站得离我很近。我闻到她的香水味。也可能是我的想象。香水不是用喷雾瓶喷在身上的。或许只是因为夏天天热。

"假如他过去做过不光彩的事情，"她说，一个一个地吐出这些字，就好像它们每一个都苦涩难当，"甚至犯过罪。对我来说反正毫无区别。但谁也不能通过我查出究竟是什么。"

"但霍华德·斯宾塞雇我去查就没问题？"

她慢慢露出笑容。"你宁可坐牢也不肯出卖朋友，你真以为我能相信你会给霍华德其他的答案？"

"多谢捧场，但我进去不是因为这个。"

她沉吟片刻，点点头，说再见，沿着红杉台阶走了下去。我望着她上车，一辆细长的灰色捷豹，看上去非常新。她开车到小街尽头调转方向。下坡经过的时候，她朝我挥挥戴着手套的手。小小的跑车轻快地拐个弯，然后就看不见了。

屋子正面墙边有一丛红色夹竹桃。我听见里面传来扑腾的声音，一只小反舌鸟焦急地唧唧轻叫。我看见小鸟站在顶上的一根枝条上拍打翅膀，像是难以保持平衡。院墙拐角的柏树丛中响起刺耳的啼鸣声，意思大概是警告。唧唧叫声立刻停止，胖乎乎的小鸟安静下来。

我回到屋里关上门，让它自己上飞行课。鸟类也必须学习。

15

无论你觉得你有多聪明，你都必须从一个起点开始：名字，地址，社区，背景，环境，某种参考。然而我手头只有一张皱巴巴的信纸，上面打着："我不喜欢你，V医生，但此刻我需要的正是你。"有了这个，我能把目标缩小到太平洋里，辛辛苦苦花一个月查遍五六个县医疗协会的成员名单，最后得到一个大大圆圆的零蛋。咱们这座城市，庸医滋生得比豚鼠还快。市政厅周围方圆一百英里之内有八个县，每个县的每个镇上都有医生，有些是真正的医护人员，有些只是通过函授课程学了门手艺的机修工，执照仅限于挖鸡眼或者踩着你的脊梁跳上跳下。在真正的医生里，有些过得很好，有些穷得叮当响；有些讲医德，有些未必遵守得起。在跟不上维生素和抗生素发展的许多老混球眼中，富有的早期震颤性谵妄[1]患者就等于天降财神。可是，没有线索我就无从下手。我没有线索，艾琳·韦德不是没有就是不知道她有。另外，就算我找到了符合条件而且名字缩写对得上的人，就罗杰·韦德而言，他也有可能仅仅是个神话人物。那两句话可能只是他泡进酒海时脑子里闪过的一个念头。就像他对斯科特·菲茨杰拉德的引用或许仅仅是一种不落俗套的告别方式。

1　一种急性脑病综合征，多发于突然戒酒或减少饮酒的酒精依赖者。

遇到这种情况，小角色就只能借用大人物的脑子了。于是我打电话给我认识的一个人，他在卡恩机构工作，这个浮华的事务所开在贝弗利山，专精于保护有钱有势的富豪，所谓"保护"，意思是和法律沾边的几乎所有业务。我认识的这个人叫乔治·彼得斯，他说要是我能长话短说，他可以赐我十分钟时间。

他们在那种糖粉色的四层办公楼里占据了二楼的半个楼面，这种办公楼的电梯会靠电子眼自己开门关门，走廊永远凉爽安静，停车场的每个位置都标着名字，前厅外的药剂师装安眠药瓶装得手腕抽筋。

门的外侧漆成法国灰，镶着凸起的金属字母，干净犀利得像新开刃的匕首。**卡恩机构有限公司。杰拉德·C.卡恩，总裁**。底下的字比较小：入口。说是一家投资信托公司也行。

进去是一间又小又丑的接待室，但丑得刻意而昂贵。家具是猩红色和深绿色，墙壁是单调的不伦瑞克绿，挂在墙上的油画镶在再暗三个色调的绿色木框里。画中的男人身穿红色大衣，骑着高头大马，发疯似的想跃过高高的围栏。有两面无框的镜子，底色略带一丝让人恶心的玫瑰粉。抛光的白桃花心木咖啡桌上摆着最新一期的各种杂志，每一本都套着透明的塑料套。房间的布置者绝对不会被过多的颜色吓倒。他很可能穿红椒色的衬衫、桑葚紫的长裤和斑马条纹的皮鞋，朱砂红的衬裤上用美丽的橘红色绣着姓名缩写。

这地方只是门面而已。卡恩机构的客户每天最低费用一百块，他们期待的是在家接受服务，而不是在什么接待室里坐等。卡恩曾是宪兵队的一名上校，大块头，皮肤白里透红，壮实得像块木板。他邀请过我来工作，但我至今也还没绝望到要接受。当混球有一百九十条路，卡恩每一条都熟。

毛玻璃分隔门悄然滑开，接待员在里面望向我。她有着铁打的笑容，眼神能数清楚你屁股口袋里的钱包装了几张钞票。

"早上好。请问有何贵干？"

"乔治·彼得斯，谢谢。我叫马洛。"

她拿起一本绿色皮面册子放在台子上。"他在等你吗，马洛先生？预约名单上没有你的名字。"

"私事。我刚和他通过电话。"

"我明白了。马洛先生，你的名字怎么拼？另外，请报一下你的全名，谢谢。"

我告诉了她。她填进一张细细长长的表格，然后把页边塞进打卡钟。

"做这些是要给谁看？"我问她。

"本司非常注重细节，"她冷冰冰地说，"卡恩上校说过，你永远不知道最琐碎的小事什么时候会变成生死攸关的大事。"

"反过来也说得通。"我说，但她没听懂。她完成文书工作，抬起头说："等我向彼得斯先生通报一声。"

我说你这样真是让我心花怒放。一分钟后，护墙板上打开了一扇门，彼得斯招招手，我走进一条战舰灰色的走廊，左右两侧的小办公室怎么看都像牢房。他的办公室天花板装着吸音隔板，有一张灰色不锈钢办公桌和两把配套的椅子，灰色的架子上有一台灰色的录音机，电话和笔架与墙壁和地板是同一个颜色。墙上有两张带框的照片，一张里的卡恩身穿制服，头戴雪莲花[1]头盔，一张里的卡恩平民打扮，坐在办公桌前，一脸高深莫测。墙上还有一个木框，铁灰色字母的励

---

[1] 美军宪兵在第二次世界大战时的制服是一身绿和白头盔，英国人给它起的外号是"雪莲花"。

志名言印在灰色背景上。这句话说的是：

> 无论何时何地，卡恩机构的探员都以绅士标准规范言行。此规则概无例外。

彼得斯两大步穿过房间，推开一张照片。照片背后的灰色墙壁上有个灰色的麦克风拾音头。他扯出拾音头，拔下一条连接线，把它塞回原处，然后将照片重新挡在前面。

"被发现我饭碗就砸了，"他说，"不过狗娘养的出去了，帮一个什么演员搞定醉驾的案子。所有麦克风的开关都在他办公室里。他把窃听器装遍了整个公司。有天早晨我建议他在接待室的一面单向镜子背后装一台带红外功能的缩微胶片照相机。他不太喜欢这个主意。多半因为不是他自己想出来的。"

他坐进一把灰色的硬底椅子。我望着他。他是个笨拙的长腿男人，脸上瘦骨嶙峋，发际线正在后退。他的皮肤像是饱经风霜，属于时常待在户外的那种男人，各种各样的天气都经历过。他眼窝深陷，上嘴唇几乎和鼻子一样长。他咧嘴一笑，下半张脸就消失在了从鼻孔到宽大嘴巴边缘的两条深沟里。

"你怎么受得了？"我问他。

"哥们儿，坐吧。小声喘气，压低声音，另外要记住，卡恩机构的工作人员看你这么一个廉价侦探就好比托斯卡尼尼看街头风琴手的猴子。"他停下来，笑了笑，"我受得了是因为我不在乎。毕竟钱多，等哪天卡恩开始觉得这儿是战争期间他在英国管的那家最高戒备监狱，而我是他的犯人，我就去领了支票溜之大吉。你惹了什么麻烦？听说你前阵子栽了跟头。"

"没什么可抱怨的。我想看看你们的铁窗人员档案。我知道你们有。艾迪·道斯特从这儿辞职后告诉我的。"

他点点头。"艾迪对卡恩机构来说有点太感情用事。你说的那份档案是最高机密。无论在何种情况下，机密资料都不得向外人透露。我这就去拿。"

他走了出去，我望着灰色的废纸篓、灰色的油毡地垫、桌上吸墨台的灰色皮革转角。彼得斯捧着一个灰色的硬纸板文件夹回来。他把文件夹放在桌上打开。

"我的天，你们这儿就没有不是灰色的东西吗？"

"校园的颜色，好老弟。本组织的灵魂。哦，我当然有不是灰色的东西。"

他拉开书桌的抽屉，取出足有八英寸长的一支雪茄。

"乌普曼三十，"他说，"一位英国老绅士的礼物，他在加利福尼亚住了四十年，还把收音机叫无线电。清醒的时候只是个老娘娘腔，有许多浅薄的魅力——我觉得没什么不好，因为绝大多数人一点魅力都没有，无论浅不浅薄，卡恩也包括在内。他的魅力还比不上炼钢工人的内裤。不清醒的时候，这位客户有个奇怪的爱好：签根本没听说过他名字的银行的支票。他总能补回来，加上我充满爱心的帮助，他到现在还没进过冷库。这是他送给我的。不如咱们一起享用了它，就像两个印第安酋长在策划大屠杀？"

"我抽不来雪茄。"

彼得斯伤感地望着偌大的雪茄。"我也是，"他说，"我考虑过要不要送给卡恩。但一个人消受不了这么一根雪茄，哪怕这个人是卡恩呢。"他皱起眉头。"你说怪不怪？我三句话不离卡恩。大概是太紧张了。"他把雪茄扔回抽屉里，望着打开的文件夹。"咱们要查的是哪一位？"

"我在找一个酒精成瘾的有钱人，他有些奢侈的嗜好，也有钱满足嗜好。到目前为止，还没有因为开空头支票进去过。至少我没听说。他有暴力倾向，他妻子很担心他。她认为他躲在某个醒酒疗养院，但也无法确定。我们唯一的线索是他留下的一句话，里面提到一个V医生。只有缩写字母。我要找的人已经失踪三天了。"

彼得斯望着我，若有所思。"不算太久，"他说，"有什么可担心的？"

"我先找到他，就有钱可拿。"

他又盯着我看了一会儿，最后摇摇头。"我不明白，但是无所谓。咱们来看一看。"他开始翻档案。"不太容易啊，"他说，"这种人来来去去。单单一个字母算不上什么线索。"他从文件夹里抽出一张纸，继续翻了几页，又抽出一张，再翻一会儿，最后抽出第三张。"一共有三个，"他说，"阿莫斯·瓦利医生，整骨专家。在阿尔塔迪纳有个大诊所。夜间出诊一次五十块，或者说曾经比较确切。有两个注册护士。几年前和本州缉毒局闹过一场不愉快，被迫交出处方簿。这份资料不算新。"

我写下他的名字和他在阿尔塔迪纳的诊所地址。

"接下来是莱斯特·乌坎尼奇医生。耳鼻喉科，好莱坞大街斯托克维尔大楼。这是个好医生。门诊为主，似乎专攻慢性鼻窦感染。很不赖的常规治疗。你进去说鼻窦炎害得你头疼，他为你清洗鼻腔。当然首先要用普鲁卡因麻醉一下。不过，要是他喜欢你的长相，就未必是普鲁卡因了。听懂了？"

"当然。"我也记下这位医生。

"哦，这个厉害，"彼得斯继续往下读，"他的问题看起来是供货。我们的乌坎尼奇医生经常去昂塞纳达钓鱼，开自己的私人飞机去。"

"要是他自己运毒，恐怕维持不了多久吧。"我说。

彼得斯想了想，摇头道："我看不一定。只要他别太贪婪，做到老死都没问题。他只有一个真正的风险，那就是无法满足的顾客——不好意思，我指的是患者——但他肯定知道该怎么处理。因为他在同一个地点已经行医十五年了。"

"你这些东西都他妈从哪儿弄来的？"我问他。

"我们是一家机构啊，好兄弟，又不是你这样的独行侠。有些来自客户本人，有些是内线消息。卡恩不怕花钱。只要愿意，他还是很有手腕的。"

"听见你这么说，他会开心死的。"

"随他去死。今天最后一道菜名叫维林杰。给他归档的探员早就不在了。他在塞普尔维达山谷有个牧场，曾经有个女诗人在那儿自杀。他办了个艺术村之类的地方，供作家和其他寻求隐居和同好气氛的人居住。收费中等。像个正经人。他自称医生，但不行医。有可能是博士[1]。实话实说，我都不明白档案里为什么会有他。除非那起自杀有什么蹊跷。"他拿起一张贴在白纸上的剪报。"没错，吗啡过量。但没有证据表明维林杰知情。"

"我喜欢维林杰，"我说，"非常喜欢。"

彼得斯合上文件夹，拍了一巴掌。"你没见过这东西。"他说，起身离开房间。他回来的时候，我已经站起来准备走了。我开口道谢，他却摇摇头。

---

1 英语中doctor一词既表示"医生"也表示"博士"。

"听我说，"他说，"你要找的人有成百上千个地方可去。"

我说我知道。

"对了，忽然想起来，我听说了你那位莱诺克斯朋友的一些事情，你也许会感兴趣。我们有位弟兄五六年前在纽约遇到过一个人，完全符合警方描述的体貌特征。但他说那个人不叫莱诺克斯，而是叫马斯顿。当然了，他有可能搞错了。那家伙一直醉醺醺的，所以谁也说不准。"

我说："应该不是同一个人吧。他为什么要改名？他有服役记录，很容易核实身份。"

"这我就不知道了。我们那位弟兄去西雅图了。要是觉得有意义，等他回来你可以找他聊一聊。他叫阿施特菲尔特。"

"谢谢你，乔治，为我做了这么多。这十分钟够长的。"

"说不定哪天需要你帮忙呢。"

"卡恩机构哎，"我说，"从不需要任何人的任何帮助。"

他用大拇指做个粗鲁的手势。我扔下他待在金属灰色的牢房里，自己从等候室出去了。等候室这会儿看起来很顺眼。经过牢房的洗礼，喧杂的颜色显得合情合理。

16

开下公路，塞普尔维达山谷底部有两根方形黄色门柱，一根门柱上挂着一扇五条铁栏杆的大门。门开着，上方用铁丝悬着一个告示牌：私家道路，非请勿入。空气暖烘烘的，很安静，充满桉树犹如公猫发情的骚味。

我拐进那扇门，顺着环绕山肩的砾石小路向前开，爬上一段缓坡，翻过一道山梁，驶下又一段缓坡，开进一条浅浅的河谷。河谷里很热，比公路上热十到十五度。我看见砾石小路的尽头是个转盘路，中间草地的边缘是刷过石灰的石块。我左手边是个空着的游泳池，没有什么东西比空着的游泳池看上去更空荡荡的。水池的三面是草坪的遗骸，摆着几把红杉木的休闲躺椅，椅垫的颜色褪得厉害。椅垫曾经五颜六色，蓝绿黄橙铁锈红，包边有些地方已经开线，扣子崩开，椅垫在这种地方浮肿膨胀。水池的第四面是网球场高高的铁丝网。空游泳池上的跳板像是弯曲的膝关节，疲态尽显。防滑垫烂成一条一条挂在那儿，金属配件上满是锈迹。

我开上转盘，在一座红杉木建筑物前停车，这座建筑物有木瓦屋顶和宽阔的门廊，大门是双开的纱门。硕大的黑苍蝇趴在纱门上打盹。屋子分出几条小径，伸进常绿但总是蒙着一层灰的加州橡木树林，橡树之间能看见不少乡村小木屋零星散落在山坡上，其中有一些几乎完全被树木挡住了，我能看见的那几幢一副淡季的凄凉模样。大门紧闭，僧侣布[1]或类似织物的帘幕将窗户遮得严严实实。你都能感觉到窗台上厚厚的灰尘。

我熄灭引擎，坐在驾驶座上，双手抓着方向盘，竖起耳朵仔细听。没有任何声音。这地方似乎和古埃及法老一样死透了，但双开纱门背后的木门敞开着，里面昏暗的房间中似乎有东西在动。然后我听见了微弱但清晰的口哨声，一个男人的身影出现在纱门上，他推开纱门，慢悠悠地走下台阶。这位朋友可真是有看头。

他头戴平顶的黑色牛仔帽，编织帽带在下巴底下打个结。他身穿白色丝绸衬衫，干净得一尘不染，喉咙口敞开着，腕套扎紧，上面是蓬松的泡泡袖。他脖子上系着一条带流苏的黑色围巾，一头长一头短，长的那头几乎垂到腰间。黑色宽腰带底下是黑色长裤，裤子紧紧地包着臀部，煤块那种纯黑色，侧面的金线一直镶到喇叭裤脚的开衩处，衩口两边钉着金色纽扣。他脚上是一双黑色漆皮舞鞋。

他在台阶底下站住，直勾勾地盯着我，口哨还没停。他瘦削得像鞭子。丝线般的长睫毛底下，是一双我这辈子见过的最大和最空洞的烟灰色眼睛。他五官精致而完美，却毫无纤弱的感觉。他鼻梁挺直，几近但并不完全细长，好看地噘着嘴唇，他下巴上有个酒窝，小小的耳朵可爱地偎依着头部。他的皮肤极为苍白，像是从没晒过太阳。

他摆出一个姿势，左手叉着后腰，右手在半空中画了道优雅的弧线。

“欢迎，”他说，“天气不错，对吧？”

“对我来说，这儿有点热。”

---

1 一种较厚的平纹织物，常用于室内装潢。

"我就喜欢热。"一个陈述句，平淡而决然，结束了这段对话。我喜欢什么不在他的关注范围内。他在一级台阶上坐下，不知从哪儿掏出一个指甲锉，开始修他的指甲。"银行来的？"他头也不抬地问我。

"我找维林杰医生。"

他停下了手里的指甲锉，扭头望向热烘烘的远方。"他是谁？"问句里没有一丝可能存在的兴趣。

"这个地方的主人。你答得倒是干脆。好像你不知道似的。"

他继续锉指甲。"你搞错了，宝贝儿。这地方的主人是银行。他们没收了这件抵押品，要么就是交给第三方托管了什么的。细节我没记住。"

他抬头看我，表情在说细节对他而言毫无意义。我从奥兹上下来，靠在烫手的车门上，我立刻站直，走向稍微有点风的地方。

"你说的是哪家银行？"

"你不知道，你不是银行来的。不是银行来的，这儿就和你没关系。上路吧，宝贝儿。滚快点儿。"

"我有事要找维林杰医生。"

"这地方已经不营业了，宝贝儿。牌子说得很清楚，这是私家道路。哪个白痴忘了锁大门。"

"你是看管员？"

"算是吧。别再问东问西了，宝贝儿。我的脾气不太靠得住。"

"你发火的时候是什么样？喜欢和地松鼠跳探戈？"

他忽然起身，动作优雅。他露出一丝空洞的微笑。"看起来非要我把你扔回你那辆小破敞篷里是吧？"他说。

"过会儿再扔。先说说我该去哪儿找维林杰医生。"

他把指甲锉放进衬衫口袋，另一样东西占据了右手里原先的位置。只是一个轻巧的动作，他的拳头就戴上了亮闪闪的黄铜指套。颧骨上方的皮肤陡然收紧，烟灰色大眼睛深处燃起火焰。

　　他慢吞吞地向我走来。我后退，腾出更多的空间。他又开始吹口哨了，但声音高亢而刺耳。

　　"咱们没必要打架，"我对他说，"咱们没理由要打架。再说搞不好会扯破你那条漂亮的马裤。"

　　他疾如闪电，一大步就跳到了我面前，左手像毒蛇出洞似的飞向我。我以为那是一记刺拳，于是摆动头部闪避，但他实际上瞄准的是我的右手腕，所以他得逞了。他手上很有劲，用力一扯，我失去了平衡，戴黄铜指套的那只手抡圆了，一拳直捣过来。这一招若是打中我的后脑勺，我就得躺着进医院了。要是我抽身后退，他会打中我的面颊或上臂肩关节以下的某处。反正不是废一条胳膊就是废半边脸。碰到这种局面，我能做的事情只有一件。

　　我抽身后退，同时一条腿从背后勾住他的左脚，一只手抓住他的衬衫，我听见衬衫被扯破的声音。我的后脖颈吃了一记拳，但打中我的不是黄铜指套。我向左旋身，他倒向侧面，像猫一样着地，我还没找到平衡，他已经跳了起来。他笑得很开心。这一切都让他高兴。他热爱他的工作。他立刻扑向我。

　　某处响起一个浑厚的大嗓门。"厄尔！你给我停下！马上，听见没有？"

　　牛仔小子停下了。他满脸病态的喜悦笑容。又一个轻巧的动作，黄铜指套消失在围着裤腰的宽腰带里。

　　我转过身，看见一个粗壮男人沿着一条小径跑过来，他身穿夏威夷衬衫，边跑边挥舞手臂。他来到我们身旁，呼吸有点急促。

"你疯了吗，厄尔？"

"医生，不许你这么说我。"厄尔轻声细气地说，然后微微一笑，转身走到台阶前坐下。他摘掉平顶牛仔帽，掏出梳子，一脸茫然地梳理浓密的黑发。过了一两秒钟，他轻轻地吹起了口哨。

穿花哨衬衫的大块头站在那儿看着我。我站在那儿看着他。

"搞什么名堂？"他咆哮道，"这位先生，你是谁？"

"我叫马洛。我找维林杰医生。你叫他厄尔的小伙子想和我玩一玩。我猜大概是太热了。"

"我就是维林杰医生。"他充满自豪地说。他转过头："厄尔，到屋里去。"

厄尔慢慢地站起来。他若有所思地打量了维林杰医生一眼，烟灰色的大眼睛里没有任何情绪。他转身爬上台阶，拉开纱门。苍蝇像乌云似的腾空而起，发出愤怒的嗡嗡声，门关上后又纷纷停在纱门上。

"马洛？"维林杰医生的注意力回到我身上，"马洛先生，请问有何贵干？"

"厄尔说你这儿停止营业了。"

"没错。我正在等一些法律手续完成，然后就会搬出去。这儿只有厄尔和我两个人。"

"我很失望，"我满脸失望地说，"以为有个叫韦德的人住在你这儿。"

他挑起两条能让富勒制刷员工大感兴趣的眉毛。"韦德？我有可能认识什么人叫韦德——这个姓氏挺常见——但他为什么会住在我这儿？"

"接受治疗。"

他皱起眉头。一个人长着他这样的眉毛，皱起眉头就很值得一看了。"我从事医疗工作，先生，但已经不执业了。你想象中他接受的是什么治疗？"

"那家伙是个酒鬼。他时不时神经搭错离家出走。有时候他以自己的意愿回到家里，有时候别人送他回家，有时候就需要有人找他了。"我掏出名片递给他。

他看着名片，一点也不高兴。

"厄尔是怎么回事？"我问他，"他当自己是瓦伦蒂诺还是谁？"

他的眉毛又动了起来。我看得入迷。一部分眉毛完全自顾自地拱起了至少一英寸半。他耸了耸肉乎乎的肩膀。

"厄尔没什么伤害性，马洛先生。他只是——有时候——有点做白日梦。咱们怎么说呢，活在游戏的世界里？"

"那是你说的，医生。要我说，他爱动粗。"

"啧，啧，马洛先生。你这就太夸张了。厄尔喜欢打扮自己。他在这方面像个孩子。"

"你指的是他脑子有病，"我说，"这地方算是个疗养院，对吧？曾经是？"

"当然不是。这里还营业的时候，曾经是个艺术村。我提供膳食、住宿、锻炼和娱乐设施，还有最重要的，幽静。而且收费适中。你肯定也知道，艺术家里有钱人不多。我说的艺术家自然包括作家、音乐家和其他等等。对我来说，这是一项很有收获的事业——没倒闭的时候。"

他说话间变得哀伤。眉梢耷拉下来，响应嘴角的弧度。眉毛再长一点，就要掉进嘴巴里了。

"这我知道，"我说，"档案里有。档案里还说早几年这儿有人自杀。毒品过量，对吧？"

眉毛不再耷拉，而是根根竖起。"什么档案？"他喝问道。

"我们对我们所谓的铁窗小子有一份档案，医生。指的是法国病[1]抽起来的时候你没法跳楼的地方。小型私人疗养院之类的场所，专门治疗酒瘾、药瘾和轻度躁狂症。"

"这种地方必须依法取得执照。"维林杰医生恶狠狠地说。

"是啊。至少理论上是这样。有时候有些人会忘了办手续。"

他挺直腰杆。不得不说，这家伙确实有几分尊严。"这个暗示是在侮辱我，马洛先生。我完全不知道我为什么会出现在你说的这种名单上。我必须请你离开了。"

"再说说韦德吧。他有没有可能用化名待在你这儿？"

"这儿只有厄尔和我两个人。没有其他人了。现在对不起，请你——"

"我想转一圈看一看。"

有时候你激怒一个人，他就会说漏嘴，但维林杰医生不是这种人。他保持住了尊严。他的眉毛也很配合他。我望向那幢屋子，屋里飘来音乐、舞曲，还依稀有打响指的声音。

"我打赌他在里面跳舞，"我说，"那是一首探戈。我打赌他在里面一个人跳舞。小子了不起。"

"你到底走不走，马洛先生？还是要逼我请厄尔帮我送你离开我的私人土地？"

"好的好的，我这就走。别生气，医生。V开头的名字一共只有三个，你是其中可能性最大的一位。我们只有这一条真正的线索。他离家前在一张纸上涂了个名字：V医生。"

1　震颤性谵妄的俗称之一。

"少说也有几十个。"维林杰医生冷冷地说。

"哦，当然。但我们的铁窗小子档案里就没有几十个了。耽搁你的时间了，医生。厄尔让我稍微有点担心。"

我转身走向我的车，坐进车里，正在关门的时候，维林杰医生走了过来。他俯身凑近我，和颜悦色。

"咱们没必要吵架，马洛先生。我明白做你这个职业，你经常不得不表现得咄咄逼人。厄尔什么地方让你担心了？"

"他显然不正常。你在一个地方看见一样东西不正常，其他的东西往往也有问题。他有躁郁症，对不对。这会儿他处在狂躁期。"

他默默地盯着我，表情严肃而客气。"我这里住过很多有意思和有天赋的人，马洛先生。不是每一个都和你一样头脑清楚。有天赋的人往往神经质。但是，我没有用来照顾精神病人和酒精成瘾者的设施，尽管我很乐意从事这方面的工作。我也没有厄尔之外的其他员工，而他恐怕不是能够照顾病患的那种人。"

"那你说他到底是哪种人，医生？除了爱跳波波舞什么的。"

他趴在车门上，压低声音，像是在密谋。"厄尔的父母是我很亲密的朋友，马洛先生。厄尔必须有人照看，而他们已经不在世了。厄尔必须过平静的生活，远离城市的喧嚣和诱惑。他精神不稳定，但总的来说没有伤害性。你也看见了，我能够轻而易举地控制他。"

"那你确实勇气可嘉。"我说。

他叹了口气，眉毛微微抖动，像是疑虑重重的昆虫的触角。"我付出了很多，"他说，"真的很多。我以为厄尔能在这儿协助我的工作。他网球打得很好，游泳和跳水有冠军水平，跳舞能从天黑跳到天亮。他几乎总是很友好。但偶尔就是会——出事故。"他挥挥一只大手，像是要把创痛的记忆推到脑后。"到头来是要么放弃厄尔，要么

127

放弃这个地方。"

他掌心向上，摊开手臂，他把双手翻过来，胳膊垂到身体两侧。没有流出来的泪水似乎润湿了双眼。

"已经卖掉了，"他说，"平静的小山谷将成为房产开发项目。将会有人行道和路灯柱，孩子蹬着踏板车，收音机放得震天响。甚至会有"——他凄凉地喟然长叹——"电视。"他挥动大手，使劲一扫。

"希望他们能放过这些树，"他说，"但恐怕很难。山脊上的树木会变成电视天线。但厄尔和我到时候早就走得远远的了，应该吧。"

"再见了，医生。我的心为你流血。"

他伸出手。掌心潮乎乎的，但握得很有力。"谢谢你的同情和理解，马洛先生。很抱歉，找斯莱德先生这件事上我帮不了你。"

"韦德。"我说。

"不好意思，对，韦德。再见了，先生，祝你好运。"

我发动引擎，沿着来时的砾石路开出去。我有点悲伤，但远没有维林杰先生希望的那么悲伤。

我穿过大门出去，拐上公路后又开了一段，在门口看不见的地方停车。我下车，顺着马路边缘往回走，找了个刚好能从铁丝网围栏外看见大门的位置。我躲在一棵桉树底下，静静等待。

过了五分钟左右，一辆车碾着私家道路的砾石开出来，在我看不见的地方停下。我向灌木丛里又退了几步。我听见吱吱嘎嘎的声音，沉重的锁环咔嗒一声扣紧，然后是铁链相互碰撞的声音。那辆车的发动机加速，沿着旁道开了出去。

等车声消失后，我回到奥兹车上，掉头驶向城区。经过维林杰先生的私家道路时我看了一眼，挂锁和铁链紧紧地锁上了大门。今天不接待访客了，谢谢。

17

我开了二十几英里回到市区吃午饭。吃着吃着，我越来越觉得这整件事都很蠢了。按照我这种办法是找不到人的。你有可能认识厄尔和维林杰医生这样的妙人，但不可能撞见你在找的人。你在一场注定没有回报的游戏里浪费轮胎、汽油、唇舌和精神力量，还不如轮盘赌四倍最低限额单压黑28呢。凭三个V开头的名字找到我要找的人，机会和我掷骰子赢希腊人尼克[1]的可能性差不多。

再说第一条路永远不对，死胡同，一条线索看似大有希望，结果炸得你满脸开花，而且连音乐都不给你配。但他不该把韦德说成斯莱德。他有脑子，没那么容易忘事，而且要是忘了，也该忘个干净才对。

有可能是，也有可能不是。总之我和他又不是老熟人。我边喝咖啡边想乌坎尼奇医生和瓦利医生。去，还是不去？他们会用掉我大半个下午。到时候打电话到悠闲谷的韦德府邸，说不定会得知一家之主已经回到安乐窝，这会儿雨过天晴阳光普照了。

乌坎尼奇医生很简单。顺着这条路再走五六个街区就到了。但瓦利医生远得可怕，在阿尔塔迪纳山，那会是一段漫长、炎热而无聊的

1　当时著名的赌徒。

车程。去，还是不去？

最终的答案是去。有三个好理由。首先，对边缘地带和走在边缘地带的那些人，再怎么了解都不为过。其次，彼得斯为我取来了三份档案，尽量补充一点资料能够表达我的感谢和好意。第三，我无事可做。

我付账，没有开车，沿着马路北侧走向斯托克维尔大楼。这是一座老古董，门口有雪茄柜台，手动电梯[1]骤起骤停，就是不肯平稳行驶。六楼走廊很狭窄，门上都镶着毛玻璃。这幢楼比我那幢还古老，而且肮脏得多。这里塞满了混得不太好的医生、牙医和基督教科学派修行者，有你希望官司对手用的那种律师，有仅仅勉强度日的医生和牙医。没什么本事，不怎么干净，见识也有限，三块钱，请付给护士；丧失勇气的疲惫男人，很清楚自己在世上的位置、他们能接到什么样的患者和能从患者手上榨出多少钱。概不赊账。医生在内。医生外出。卡辛斯基太太，您这颗臼齿摇晃得厉害了。想不想试试这种新的丙烯填料？保证和镶金牙一样牢靠，给你友情价，十四块怎么样？要打麻药的话，普鲁卡因另收两块。医生在内。医生外出。三块钱。请付给护士。

这种建筑物里永远有几个人在挣大钱，但从外表是看不出来的。他们融入了邋遢的背景，那就是他们的保护色。讼棍，兼营保释生意（法院能收到的失效保释金仅有百分之二左右）。堕胎专家，假冒你能想象的各种身份，能解释他们的器材就行。禁药贩子，冒充泌尿科医生、皮肤科医生或随便什么专科医生，患者需要频繁就诊和使用局部麻醉剂是正常操作就行。

---

1 老式电梯需要手工拉开和关闭电梯门。

莱斯特·乌坎尼奇医生有一间装潢低劣的小候诊室，里面有十几个人，一个个都坐立不安。他们看上去普普通通，没有任何特征。不过话也说回来，控制良好的吸毒者和吃素的簿记员凭外表是区分不出来的。我不得不等了足足三刻钟。患者走两扇门进去。只要有足够的空间，一位麻利的耳鼻喉医生可以同时应付四个受苦受难的病人。

总算轮到我了。我被领进去，坐进一把棕色皮椅，身旁的台子蒙着块白毛巾，上面摆了一套医疗器械。墙边的消毒柜咕噜咕噜冒泡。乌坎尼奇医生轻快地走进来，他身穿白大褂，额头上扎着圆形反光镜。他在我面前的高脚凳上坐下。

"窦性头痛是吧？非常严重？"他看着护士给他的病历夹。

我说简直要命，疼得看不见东西，尤其是早上刚起床的时候。他睿智地点点头。

"典型症状。"他说，拿起一枚玻璃帽，套在看似钢笔的东西上。

他把那东西塞进我嘴里。"请合上嘴唇，但别咬牙。"他边说边伸手关灯。房间里没有窗户。排气扇在某处呜呜运转。

乌坎尼奇拔出玻璃管，重新开灯。他细细地打量我。

"完全没有堵塞，马洛先生。你头痛不是因为鼻窦。我斗胆猜测一下，你的鼻窦这辈子从没出过问题。不过我看见你做过鼻中隔手术。"

"是的，医生。打橄榄球的时候挨了一脚。"

他点点头。"有一小块突出的鼻骨应该切除才对。不过离阻碍呼吸还早着呢。"

他在高脚凳上向后仰，用手抱住膝盖。"所以你希望我为你做什么？"他问。这是个瘦脸男人，苍白得很无趣，看着像感染了结核病的小白鼠。

"我想和你谈谈我的一个朋友。他状态很差，是个作家，有钱，但精神有问题。他需要帮助。他会一连几天只喝酒活着。他也需要一点额外的东西。他本人的医生已经不肯配合了。"

"你说的配合，具体指什么？"乌坎尼奇医生问。

"这个人需要的只是偶尔打一针让他平静下来。我觉得咱们可以商量个所以然出来。报酬会很可观。"

"对不起，马洛先生。这种问题不是我的事情。"他站起身，"不得不说一句，你这么找我有点没礼貌。要是你的朋友愿意，他可以来找我看病，但他最好有什么需要治疗的毛病。马洛先生，诊费十块。"

"少装了，医生。你在名单上。"

乌坎尼奇医生靠在墙上，点了支烟。他等我说下去。他吐出一口烟，看着袅袅烟雾。我没说话，给他一张名片让他自己看。他看着名片。

"你说的是什么名单？"他问。

"铁窗小子的名单。我猜你早就认识我那位朋友。他叫韦德。我猜你把他藏在了什么地方的一个白色小房间里。他离家出走失踪了。"

"你是个混球，"乌坎尼奇医生说，"我才不掺和四日醒酒疗法之类的小打小闹呢。再说那些玩意什么都治不好。我没有什么白色小房间，就算你说的那位朋友确实存在，我也不认识他。诊费十块，现金，立刻付。还是你要我报警，告你索取麻醉药品？"

"好极了，"我说，"快报。"

"滚出去，下三烂的骗子。"

我从椅子上起身。"看来我弄错了，医生。上次我那位朋友破誓喝酒，他躲在一个名字以V开始的医生那儿。完全是一次秘密行动。他们半夜带他走，等他劲头过去了，用同样方式送他回家，甚至没留下来看着他进门。这次他又离家出走，但没有囫囵回来，我们当然要在档案里找线索了。结果查到三个名字以V开始的医生。"

"有意思。"他笑得阴森，他还在等我说下去。"你的筛选依据是什么？"

我盯着他。他的右手轻轻地上下抚摸左上臂内侧。他脸上有薄薄的一层汗珠。

"对不起，医生。我们的运作高度保密。"

"不好意思，我要走开一下。有另一个病人需要我——"

他让剩下的半句话悬在半空中，自己转身出去了。一个护士在门口探头张望，看了我一眼，脑袋缩了回去。

没多久，乌坎尼奇医生喜气洋洋地回来。他笑嘻嘻的，神情放松，眼睛炯炯有神。

"怎么？你还在？"他看上去很吃惊，或者说假装很吃惊。"我以为咱们的小小会面已经结束了呢。"

"我正要走。我以为你要我等你一下。"

他吃吃笑。"说起来很有意思，马洛先生。咱们生活在一个了不起的时代。掏个区区五百块，我就能让你断几根骨头进医院。你说好玩不好玩？"

"都快笑死了，"我说，"给自己静脉扎了一针，对不对，医生？天哪，你看你这叫一个容光焕发！"

我开始向外走。"回头见了，好朋友。"他叽叽呱呱地喊道，"别忘了我的十块钱。付给护士。"

他走向内线电话，我出去时他拿着听筒在说话。候诊室里还是有十到十二个人，一个个也还是坐立不安。护士忠诚地执行任务。

"请付诊费十块钱，马洛先生。我们诊所要求立刻付现金。"

我在许多只脚之间走向大门。她从椅子里蹦起来，绕过接待台跑向我。我拉开大门。

"你没收到钱会怎么样？"我问她。

"你会知道怎么样的。"她气呼呼地说。

"好的。你只是在履行职责。我也是。瞅一眼我留下的名片，你会知道我是干什么的。"

我走了出去。候诊的病人不满地看着我。你可不能这么对待医生。

18

阿莫斯·瓦利医生完全是另一码事。他有一幢古老的大房子，周围是个古老的大花园，享受着一棵古老的大橡树的荫凉。房子是巨大的框架结构建筑物，门廊盖顶上刻着精致的涡卷图案，白色门廊栏杆车成圆柱，有垂直的凹槽，就像老式三角钢琴的支撑腿。几个羸弱老人坐在门廊上的长躺椅里，身上裹着毛毯。

正门是镶染色玻璃的双开门。大堂宽阔而凉爽，抛光的镶木地板没铺任何地毯。阿尔塔迪纳夏季炎热。这地方紧贴丘陵，风直接从顶上吹过去。八十年前人们就知道如何建造房屋以适应这种气候了。

一个穿雪白制服的护士接过我的名片，我等了一会儿，阿莫斯·瓦利医生屈尊前来见我。他是个人高马大的光头，一脸愉快的笑容。他身上的白大褂一尘不染，脚下的皱纹胶底鞋走路无声无息。

"有何贵干，马洛先生？"他的声音醇厚而柔和，能够缓解痛苦，安抚焦虑的心灵。医生来了，没什么可担心的，一切都会好起来。临床风度他有的是，一层一层厚厚地涂满了蜂蜜。他堪称完美，而且硬如铁板。

"医生，我在找一个叫韦德的男人，他很有钱，酒精成瘾，离家出走失踪了。照他的病史看，他有可能躲在某个能用医疗手段解决他的问题的隐秘地点。我只有一条线索，线索提到了一位V医生。你是我的第三位V医生，我已经有点泄气了。"

他笑得很真诚。"只是第三位，马洛先生？洛杉矶市里市外该有一百位医生的名字以V开始。"

"是的，但病房安装铁窗的就不多了。我看见楼上有几个这样的房间，在屋子的侧面。"

"老人，"瓦利医生哀伤地说，然而这是一种醇厚饱满的哀伤，"孤独的老年人，忧郁不快乐的老年人，马洛先生。有时候——"他用一只手做了个富有表现力的手势，向外画个圆弧，停顿，慢慢掉落，就像一片枯叶翻翻滚滚飘向地面。"我这儿不诊治酒精成瘾者，"他明确地补充道，"那么，不好意思，我还——"

"对不起，医生。你只是凑巧在我们的名单上。多半是出错了。说你几年前和缉毒局闹得不太愉快。"

"是吗？"他似乎很困惑，阳光随即突破乌云。"啊哈，对，是一个助理，我不够明智，雇了那么一个人。他只待了很短一段时间。他严重滥用了我的信任。唉，就是这样。"

"我听说的却不是这样，"我说，"大概是我听错了。"

"你听说的是什么样呢，马洛先生？"他依然用笑容和醇美的嗓音给我全套的良好待遇。

"听说你不得不交出了麻醉药品的处方簿。"

这句话有点刺痛了他。他没有瞪眼睛，但撕掉了几层魅力。一双蓝眼睛闪着寒光。"请问这条了不起的情报来自哪儿呢？"

"一家大型侦探社，有足够的力量来建立这方面的档案。"

"一群廉价的勒索者，毫无疑问。"

"并不廉价，医生。他们的基础费率是每天一百块。经营者曾经是一位宪兵上校。绝对不贪小钱，医生。他的费率高得很。"

"他得听听我的看法才对，"瓦利医生冷淡而厌恶地说，"叫什么？"瓦利医生神态里的太阳落山了，接下来的傍晚会凉飕飕的。

"秘密，医生。不过请别放在心上。日常工作而已。对韦德这个名字一点印象也没有吗？"

"你知道出去该怎么走吧，马洛先生。"

他背后一部小电梯的门打开了。护士推着轮椅出来。轮椅上是个苟延残喘的老人。他闭着眼睛，皮肤颜色发青，被毯子裹得紧紧的。护士悄无声息地推着他走过抛光的地板，从一扇边门出去了。瓦利医生轻声说："老人，生病的老人，孤独的老人。别再来了，马洛先生。你说不定会惹我生气。我生起气来会很不高兴，甚至有可能非常不高兴。"

"我无所谓，医生。谢谢你抽时间见我。你这个小小的等死之家还真不赖。"

"你说什么？"他朝我逼近一步，撕掉了剩下的几层蜜糖。他脸上的柔和线条陡然变成坚硬的山脊。

"怎么了？"我问他，"我看得出我要找的人不可能在这儿。我只会来这儿找虚弱得无法反抗的人。生病的老人。孤独的老人。你的原话，医生。没人要的老人，只有大把钞票和饥渴的继承人。大多数恐怕已经被法庭判定为无行为能力了。"

"我越来越生气了。"瓦利医生说。

"清淡的食物，少量的镇定剂，寸步不离的监管。推他们出去晒太阳，推他们回去上床。部分窗户装上铁栏杆，免得还剩下一点精神火苗没扑灭。他们爱你，医生，毫无例外。他们临死前握着你的手，看见你眼睛里的悲哀，而且还发自肺腑。"

"当然是。"他从喉咙深处低声咆哮，双手攥成拳头。我早该转身就走的，但谁让他害得我恶心呢？

"那还用说？"我说，"谁也不愿意失去一个肯付钱的好顾客。尤其是你连讨好都不需要讨好他。"

"这种事总得有人做，"他说，"马洛先生，总得有人照顾这些可怜的老人。"

"化粪池也总得有人清理。说起来，那倒是一份干净又诚实的好工作。再见了，瓦利医生。要是我的工作让我觉得自己很肮脏，我一定会想起你的。会让我无比欢欣鼓舞。"

"肮脏的寄生虫，"瓦利咬紧了雪白的牙齿。"我应该打断你的脊梁。我从事的是一个崇高职业的崇高分支。"

"是啊，"我厌倦地看着他，"我知道它是，然而它散发着死亡的气味。"

他没有揍我，于是我转身离开。我在宽阔的双开门门口扭头向后看。他没有动过。他有事要做，他正在把一层又一层的蜜糖敷回脸上。

19

我开车回好莱坞，觉得自己像一小段嚼烂的绳子。吃饭还太早，天气又太热。我打开办公室的电扇。空气没有因此变得凉爽，只是稍微有了点生机。外面大街上的车流喧嚣不已。我脑袋里的思绪粘成了一团，就像捕蝇纸上的苍蝇。

三发三不中。我忙活来忙活去，只是见了太多的医生。

我打电话到韦德家。接电话的是个墨西哥口音，说韦德夫人不在家。我说韦德先生呢。那头说韦德先生也不在家。我留下我的名字。他似乎毫不费力地记住了。他说他是男仆。

我打给卡恩机构找乔治·彼得斯。他说不定还认识别的医生。他不在。我留下假名字和真号码。一个小时慢吞吞地爬过去，活像一只生病的蟑螂。我是被遗忘的沙漠里的一粒黄沙。我是刚打光了子弹的双枪牛仔。三发三不中。我最讨厌坏事成三了。你打给A先生，没结果。打给B先生，没结果。打给C先生，还是没结果。一个星期后你发现你该打给D先生，但当时你不知道有这个人，而等你发现他的存在，客户已经改变主意，中止调查了。

乌坎尼奇和瓦利可以划掉。瓦利太有钱，不会去沾酗酒病人。乌坎尼奇是个下三烂、铤而走险的江湖医生，居然在自己办公室里给自己扎针。护士肯定知道。病人里肯定也有人知道。只需要一个人心怀不满，打一通电话就能了结他。无论喝醉还是清醒，韦德都不会靠近他两个街区那么远。韦德大概不是全世界最聪明的人，许多成功人士离思想巨人还差得远呢，但他也不至于蠢到和乌坎尼奇搅和到一起去。

唯一有可能的是维林杰医生。他有适合的空间和幽静的环境，多半也有足够的耐心。然而塞普尔维达山谷离悠闲谷很远。接触点在哪里？他们如何结识？还有，既然那片地产归维林杰所有，而且有了一个买家，那他本人也差不多算是个有钱人了。我忽然有了想法。我打给一个地产公司的熟人，请他帮我查那块土地的现状。没人接电话。地产公司已经下班了。

我也关门打烊，开车去拉辛尼伦吉大道的鲁迪烧烤店，向主持大局的典礼官报上名字，坐在吧台高脚凳上等待那个盛大的时刻，我面前是一杯威士忌酸鸡尾酒，耳朵里灌满了马雷克·韦伯的华尔兹。过了一会儿，我被领着走过天鹅绒隔离绳，开始享用鲁迪那"世界闻名"的索尔兹伯里牛排，这道菜其实是放在滚烫木板上的汉堡肉饼，周围有一圈烤成焦黄色的土豆泥，配菜是炸洋葱圈和混合色拉，这种色拉男人在餐厅会毫无怨言地吃下去，但回到家里老婆若是企图喂他们吃这个，他们只怕就要大喊大叫了。

吃饱喝足，我开车回家。打开前门的时候，电话响了。

"我是艾琳·韦德，马洛先生。你要我打电话给你。"

"只是想问问你那头有什么进展。我看了一整天的医生，一个朋友都没交到。"

"对不起，没有。他还是没有出现。我很焦急，我控制不住自己。那么，你没有什么可以告诉我的了？"她的声音低沉而没精打采。

"这个县地方大，人又多，韦德夫人。"

"到今晚就整整四天了。"

"是啊，但也不算太久。"

"对我已经很久了。"她沉默片刻。"我一直在思考，努力回忆。"她继续道，"肯定有些什么的，某种线索或者记忆。罗杰喜欢说话，对各种各样的事情都有见解。"

"韦德夫人，维林杰这个名字你有印象吗？"

"没有，很抱歉。应该有吗？"

"你说过一次韦德先生被一个牛仔打扮的高个子年轻人送回家。要是你再见到这个高个子年轻人，韦德夫人，你能认出他吗？"

"应该可以吧，"她回答得有些迟疑，"要是环境差不多的话。但我只看了他一眼。他叫维林杰？"

"不，韦德夫人。维林杰是个大块头的中年男人，他在塞普尔维达山谷经营——更准确地说，经营过一家休闲牧场。有个打扮得花里胡哨叫厄尔的小子为他做事。维林杰自称医生。"

"太好了，"她热切地说，"你不觉得你查对了方向吗？"

"我可能错得比猫咪以为自己会游泳还离谱。我有了结果就打给你。我只是想确定一下罗杰有没有回家，你有没有想到什么关键的事情？"

"真是对不起，我没帮上什么忙，"她悲伤地说，"随时打给我，无论多晚都行。"

我说好的，我们挂断电话。这次我带上了枪和三节电池的手电筒。枪是难缠的短管点三二小左轮，装平头子弹。维林杰的小弟厄尔除了铜指套说不定还有其他玩具。要是真有，他坏掉的脑袋一定会让他拿出来玩。

我开上同一条公路，胆子允许我开多快我就开多快。今天夜里没有月亮，等我到了维林杰那片土地的入口，天色肯定已经全黑了。我需要的正是黑暗。

铁链和挂锁依然把大门锁得紧紧的。我开过去，远离公路停车。树荫下还有一些光线，但维持不了太久。我翻过大门，爬上山坡，寻找徒步小径。山谷深处隐约传来咕咕叫声。一只斑鸠在慨叹生命的种种不幸。山坡上没有徒步小径，反正我没找到，于是我回到路上，顺着砾石路的边缘向前走。橡树逐渐取代桉树，我越过山脊，看见远处有几点灯光。我花了足足三刻钟才从游泳池和网球场背后走到一个能够俯瞰道路尽头主宅的地点。主宅亮着灯，我听见屋里的音乐声。更远处的树林里还有一个小木屋也亮着灯。树林里散落着好些黑洞洞的小木屋。我顺着一条小径走过去，主宅背后忽然亮起一盏聚光灯。我立刻停下。聚光灯没有转来转去找东西，而是直指下方，在后门廊和底下地面上打出一大团亮光。一扇门砰地打开，厄尔走了出来。这时我知道我找对了地方。

厄尔今晚是个牛仔，那次送罗杰·韦德回家的也是个牛仔。厄尔在摇绳圈。他穿镶白线的黑衬衫，松垮垮地系着圆点图案的围巾。他扎一条有许多银饰的宽皮带，配一对镂空的皮枪套，里面插着两把象牙柄的手枪。他穿优雅的马裤，交叉镶白线的皮靴新得发亮。他后脑勺上扣着一顶白色宽边帽，似乎是银色编织系绳的东西垂到衬衫上，尽头没有打结。

他一个人站在白色聚光灯下，绳圈在他四周飞舞，他跳进去跳出来，一个没有观众的演员，高大、瘦削、英俊的牛仔花花公子，自编自演，自得其乐。双枪厄尔，科奇斯县的恐怖大王。他属于那种爱马如痴的休闲牧场，连电话女郎都穿马靴去上班。

他忽然听见或者假装听见了什么声音。绳子落在地上，双手一抹，手枪出套，枪口端平的时候，大拇指的指肚已经压在了击铁上。他盯着暗处看。我不敢动弹。该死的枪说不定上了膛。还好聚光灯照花了他的眼睛，他什么也看不见。他把枪插回枪套里，捡起绳子，一圈一圈松垮垮地收起来，然后回到了屋子里。灯关了，我也溜了。

我在树木之间兜个圈子，摸近了山坡上亮着灯的小木屋。里面没有任何声音。我来到一扇有纱窗的窗户旁，偷偷向内张望。灯光来自一盏灯，灯摆在床头柜上，床头柜旁边有一张床。一个男人平躺在床上，身体松弛，睡衣袖子里的两条胳膊压在被子上，他睁着眼睛，盯着天花板。他看上去块头很大。他的脸有一半在阴影里，但我看得出他脸色苍白和需要刮胡子，而且需要刮胡子的时间长度刚好对得上。他双手的手指分开，一动不动地悬在床架之外。他像是好几个小时没动过了。

我听见小木屋另一侧的小径上传来脚步声。一道纱门吱嘎一声打开，维林杰医生的壮实身影出现在门口。他拿着一大杯似乎是番茄汁的东西。他打开一盏落地灯。他的夏威夷衬衫泛着黄光。床上的男人甚至没有看他。

维林杰医生把杯子放在床头柜上，拖了把椅子过来坐下。他伸手抓住男人的手腕摸脉搏。"现在感觉怎么样，韦德先生？"他的声音友善而殷切。

床上的男人没有回答也不肯看他，而是继续盯着天花板。

"好了，好了，韦德先生。别闹脾气了。你的脉搏只比正常情况稍微快一点。你很虚弱，但除此之外——"

"泰吉，"床上的男人忽然说，"告诉他，既然狗娘养的知道我怎么样，又何必要问我呢？"他的声音清澈而好听，但语气充满讥讽。

"泰吉是谁？"维林杰医生耐心地问。

"我的代言人。就在上面的角落里。"

维林杰医生抬头去看。"我看见一只小蜘蛛，"他说，"别演戏了，韦德先生。和我没必要来这套。"

"家隅蛛，常见的跳蛛，我的朋友。我喜欢蜘蛛。它们绝对不会穿夏威夷衬衫。"

维林杰医生舔了舔嘴唇。"我没时间和你耍嘴皮子，韦德先生。"

"泰吉也从来不和你玩。"韦德慢慢转动头部，就好像他的脑袋有一吨重，他轻蔑地看着维林杰医生。"泰吉严肃得要命。她悄悄爬向你。你转开视线，她就无声无息地跳一步。没多久她就离你够近了。最后再跳一下。你会被吸干的，医生。非常干。泰吉不会吃你。她会吸你的汁液，直到只剩下皮肤为止。要是你还打算继续穿那件衬衫，医生，我敢说咱们用不着等太久了。"

维林杰医生靠在椅背上。"我需要五千块，"他平静地说，"多快能办妥？"

"你能收到六百五十块，"韦德恶狠狠地说，"我的零花钱就是这个数。这个破窑子怎么贵成这样了？"

"对你只是小意思，"维林杰医生说，"我说过我涨价了。"

"你没说涨到威尔森山顶了。"

"别跟我打马虎眼，韦德，"维林杰医生没好气地说，"你没资格说俏皮话。再说你背叛了我的信任。"

"我怎么不知道你有这东西。"

维林杰慢慢地拍打椅子扶手。"你半夜三更打电话叫我，"他说，"你情况危急。你说我不来你就自杀。我不想去，你知道原因。我在这个州没有行医执照。我正在想办法处理这片地产，免得最后什么都剩不下。我有厄尔要照看，而他差不多要大发作了。我说过你这次要花一大笔钱。但你不肯松口，我只好去了。我要五千块。"

"我喝了烈酒，脑子不清醒，"韦德说，"你不能指望一个人遵守那种条件。你收到的酬劳已经太他妈多了。"

"另外，"维林杰医生缓缓地说，"你向你妻子提到了我。你告诉她我要来接你。"

韦德一脸诧异。"我怎么可能做那种事？"他说，"我都没见到她。她当时在睡觉。"

"那就是其他什么时候。一个私家侦探来这儿打听你。他不可能知道该去哪儿找，除非有人告诉他。我赶走了他，但他很可能还会来。你必须回家了，韦德先生。但首先我要我的五千块。"

"你不是全世界最精明的人，对吧，医生？既然我妻子知道我在哪儿，她为什么还需要侦探呢？她可以自己来嘛——当然了，假如她真有那么在乎。她可以带上坎迪，我们的男仆。你的蓝衣小子还没打定主意今天要演哪部电影，坎迪就能把他斩成肉酱。"

"你的嘴巴很坏，韦德，心肠也很坏。"

"我还有坏坏的五千块呢，医生。来拿啊。"

"你签支票给我，"维林杰医生坚定地说，"现在，立刻。然后你穿上衣服，厄尔送你回家。"

"支票？"韦德险些笑出声，"给你支票当然没问题。好的。但你怎么兑现呢？"

维林杰医生平静地微笑。"你以为你能中止兑付，韦德先生，但你不会的。我保证你不会的。"

"狡猾的死胖子！"韦德朝他怒吼。

维林杰医生摇头道："有些方面，确实是。不完全是。我和大多数人一样，也是个复杂的人物。厄尔开车送你回家。"

"没门。那小子让我起鸡皮疙瘩。"韦德说。

维林杰医生缓缓起身，伸手拍了拍床上男人的肩膀。"要我说，韦德先生，厄尔实在没什么伤害性。我有许多办法控制他。"

"你说一个。"另一个声音说，厄尔身穿罗伊·罗杰斯的行头进门。维林杰医生笑眯眯地转身。

"别让那个神经病靠近我。"韦德喊道，第一次显露出恐惧。

厄尔的双手放在装饰华美的腰带上。他面无表情。牙齿之间响起轻轻的口哨声。他慢吞吞地走进房间。

"你不该那么说的，"维林杰医生连忙说，然后转身面对厄尔。"好了，厄尔。韦德先生交给我吧。我帮他穿衣服，你去开车，停得尽量离小木屋近一点。韦德先生非常虚弱。"

"他还会更虚弱的，"厄尔用口哨般的声音说，"肥子，别挡我的路。"

"喂，厄尔——"他伸出手抓住英俊年轻人的胳膊——"你不想回卡马里奥，对吧？只要我发句话，你——"

他只说到这儿为止。厄尔把手臂挣脱出来，右手猛地挥起，划出一道金属的寒光。戴着指套的拳头结结实实打中维林杰医生的下巴。他像心脏中枪似的倒下去，那一跤摔得连小木屋都为之颤抖。我跑了上去。

我跑到门口，一把拉开门。厄尔转过身，身体稍向前倾，盯着我的样子不像认出了我。他嘴里发出咕噜咕噜的声音。他向我冲来。

我拔出枪给他看。毫无意义。要么他的枪没子弹，要么他完全忘记了他有枪。他只需要铜指套就够了。他继续向前冲。

我隔着床朝打开的窗户放了一枪。枪声在狭小的空间里响得出乎意料。厄尔站住了。他慢慢转过头，看着纱窗上的窟窿。他转回来看着我，表情逐渐变得生动，他咧嘴一笑。

"发生什么了？"他轻快地问。

"摘掉指套。"我说，盯着他的眼睛。

他诧异地低头看手。他摘掉凶器，随手扔到角落里。

"现在是枪套皮带，"我说，"别碰枪，解扣子就好。"

"枪里没子弹，"他微笑道，"妈的，连真枪都不是，只是舞台道具。"

"皮带。快点。"

他看着短管点三二。"真枪？哦，当然是。纱窗。对，纱窗。"

床上的男人已经不在床上了。他在厄尔背后，飞快地伸出手，拔出一支亮闪闪的手枪。厄尔不喜欢这样。他的表情说得很清楚。

"离他远点，"我气急道，"给我放回去。"

"他说得对，"韦德说，"只是玩具枪。"他后退，把亮闪闪的武器放在床头柜。"天，我虚弱得像条折断的胳膊。"

"脱掉皮带。"我第三次说。对付厄尔这种人，你务必有始有终。命令要简单，中途别改主意。

他终于照着做了，态度相当和气。他拎着皮带走到床头柜旁，拿起那把枪插进枪套，然后把皮带扣了回去。这时他才看见维林杰医生瘫倒在靠墙的地板上。他关切地叫了一声，飞快地钻进房间另一头的卫生间，端着一玻璃罐的清水回来。他把水倒在维林杰医生头上。维林杰医生呸呸吐水，翻了个身。他呻吟了几声。然后他抬起手捂住下巴。他开始起身。厄尔扶他起来。

147

"对不起，医生。我肯定看也不看就瞎抡拳头了。"

"没关系，骨头没断，"维林杰说，挥手让他走开。"去把车开过来，厄尔。还有，别忘了外面挂锁的钥匙。"

"车开过来，好的。这就去。挂锁钥匙。记住了。马上，医生。"

他吹着口哨离开房间。

韦德坐在床沿上，有点坐不稳。"你就是他说的侦探？"他问我，"你怎么找到我的？"

"找知道这种事的人问了问呗，"我说，"要是你想回家，还是穿上衣服比较好。"

维林杰医生靠在墙上按摩下巴。"我来帮他，"他口齿不清，"我只会帮助别人，而他们只会踢得我满地找牙。"

"我明白你的感受。"我说。

我走出房间，让他们收拾残局。

20

　　他们出来的时候，车停得离小木屋很近，但厄尔不见了。他停好车，关了灯，没对我说一个字就回主宅去了。他还吹着口哨，寻找某首只记得一半的歌曲旋律。

　　韦德小心翼翼地爬进后座，我上车坐在他身旁。维林杰医生开车。他的下巴或许疼得厉害，脑袋也在抽痛，但他没有表现出来，一个字都没提起。我们翻过山脊，下坡来到砾石车道的尽头。厄尔已经过来了，他打开了挂锁，拉开大门等着我们。我告诉维林杰我的车在哪儿，他开到我的车附近停下。韦德上车，默不作声地坐着，眼神迷离。维林杰下车，绕到韦德旁边。他好声好气地对韦德说，"我的五千块，韦德先生。你答应我的支票。"

　　韦德向下滑，把脑袋搁在靠背顶上。"我会考虑的。"

　　"你答应过的。我需要这笔钱。"

　　"胁迫，维林杰，这个词的意思是威胁要伤害人身安全。我现在有人保护了。"

　　"我喂你吃饭，给你洗澡，"维林杰动之以情，"我半夜来接你。我保护你，给你治病——至少暂时缓解了症状。"

　　"但不值五千块，"韦德嗤之以鼻，"你从我口袋里已经掏得够多了。"

维林杰晓之以理："有人答应在古巴给我牵线，韦德先生。你有钱。你应该帮助有困难的其他人。我必须照看厄尔。为了争取这个机会，我需要钱。我会全额还给你的。"

我扭来扭去。我想抽烟，但害怕韦德闻到烟味会不舒服。

"你会还个屁，"韦德厌倦地说，"你活不了那么久。说不定哪天半夜你睡得好好的，蓝衣小子就把你宰了。"

维林杰后退一步。我看不见他的表情，但他的语气硬了起来。"有些死法要难受得多，"他说，"我看你就会尝到其中之一。"

他回到自己车上，开进他的大门，很快就消失了。我倒车掉头，驶向市区。开了一两英里，韦德嘟囔道："凭什么要给那个死胖子五千块？"

"完全没有理由。"

"那不给他为什么让我觉得自己很混账？"

"完全没有理由。"

他转动脑袋到刚好能看见我的角度。"他待我像个婴儿，"韦德说，"几乎寸步不离，担心厄尔会进来揍我。他拿走了我口袋里的每一分钱。"

"多半是你叫他拿走的。"

"你站在他那边？"

"别问我，"我说，"我只是收钱办事的。"

沉默持续了几英里。我们开过一个偏远城郊居住区的边缘。韦德再次开口。

"也许我该给他的。他破产了。那块地被银行收回了。他从中连一分钱都搞不到。全都因为那个神经病。他为什么要那么做？"

"这我就不知道了。"

"我是作家，"韦德说，"我应该理解其他人的行为动机，但我对任何人都他妈屁也不懂。"

我开过隘口，爬了一段坡道，圣费尔南多谷的灯光在前方无边无际地铺开。我们下坡开上向西北去文图拉的公路。又开了一会儿，我们来到了恩奇诺。我在一个红灯前停下，抬头望向高处山顶上的灯光，巨大的豪宅都建在那儿。其中有一幢曾经是莱诺克斯夫妇的家。我们继续向前走。

"岔路口很近了，"韦德说，"还是你早就知道。"

"我知道。"

"说起来，你还没报过姓名呢。"

"菲利普·马洛。"

"好名字。"他的语调陡然改变，说，"等一等。你就是和莱诺克斯混在一起的那家伙？"

"对。"

他在黑洞洞的车里盯着我。我们开过了恩奇诺主大道的最后一幢建筑物。

"我认识她，"韦德说，"但不熟。他我从没见过。够离奇的，他们的事。执法的弟兄们狠狠收拾了你一顿？"

我没有回答他。

"你大概不喜欢谈这件事。"他说。

"有可能。你为什么感兴趣？"

"妈的，我是作家。故事肯定非常带劲。"

"今晚就省省吧。你应该觉得很虚弱才对。"

"好吧，马洛。好吧。你不喜欢我。我明白了。"

我们来到岔路口，我拐进去，开向低矮的丘陵和夹在其中名叫悠闲谷的山隘。

"我对你谈不上喜欢不喜欢，"我说，"我不了解你。你妻子请我找到你，带你回家。我把你送进家门，任务就算结束了。我不知道她为什么选中我。我说过了，我只是收钱办事的。"

我们绕过一座丘陵的侧面，开上一条更宽阔、铺得更坚实的公路。他说再开一英里，马路右边就是他家。他告诉我们门牌号，不过我本来就知道。就他这个身体状况而言，他的话实在有点多。

"她付你多少钱？"他问。

"我们没讨论过。"

"不管多少都不够多。我欠你许多个感谢。你这个活儿完成得很好，老兄。我不值得费这么大的周折。"

"你只是今晚这么觉得而已。"

他笑道："知道吗，马洛？我可以试试看喜欢你。你有点不是东西——和我一样。"

我们来到他家。一幢全木瓦的两层房屋，有个带立柱的小门廊，有一片长条形的草坪，从门口延伸到白色围栏内一排茂密的灌木丛。门廊上亮着一盏灯。我开上车道，靠近车库停下。

"不扶你自己能进去吗？"

"当然，"他下车，"不进来喝一杯，坐一会儿？"

"今晚就免了，谢谢。我等在这儿，看你进去再走。"

他站在车门外，气喘吁吁。"好吧。"他只说了两个字。

他转过身，沿着石板小径小心翼翼走向正门。他扶着一根白色廊柱站了一会儿，然后试着开门。门开了，他走进去。门没关，倾泻而出的灯光落在绿色草坪上。屋里忽然吵闹起来。我靠倒车灯的引导从车道向后退。有人喊我。

我回头看，见到艾琳·韦德站在敞开的门口。我继续倒车，她跑了过来。我只好停下。我关灯下车。她来到近处，我说："我应该给你打个电话，但我不敢留下他一个人。"

"当然。找他费了很大的劲吧？"

"呃——比按门铃稍微费劲一点。"

"进来坐坐，从头到尾告诉我。"

"他应该上床休息。明天就完全是个体面人了。"

"坎迪会送他上床，"她说，"他今晚不会喝酒的——假如你担心的是这个。"

"我连想都没想过。晚安，韦德夫人。"

"你肯定累了吧。不想喝一杯吗？"

我点了支香烟。我觉得好像两星期没尝过烟草的滋味了。我陶醉在烟雾里。

"能让我吸一口吗？"

她靠近我，我把烟递给她。她吸了一口，咳嗽起来。她还给我，笑着说："新手而已，如你所见。"

"你认识西尔维娅·莱诺克斯，"我说，"所以才想到要雇我？"

"我认识谁？"她听上去一头雾水。

"西尔维娅·莱诺克斯。"烟回到了我手上，我对它堪称狼吞虎咽。

"哦，"她惊讶道，"那个——被杀的姑娘。不，我不认识她。我只知道她是谁。我没告诉过你？"

"不好意思，我忘了你对我说过什么。"

她依然静静地站在那儿，离我很近，白色长裙裹着苗条高挑的身体。敞开的前门漏出灯光，落在她头发的边缘上，照得发丝闪烁柔光。

"你为什么要问我那件事和我想到要雇你——这是你的原话——有什么关系？"我没有立刻回答，她又说，"罗杰说他认识她？"

"我报上姓名之后，他说了些和那个案子有关的话。他没有立刻把我和案子联系在一起，但后来他想到了。他的话实在太多，我记住的连一半都不到。"

"我明白了。我必须回去了，马洛先生，看我丈夫有什么需要。要是你不想进来——"

"我要留下这个给你。"我说。

我抱住她，把她拉近我，仰起她的头部。我用力亲吻她的嘴唇。她没有反抗，也没有做出回应。她默默地挣脱，站在那儿看着我。

"你不该那么做的，"她说，"那么做不对。你为人太好了。"

"是啊。非常不对。"我赞同道，"但我当了一整天忠心耿耿、行为端正的好猎狗，被蛊惑着完成了我这辈子掺和过的最愚蠢的大冒险，要是最后发现不是有人早早写好了剧本那就见鬼了。说起来你知道吗？我相信你从一开始就知道他在哪儿，至少知道维林杰医生的名字。你只是想让我和他扯上关系，和他纠缠在一起，这样我就会产生照顾他的责任感。还是说我得妄想症了？"

"当然是你得妄想症了，"她冷冷地说，"我这辈子都没听过这么荒诞的胡话。"她转身准备回去。

"等一下，"我说，"亲一下又不留疤。你只是觉得会。另外，别说什么我为人太好。我宁可当混蛋。"

她扭头看我。"为什么？"

"要不是我对特里·莱诺克斯那么好，他说不定还活着。"

"是吗？"她悄声说，"你怎么能确定？晚安，马洛先生。非常感谢，为你做的几乎所有事情。"

她顺着草地边缘走回去。我目送她进屋。门关上了。门廊灯随即熄灭。我朝虚无挥挥手，开车走了。

　　第二天早晨我起得很晚，因为昨晚挣了好大一个甜头。我多喝了一杯咖啡，多抽了一支香烟，多吃了一条加拿大培根，第三百次发誓我绝对不会再用电动剃须刀。因此这是平常的一天。我十点到办公室，取了些乱七八糟的邮件，我裁开信封，把那堆东西晾在办公桌上。我敞开窗户，释放夜间积累的灰尘和污垢，它们悬浮在静止的空气中，聚集在房间的角落里，落在百叶窗的叶片上。一只死蛾子摊开翅膀躺在办公桌的一角。窗台上有只断翅的蜜蜂顺着木头爬行，发出疲惫而微弱的嗡嗡声，像是知道挣扎无济于事，她命数已尽，她飞了太多次任务，这次不可能返回老巢了。

　　我知道今天会是一个疯狂的日子。每个人都有这种日子。碰到这种日子，会冲进来的只有松了皮带的轮轴、把脑子连口香糖一起吐掉了的疯狗、找不到坚果藏在哪儿了的松鼠、总是漏装一个齿轮的机械师。

　　首先来的是个大块头金发恶汉，库辛宁之类的芬兰姓氏。他把偌大的屁股塞进给客户准备的椅子，满是老茧的两只巨手往桌上一摆，说他是挖土机驾驶员，家住卡尔佛市，隔壁有个天杀的婆娘企图毒死他的狗。每天早晨他放狗在后院乱跑前都必须从围栏一头检查到另一头，看隔壁有没有把肉丸子扔过院墙上的番薯藤。目前他已经找到了九个，一个个都填满了某种绿色粉末，他知道那是一种含砒霜的除草剂。

"替我看家，逮住她下手，多少钱？"他盯着我，眨也不眨的眼睛活像玻璃缸里的金鱼。

"你为什么不自己抓她？"

"我得挣钱过日子啊，先生。光是跑一趟来请教你，每小时我就要损失四块两毛五。"

"试过找警察吗？"

"试过。明年什么时候他们大概会来看看吧。这会儿忙着巴结米高梅呢。"

"动保协会？摇尾狗？"

"那是什么？"

我告诉他摇尾狗是什么。他毫无兴趣。动保协会他知道。动保协会还是哪儿凉快哪儿歇着去吧。他们眼睛里容不下比马小的动物。

"门上写着你是调查员，"他狂暴地叫道，"好啊，出去他妈的调查啊。逮住她，给你五十块。"

"对不起，"我说，"我走不开。再说在你家后院挖个地洞蹲守也不是我的风格，哪怕是为了五十块呢。"

他站起来怒视着我。"大人物，"他说。"不需要我的钱是吧？懒得救一条小狗的命是吧？去你妈的，大人物。"

"我也有我的麻烦啊，库辛宁先生。"

"要是被我逮住，我他妈会拧断她的脖子。"他说，我不怀疑他有这个本事。他能生生拧断大象的后腿。"所以我才想另外找人。就因为每次有车经过，小淘气就要吼几嗓子。臭不要脸的老婊子。"

他走向房门。"你确定她想毒死的是你的狗吗？"我对他的背影说。

"当然确定。"他走到一半才明白过来，然后猛地转过身。"有种你再说一遍。"

我只是摇摇头。我不想和他打架。他说不定会抓起办公桌砸我脑袋。他哼了一声，摔门而去，险些连门一起带走。

接下来的一盘小菜是个女人，不老，不年轻，不干净，也不太脏，显然很穷，寒酸，爱发牢骚，愚蠢。与她合住的姑娘——在她的圈子里，所有出来工作的女性都是姑娘——偷她包里的钱。这儿一块，那儿五毛，但加起来就可观了。她估计她统共短了接近二十块。她承受不了这个损失。她也承担不了搬家的开销。她承担不了请侦探的费用。她觉得我应该愿意打个电话恐吓一下她的室友，同时不要提到任何人名。

她花了二十多分钟才说完这些话，边说边没完没了地捏她的包。

"你认识的任何人都能这么做啊。"我说。

"是的，但你是侦探啊。"

"我没有威胁我完全不认识的人的执照。"

"我会去告诉她我来见过你。我不需要说是她，只说你在调查。"

"换了我是你就不会说。你提到我的名字，她说不定会打电话给我。她打来，我会告诉她实情。"

她站起来，把寒酸的包往自己肚子上一砸。"你不是绅士。"她尖叫道。

"哪儿写着我必须是了？"

她嘟嘟囔囔地出去了。

吃过午饭，我接待了辛普森·W. 艾德威斯先生。他有名片证明他就叫这个。他是一家缝纫机代销公司的经理。他个子不高，面相疲惫，年龄在四十八到五十之间，小手小脚，棕色正装的袖子太长，黑色钻石花纹的紫色领带底下是硬邦邦的白色假领。他安安静静地坐在椅子的边缘上，用一双忧伤的黑眼睛看着我。他浓密的黑发乱蓬蓬的，找不到一丝变灰的迹象。他略带红色的小胡子剪得整整齐齐。只要不看手背，说他三十五岁也混得过去。

"叫我辛普，"他说，"大家都这么叫我。我是自找的。我是犹太人，娶了个不是犹太人的老婆，她二十四岁，很漂亮。她已经跑掉过两次了。"

他取出她的照片给我看。在他眼里她也许很漂亮。在我眼里她是个肥胖如母牛的婆娘，有一张软弱的大嘴。

"你的问题是什么，艾德威斯先生？我不办离婚案。"我想把照片还给他，他挥挥手表示算了。"客户对我来说永远是大爷，"我又说，"直到他对我撒个几十次谎为止。"

他微笑道："撒谎对我没有用。不是离婚。我只希望梅布尔回家。但我不找到她，她是不会回家的。在她眼里也许是一种什么游戏。"

他向我讲述她，说得很耐心，毫无怨恨。她喝酒，她外面乱来，按照他的标准，她不是一个非常称职的妻子，但他的家教有可能过于严厉了。她的胸怀比一幢屋子还博大，他说，而且他爱她。他不会自欺欺人说他是女性的梦中情人，他只会踏踏实实地工作，把薪水支票拿回家。两人有个联合账户。她把存款全取走了，但他早有心理准备。他很确定她是和谁私奔的，要是他没猜错，那男人会掏空她的口袋，扔下她进退两难。

"叫凯瑞甘，"他说，"门罗·凯瑞甘。我不想说天主教徒的不是。世上也有很多坏犹太人。这个凯瑞甘做事的时候是个理发师。我也不想说理发师的不是。但理发师里有很多居无定所和赌马的，不是很稳定。"

"等她没钱了，你岂不就有她的消息了？"

"她会感到非常羞愧。说不定会自残。"

"这是失踪案，艾德威斯先生。你该去警察局报案。"

"不。我不想说警察的不是，但我不愿意走那条路。梅布尔会受到羞辱的。"

世上似乎到处都是艾德威斯先生不想说不是的人。他拿出一些钱放在桌上。

"两百块，"他说，"预付款。我更愿意按我的办法来。"

"还会发生的。"我说。

"是啊，"他耸耸肩，不紧不慢地摊开双手。"但她才二十四，而我快五十了。有什么区别呢？过一段时间她会安定下来。问题在于没有孩子。她不能生养。犹太人喜欢大家庭。梅布尔也知道。她觉得很耻辱。"

"你是个非常宽容的人，艾德威斯先生。"

"嗯，我不是天主教徒，"他说，"我不想说天主教徒的不是，你知道的。但我真的宽容为怀。不是光嘴上说说，而是付诸行动。哦，我险些忘记最重要的。"

他取出一张明信片，从桌上跟着钞票推给我。"她从火奴鲁鲁寄来的。火奴鲁鲁花钱如流水。我有个叔父在那儿经营珠宝生意，已经退休了，住在西雅图。"

我又拿起照片。"这个活儿我只能包出去，"我对他说，"另外，我要复制一张照片。"

"我来之前就知道你会这么说，马洛先生，所以我做好准备才来的。"他取出一个信封，里面有五张相同的照片。"凯瑞甘的照片我也有，但只是快照。"他从另一个口袋里掏出又一个信封。我看着凯瑞甘。一张没毛的脸，不太老实，我并不吃惊。凯瑞甘的照片有三张。

辛普森·W. 艾德威斯先生给了我另一张名片，上面有他的名字、住址和电话号码。他说他希望开销不要太高，但若是需要进一步的费用，他会立刻答应，他期待尽快听见我的消息。

"假如她还在火奴鲁鲁，两百块应该差不多够了，"我说，"现在我需要的是双方详细的体貌特征，好让我加在电报里。身高，体重，年龄，肤色，明显的疤痕或其他容易辨认的印记，她穿什么衣服，带走了哪些衣服，她提空的账户里有多少钱。既然你经历过这种事，艾德威斯先生，肯定知道我要哪些资料。"

"我对这个凯瑞甘有一种特别的感觉。不安。"

我又花了一个小时挤他的牙膏，写下问到的结果。然后他默默地起身，默默地和我握手，鞠个躬，默默地离开我的办公室。

"转告梅布尔，一切都会好的。"他出去的时候对我说。

结果完全是例行公事。我发电报给火奴鲁鲁的一家侦探社，随后寄了一封航空信，里面有照片和电报里写不下的其他资料。他们发现她在一家高级酒店给客房服务员当帮工，擦洗浴缸和卫生间地板之类的。不出艾德威斯先生所料，凯瑞甘趁她睡觉时掏空她的钱包，然后逃之夭夭，扔下她对着旅馆账单发愁。她典当了凯瑞甘不用蛮力就取不下来的一枚戒指，得到的钱够付账单，但不够买票回家。于是艾德威斯跳上飞机去接她了。

他为人太好，她配不上。我寄给他的账单只收二十块和一封长电报的费用。火奴鲁鲁的侦探社拿走了两百块。办公室保险箱里有一张麦迪逊的肖像画，我能承担少收一点的损失。

私家侦探生命中的一天就这么过去了。不是典型的一天，但也不完全不典型。天晓得一个人为什么非要留在这个行当里。你发不了财，通常来说也没多少乐趣。有时候你要挨揍，吃枪子，被扔进拘留所。隔很长一段时间你会送掉小命。每个月你都会下定决心洗手上岸，趁走路还不会脑袋乱抖的时候找个体面工作。然后门铃响了，你打开里屋通往等候室的门，看见一张新面孔站在那儿，这人有一个新难题、一箩筐新苦难和一小笔钱。

"请进，啥啥啥先生。我能为你做些什么？"

肯定存在一个原因。

过了三天，艾琳·韦德在下午的后半截打电话给我，请我隔天晚上来家里喝一杯。他们请了几个新朋友来家里喝鸡尾酒。罗杰想见我，向我表达诚挚的谢意。哦，对了，能顺便寄一份账单来吗？

"你什么都不欠我的，韦德夫人。举手之劳，报酬我已经得到了。"

"我表现得像个维多利亚时代的人，看上去一定很傻吧，"她说，"如今一个吻似乎什么都代表不了。你会来的，对吧？"

"应该吧。虽然理智叫我别去。"

"罗杰又恢复过来了。他在工作。"

"很好。"

"你今天听上去特别庄重。你大概把人生看得很严肃吧。"

"时不时就会这样。怎么了？"

她笑得非常轻柔，说再见，挂断电话。我坐了一会儿，严肃地看待人生。然后我努力想一点有趣的事，好让我捧腹大笑一场。两者都没有成功，于是我从保险箱里取出特里·莱诺克斯的诀别信，重新读了一遍。这封信提醒了我，我还没去维克多餐厅喝他请我为他喝的那杯螺丝起子。这会儿时间正好，酒吧应该很安静，要是他活着，能和我一起去喝一杯，他喜欢的就是这种氛围。想到他，我有点悲伤，还夹着一丝酸楚。来到维克多餐厅，我险些继续向前走。险些，但没有。我拿了他太多的钱。他愚弄了我，但为此付出了很多。

22

维克多餐厅里安静极了，你进门时几乎能听见温度陡降的声音。吧台前的高脚凳上有个女人，穿定制的黑色长裙，按照当时那个季节，布料只可能是腈纶之类的化纤材质，她一个人坐在那儿，面前摆着一杯大致是绿色的饮料，正在用长长的玉石烟嘴抽香烟。她微妙的热切表情可以是神经质，可以是性饥渴，也可以只是极端节食的结果。

我隔着两个高脚凳坐下，酒保朝我点点头，但没有微笑。

"螺丝起子，"我说，"别加苦味酒。"

他在我面前放了一小块餐巾，眼睛依然盯着我。"说起来，"他用愉快的声音说，"那天晚上我听见你和你朋友聊天，于是就进了一瓶罗斯牌青柠汁。然后你们就再也不来了，我直到今天晚上才打开。"

"我的朋友出城去了，"我说，"不麻烦的话，酒加双份。多谢你费心了。"

他走开了。黑衣女人瞥了我一眼，然后低头看酒杯。"这儿很少有人喝这东西。"她的声音很轻，我刚开始没有意识到她在和我说话。她朝我的方向又看了一眼。她有一双特别大的黑眼睛，涂着我这辈子见过的最红的红指甲。但她不像是来勾搭男人的，声音里也没有引诱的意思。"我指的是螺丝起子。"

"一个朋友带我喜欢上的。"我说。

"肯定是英国人。"

"为什么？"

"青柠汁。非常英国，就好比用那种可怕的鳀鱼酱汁煮鱼，样子活像厨子的血滴了进去。所以大家才叫他们青柠佬[1]。我说的是英国人，不是鱼。"

"我还以为这是热带饮料呢。来自马来亚之类的地方。"

"也许你说得对。"她转了回去。

酒保把酒摆在我面前。加上青柠汁，鸡尾酒变成了雾蒙蒙的浅黄绿色。我尝了一口。一方面甜丝丝的，另一方面又很酸。黑衣女人看着我。她拿起酒杯朝我举了举。我们各喝一口。这时我发现她喝的也是螺丝起子。

下一步就是老一套了，所以我没有采取行动。我只是坐在那儿。"他不是英国人，"过了一会儿，我说，"我猜打仗的时候他大概去过。以前我们隔一段时间就来这儿喝一杯，总像现在这么早，趁大家伙儿还没闹腾起来。"

"愉快的好时间，"她说，"酒吧里差不多只有这个时间令人愉快。"她喝完了她那杯酒。"也许我认识你的朋友，"她说，"他叫什么？"

我没有立刻回答她。我点了支烟，看着她从玉石烟嘴里磕出烟头，然后换上新的一支。我伸手递上打火机。"莱诺克斯。"我答道。

---

1 英国人尤其是英国水手的俚称，因为英国船只曾用青柠汁给船员补充抗坏血酸。

她谢谢我的打火机，向我投来探询的一眼，然后点点头。"对，我和他很熟。也许太熟了一点。"

酒保晃过来，看一眼我的酒杯。"再来两杯同样的，"我说，"送到卡座来。"

我从高脚凳上下来，站在一旁等着。她也许会拒绝我，也许不会。我并不怎么在乎。在这个性意识过于敏感的国家，一男一女偶尔也能见面聊天，不是非得牵涉到卧室。可以是这样，当然她也可以认为我想睡她。她要是真的这么想，那就随便她好了。

她犹豫了，但没犹豫太久。她拿起黑色手套和镶金边的搭扣黑色山羊皮手包，一言不发地走到角落里的卡座坐下。我隔着小桌在她对面坐下。

"我叫马洛。"

"我叫琳达·洛林，"她平静地说，"你有点多愁善感，马洛先生，对不对？"

"就因为我进来喝一杯螺丝起子？那你呢？"

"我说不定就喜欢喝呢。"

"我也说不定。但那样的话，巧合就未免太多了一点。"

她似有若无地对我笑笑。她戴着翡翠耳环和翡翠胸针。从切割方式看——表面平坦，斜切边缘——宝石应该是真的。酒吧光线昏暗，但首饰依然闪烁着内在的柔光。

"所以那个人就是你。"她说。

酒保把酒送过来放下。他走开后，我说："我认识特里·莱诺克斯，喜欢他，偶尔和他喝杯酒。萍水相逢，偶然的友谊。我没去过他家，和他妻子不熟，只在停车场见过她一次。"

"除了这些还有点别的，对吧？"

她伸手去拿酒杯。她戴着一枚周围镶碎钻的翡翠戒指，旁边一枚细细的白金戒指在说她结婚了。我判断她处于三十多岁的后半段，后半段里比较靠前的位置。

"也许吧，"我说，"那家伙让我头疼。现在也还是。你呢？"

她用一边胳膊肘撑住重心，抬头看着我，脸上没什么特定的表情。"我说过我和他太熟了一点。熟得他发生什么我都觉得无所谓了。他老婆有钱，供他享受奢侈的生活。她要求的回报很简单，就是别去烦她。"

"听起来合情合理。"我说。

"别挖苦人，马洛先生。有些女人就是这样。她们控制不住自己。别说得好像他一开始什么都不知道似的。假如他想要自尊，大门开得好好的。他用不着杀死她。"

"我同意。"

她挺直身体，狠狠地盯着我，嘴唇抿紧。"然后他逃跑了，要是我没弄错，得到了你的帮助。你为此大概感到非常自豪吧。"

"我没有，"我说，"我那么做完全为了钱。"

"不好笑，马洛先生。说实话，我都不知道我为什么坐在这儿和你喝酒。"

"这个倒是不难改变，洛林夫人，"我拿起酒杯，把里面的东西倒进喉咙。"我以为你说不定会告诉我一些我不知道的特里的事情。我没兴趣猜测特里·莱诺克斯为什么把妻子的脸砸成血淋淋的肉酱。"

"你这么说未免太残忍了。"她愤怒道。

"不喜欢我的措辞？我也不喜欢。要是真相信他做了那种事，我就不会来这儿喝这杯螺丝起子了。"

她瞪着我。过了一会儿，她慢慢地说："他自杀了，留下一份完整的自白书。你还想要什么？"

　　"他有枪，"我说，"在墨西哥，光这一点就足够让神经过敏的警察把你打成筛子了。美国也有不少警察用同样的手段杀人，有时候只是嫌门开得不够快就隔着门开火了。至于自白书，我没亲眼见过。"

　　"毫无疑问，是墨西哥警察伪造的。"她尖酸地说。

　　"他们没这个本事，至少奥塔托克兰这种小地方的警察肯定不会。不，自白书多半是真的，但并不能证明他杀死了妻子。至少对我来说不能。对我来说，它只能证明他觉得自己没有出路了。在那么一个处境下，他那种男人——你要是喜欢，可以说他软弱或者感情用事——说不定会决定帮其他人一个忙，免得可怕的舆论缠上他们。"

　　"异想天开，"她说，"一个人不会为了避免一个小丑闻就自杀或存心被杀。西尔维娅已经死了。至于她姐姐和父亲——他们完全能照顾好自己。有了足够的金钱，马洛先生，人总能保护好自己。"

　　"好吧，动机我猜错了。也许我从一开始就错了。一分钟前你在对我生气。现在你是不是要我走远点，好让你喝你的螺丝起子？"

　　她忽然笑了。"对不起。我开始相信你的真诚了。刚才我以为你主要是在为自己辩护，而不是特里。不知道为什么，现在我不这么觉得了。"

　　"因为我没有。我做了些傻事，为此付出了代价，至少是一定的代价。我不否认他的自白书救了我，否则结果有可能更糟糕。要是警察带他回来，开庭审判，我的罪名恐怕也会坐实。最轻也会罚我一笔我不可能拿得出来的钱。"

　　"更不用说你的执照了。"她淡淡地说。

"有可能。从前有段时间，随便哪个宿醉警察都能让我完蛋。如今不太一样了。州执照管理机构会召集委员会，为你开一场听证会。他们可不怎么喜欢本市的警察。"

她尝了一口酒，慢慢地说："考虑到各种因素，你不认为这是最好的结果吗？没有审判，没有耸人听闻的头版头条，没有仅仅为了卖报纸的恶语中伤，一丁点儿也不考虑真相、公平和无辜亲属的心情。"

"我刚才不是这么说的吗？而你说我异想天开。"

她向后靠，把脑袋搁在卡座靠背顶端的弧形软垫上。"我说异想天开是特里·莱诺克斯会仅仅因为这个目的而自杀。没有审判对各方都比较好，这个并不异想天开。"

"我要再喝一杯。"我说，朝侍者招招手。"好像有人朝我后脖颈吹凉气。洛林夫人，你会不会凑巧和波特家族有什么关系？"

"西尔维娅·莱诺克斯是我妹妹，"她回答得很简单，"还以为你能认出来呢。"

侍者悄无声息地过来，我对他下了个紧急命令。洛林夫人摇摇头，说她什么都不喝了。侍者走开，我说："波特家的老头子——不好意思，哈兰·波特——对这件事下了封口令。我能知道特里的妻子还有个姐姐就已经够走运了。"

"你说得太夸张了。我父亲只怕没那么一手遮天，马洛先生，更不可能那么无情无义。我承认他对个人隐私确实有一些非常保守的想法。他从不接受访问，甚至是他自己的那几份报纸。他从不拍照，从不公开演讲，外出不是坐汽车就是私人飞机，他有自己的机组人员。然而尽管如此，他其实很有人情味。他喜欢特里。他说特里每天二十四小时都是绅士，而不是仅仅在从宾客进门到第一轮鸡尾酒起效的十五分钟内装装样子。"

"他最后有点失足。我说的是特里。"

侍者端着我的第三杯螺丝起子小跑而来。我尝了尝味道放下，一根手指压着酒杯圆形底座的边缘。

"特里的死对他打击很大，马洛先生。另外，你又在挖苦人了。请别这样。我父亲知道一些人会觉得整件事结束得过于干净。他更希望特里仅仅失踪了事。要是特里向他求助，我认为他会出手帮忙。"

"我的天，洛林夫人。他的亲生女儿被谋杀了啊。"

她打个恼怒的手势，冷冰冰地看着我。

"这么说恐怕有点无情，但父亲很久以前就和我妹妹断绝了关系。偶尔见面他也几乎不和她说话。要是他愿意表达看法——他过去没有，以后也不会——我确定他对特里这件事的怀疑不会比你少。然而特里毕竟死了，还有什么关系呢？与他们死于空难、火灾或车祸有什么区别呢？要是她非死不可，这个时间反而最好不过了。再过十年，她会变成一个被性欲驱使的老巫婆，就像你在好莱坞派对上经常见到的那种可怕女人，或者说几年前经常见到，满世界飞的富豪人渣。"

我忽然毫无理由地火冒三丈。我站起来，扫视其他卡座。隔壁一个空着，再过去一个有个男人独自坐着，安安静静地看书。我扑通一声坐下，把酒杯推到一旁，俯身越过小桌子。我还有足够的理性，压低声音说话。

"老天在上，洛林夫人，你到底在卖什么关子？你要说哈兰·波特是个好心肠的可爱老人，做梦也不会想到要动用权力影响一个想混政坛的地检官，捂死一起谋杀案的调查，让这起谋杀案不会得到任何像样的调查？要说他也怀疑特里是不是真的有罪，但不允许任何人为了查明凶手而哪怕只是抬抬手指？要说他没有动用他那几份报纸的政治力量和银行账户，还有九百个宁可拧断自己脖子也要在他想清楚之前猜到他想干什么的忠诚下属？要说事情不是他安排的，地检署和市警局不派人去墨西哥，只有一个听话的律师去确定是特里把子弹打进了脑袋，而不是某个带枪寻刺激的印第安人撂倒了他？你老头子身家上亿，洛林夫人。我不知道他的钱从哪儿来，但我很他妈清楚为了挣到这些钱，他肯定建立了一个神通广大的组织。他不是软蛋。他是个强硬凶悍的男人。现如今想挣到那么多钱，你必须是这么一个人。你还会和三教九流做生意。你不一定会和他们见面握手，但他们就在灰色地带和你做生意。"

"你是个白痴，"她气愤地说，"我受够你了。"

"哦，好的。我不唱你喜欢听的那种小曲。告诉你吧。西尔维娅死的那天晚上，特里和你老头子谈过。谈什么？你老头子对他说什么？'逃到墨西哥吃自己一枪吧，小老弟。家丑不外扬。我知道我女儿是荡妇，十几个醉酒杂种里随便哪个都有可能凶性大发，把她的漂亮脸蛋塞进她的喉咙眼。但那是偶然事件，小老弟。那家伙酒醒了会追悔莫及。你吃够了甜头，现在该你回报了。我们想让波特家的好名声像高山百合一样芬芳。她嫁给你是因为需要一块遮羞布。她死了以后就更加需要了。而你就是这块遮羞布。要是你能跑掉，消失得无影无踪，那当然最好。但要是被人发现，就自我了断吧。咱们太平间再见。'"

"你真以为，"黑衣女人的声音里夹着干冰，"我父亲会这么说话？"

我向后靠，毫无笑意地笑了笑。"要是有用，咱们可以稍微修饰一下措辞。"

她收起东西，顺着座位挪出去。"我想警告你一句，"她说得很慢，很小心，"非常简单的一个警告。要是你认为我父亲是那种人，要是你到处散播你刚才向我表达的那种想法，你在本市你那个行当或者任何一个行当的职业生涯恐怕都会极其短暂，而且会结束得非常突然。"

　　"太好了，洛林夫人，太好了。执法人员这么说，黑道流氓这么说，上层阶级也这么说。用词会变，但意思是一样的。叫我罢手。我来这儿喝杯螺丝起子，因为有人请求我这么做。结果你看看我，我已经进了废品堆。"

　　她站起身，点了一下头。"三杯螺丝起子。双份。你也许喝醉了。"

　　我扔下远多于酒钱的钞票，起身站在她旁边。"你喝了一杯半，洛林夫人。为什么喝那么多？是有人求你喝，还是你自己的主意？你自己的嘴巴也不太紧。"

　　"谁知道呢，马洛先生？谁知道呢？谁真的知道任何事情呢？吧台有个男人在看我们。你会不会认识他？"

　　我扭头去看，惊讶于她竟然注意到了。一个瘦削黝黑的男人坐在最靠近门口的高脚凳上。

　　"他叫奇科·阿古斯帝诺，"我说，"雇佣枪手，老板搞赌博，叫门南德斯。走，咱们去干翻他，打他个出其不意。"

　　"你肯定喝醉了，"她飞快地说，迈步走向大门。我紧随其后。高脚凳上的男人转回去，眼睛盯着他的前方。我走到他的身旁，忽然蹿到他背后，双手从他两臂底下插进去。也许我确实有点醉了。

　　他愤怒地转过身，从高脚凳上跳下来。"小子，你看着点儿。"他咆哮道。我从眼角看见她在门口停下回头看。

"没带枪吗，阿古斯帝诺先生？太莽撞了。天快黑了，要是撞上一个凶恶的矬子怎么办？"

"死开！"他气急败坏道。

"哇，这句是看《纽约客》学来的吗？"

他的嘴巴在动，但人没有动。我撇下他，跟着洛林夫人出去，来到遮阳篷的底下。一个灰发黑人司机在那儿和停车小弟聊天。他碰碰帽子走开，回来时开着一辆时髦的凯迪拉克豪华轿车。他打开车门，洛林夫人坐进去。他关车门的样子像是在合上首饰盒的盖子。他绕到另一边，坐上驾驶座。

她摇下车窗，半笑不笑地看着我。

"晚安，马洛先生。很高兴认识你——还是不高兴？"

"咱们吵得挺凶。"

"该说你吵得挺凶，而且主要是和自己吵。"

"通常总是这样。晚安，洛林夫人。你不住在这附近吧？"

"是的。我住在悠闲谷。湖的那一边。我丈夫是医生。"

"你会不会凑巧认识姓韦德的人？"

她蹙眉道："我认识韦德夫妇。怎么了？"

"还能为什么？家住悠闲谷的人我只认识他们两个。"

"我明白了。好吧，再次晚安，马洛先生。"

她靠在椅背上，凯迪拉克礼貌地噗噗启动，汇入日落商业街上的车流。

转过身，我险些和奇科·阿古斯帝诺撞个满怀。

"那妞儿是谁？"他轻蔑地说，"还有，下次想说俏皮话了，滚远点儿。"

"反正不是想认识你的人。"我说。

"随便你，伶俐仔。我记住车牌号码了。门迪喜欢知道这样的小事。"

一扇车门砰地打开，一个足有七英尺高四英尺宽的男人跳下车，朝阿古斯帝诺看了一眼，然后迈开一大步，一只手扼住他的喉咙。

"我跟你们这些瘪三说过多少次了，别在我吃饭的地方附近晃悠？"他怒吼道。

他使劲摇了摇阿古斯帝诺，隔着人行道把他摔在墙上。奇科蜷成一团，又咳又喘。

"下一次，"巨人叫道，"我他妈非得轰死你，信我一句，小子，别人给你收尸的时候，会发现你手里握着枪。"

奇科摇摇头，没说话。大块头斜着看了我一眼，咧嘴笑笑。"晚上好。"他说，走进了维克多餐厅。

我望着奇科直起腰，恢复了一部分镇定。"你那位朋友是谁？"我问他。

"大威利·马贡，"他嗓音嘶哑，"风化组的鸟人。觉得自己是条汉子。"

"你是说他没自信？"我很有礼貌地问他。

他茫然地看着我，转身走开。我把车开出停车场，径直回家。在好莱坞，任何事情都有可能发生，真的是任何事情。

23

悠闲谷的入口处有半英里道路缺乏修缮，一辆低底盘的捷豹在我前面绕过山丘，放慢车速，免得卷起沙石，淋得我满车都是。居民似乎存心不好好修路，借此赶走星期天沿着高速公路兜风的司机进来破坏清静。我瞥见颜色鲜亮的围巾和太阳风镜。有人朝我漫不经心地挥挥手，像是邻居和邻居打招呼。然后尘土飘过路面，汇入蒙在灌木丛和晒干草地上的白色尘膜。然后我拐过突出的岩层，柏油路忽然变得平整，景色宜人，养护良好。槭树聚集着向路面倾斜，仿佛很好奇，想看看是谁开车经过，玫瑰红脑袋的雀鸟跳来跳去，啄着只有雀鸟才认为值得一啄的东西。

然后是几棵木棉树，而不是桉树[1]。然后是浓密的卡罗莱纳白杨掩映下的一幢白色房屋。然后是一个姑娘沿着路肩遛马。她穿牛仔裤和花衬衫，嘴里嚼着一截嫩枝。马看上去很热，不过没出汗沫，姑娘对它轻声唱歌。一面粗石墙里有个园丁在用电动除草机修剪一大片高低起伏的草坪，草地遥远的尽头是一幢威廉斯堡殖民地风格巨型豪宅的柱廊。不知哪儿有人在三角钢琴上练习左手技法。

然后所有这些在车窗外掠过，小湖出现在眼前，波光显得炽热而

1　木棉树需要较多的水分，桉树耐旱。

明亮，我开始留意门柱上的号码。我只在黑暗中见过一次韦德家。屋子白天看上去不如晚上大。车道上停满了车，于是我在路边停车，然后走了进去。穿白色燕尾服的墨西哥管家为我开门。他身材瘦削，是个整齐好看的墨西哥人，优雅的燕尾服很合身，他一看就是个每周挣五十块的墨西哥人，不需要用辛苦劳作慢性自杀。

他用西班牙语说："下午好，先生。"咧嘴笑笑，像是说了个笑话，"请问您的名字？"

"马洛，"我说，"还有，坎迪，你这是想给谁一个下马威？咱们在电话上聊过，不记得了？"

他微笑，我进去。老一套的鸡尾酒会，每个人都扯着嗓门说话，没有人认真听，每个人都像抓着救命稻草似的拿着一大杯黄汤，眼睛特别亮，面颊或绯红或苍白或直冒汗，视不同的人喝了多少和酒量而定。然后艾琳·韦德在我身旁冒了出来，她穿浅蓝色的某种礼服，反正肯定没有减损她的美貌。她拿着酒杯，但似乎仅仅是道具而已。

"非常高兴你能来，"她郑重其事地说，"罗杰想在书房见你。他讨厌鸡尾酒会。他在工作。"

"吵成这样还能工作？"

"吵闹似乎从来都影响不了他。坎迪可以帮你端酒，还是你更愿意自己去吧台——"

"我自己去好了，"我说，"那天晚上对不起了。"

她微笑道："你好像已经道过歉了。没关系。"

"去他的没关系。"

她的笑容又保持了一会儿，足够她点头转身走开。我看见了吧台，它在超大号法式落地窗旁的角落里，是可以推来推去的那种吧台。我穿过房间走向吧台，尽量不撞上任何人，走到一半，我听见一个声音说："哎呀，马洛先生。"

我转过身，看见洛林夫人坐在一张沙发上，身旁的男人看上去很拘谨，他戴无框眼镜，下巴上有一抹黑，说是山羊胡也未可知。她拿着一杯酒，脸上写满了无聊。男人静静地坐在那儿，抱着胳膊，横眉冷目。

我走了过去。她微笑着向我伸出手。"这位是我丈夫，洛林先生。爱德华，这位是菲利普·马洛先生。"

山羊胡先生随便扫了我一眼，更随便地点点头。除此之外，全身上下一动不动。他似乎在为更值得花力气的事情节省能量。

"爱德华非常累，"琳达·洛林说，"爱德华总是很累。"

"医生嘛，难免的，"我说，"要我给你拿杯酒吗，洛林夫人？医生，你呢？"

"她喝得够多的了。"男人说，没有看我也没有看她。"我不喝酒。喝酒的人我看得越多，就越是庆幸我不喝。"

"回来吧，小示巴[1]。"洛林夫人梦呓般地说。

他猛地转过身，使劲瞪着她。我趁机脱身，走向吧台。在丈夫身旁，琳达·洛林似乎变了个人。她话里带刺，表情不屑，然而她即便在生气的时候，对我也不是这个态度。

坎迪在吧台里。他问我喝什么。

"这会儿什么都不要，谢谢。韦德先生想见我。"

"他很忙，先生。非常忙。"

我觉得我不会喜欢坎迪。我只是瞪着他，他又说："但我会去看

1　来自1952年电影《兰闺春怨》（*Come Back, Little Sheba*），示巴是女主角喜爱的一条狗。

看的。待会儿见，先生。"

他优雅地穿过人群，没多久就回来了。"好的，老兄，跟我走。"他喜气洋洋地说。

我跟着他，沿屋子的长边穿过房间。他打开一扇门，我进去，他在我背后关上门，隔绝了许多的噪音。这是个转角房间，宽敞、凉爽、安静，法式落地窗外种着玫瑰，侧面的窗户上嵌着空调机。我能看见湖面，能看见韦德平躺在一张金色皮沙发上。漂白木的宽大写字台上放着打字机，打字机旁是一摞黄色打字纸。

"很高兴你能来，马洛，"他懒洋洋地说，"自己坐吧。喝了一两杯没有？"

"还没有。"我坐下，看着他。他依然有点苍白憔悴。"工作怎么样？"

"挺好，只是我很容易觉得累。酒醉四天想恢复过来谈何容易。我最好的作品都是喝醉后写出来的。混我这一行，你很容易绷得太紧，思路变得僵硬死板，就写不出好作品了。好作品写起来总是很轻松。假如你读或听到的和我说的相反，那肯定是鬼扯淡。"

"可能要看作者是谁吧？"我说，"福楼拜写得并不轻松，但他的作品也很好。"

"好吧，"韦德说着坐了起来。"所以你读过福楼拜，所以你就成了知识分子、评论家、文学界的顶梁柱。"他使劲揉额头。"我在戒酒，我讨厌戒酒。我讨厌每一个手里有酒的人。我必须走出去，朝那些白痴微笑。他们每一个都他妈知道我酒精成瘾。所以他们会琢磨我在逃避什么。弗洛伊德的狗娘信徒把这一套弄得家喻户晓。如今连十岁小孩都知道了。要是我有个十岁的孩子——还好老天不允许——小崽子也会问我，'爹地，你喝醉到底是为了逃避什么？'"

"要是我没弄错，这些都是最近的事情吧？"我说。

"情况越来越糟糕，但我一直是个泡在酒瓶里的硬汉子。年轻时遇到困难，你经得住许多折腾。年近四十，你就没法像以前那样恢复过来了。"

我向后靠，点了支香烟。"你找我有什么事？"

"马洛，你认为我在逃避什么？"

"不知道。我没有足够的情报。另外，每个人都在逃避一些事情。"

"但不是每个人都会喝醉。你在逃避什么？是青春，是愧疚的良知，还是你是个下九流行当里的下九流角色的事实？"

"我懂了，"我说，"你需要找个人侮辱一下。开火吧，老兄。我要是觉得疼了，就会让你知道的。"

他咧嘴笑笑，挠了挠他浓密的卷发。他用食指戳着心口说："马洛，你眼前就是个下九流行当里的下九流角色。作家全是废物，而我是最废的一个。我写了十二本畅销书，用完桌上那一叠擦屁股纸，我应该就能写出第十三本。烧了都抵不上垃圾的清扫费。我在只准千万富翁居住的高级住宅区有一幢可爱的豪宅。我有个爱我的可爱老婆，有个爱我的可爱出版商，还有个尤其爱我的我自己。我是个自我中心的混账东西，是个文学妓女或皮条客——看你爱用什么词了——是个彻头彻尾的下贱玩意。所以，你能为我做什么？"

"好的，什么呢？"

"你为什么不生气？"

"因为没什么可生气的。我只是在听你自我厌恶。很无聊，但不伤害我的感情。"

他粗声粗气地大笑。"我喜欢你，"他说，"咱们喝一杯。"

"别在这儿喝，老兄。别你和我单独喝。我不介意看你喝第一杯。没有人能阻止你，我猜也没有人想阻止。但我没必要推你一把。"

他站起身。"咱们不是非得在这儿喝。走，咱们出去，看一看等你挣够了肮脏的钞票，能和这些货色住在一起了，就会认识什么样的精英人物。"

"唉，"我说，"闭嘴吧，少说两句。他们和其他人没多少区别。"

"是啊，"他恨恨地说，"但应该有区别。否则他们有什么用处呢？他们是本县的上层阶级，却比一群喝饱了廉价威士忌的卡车司机强不到哪儿去。不，还比不上呢。"

"闭嘴吧。"我重复道，"你想喝醉随便你喝。但别拿外面那群人撒气，他们喝醉了不会求维林杰医生帮忙，也不会发神经把老婆推下楼。"

"是啊，"他忽然冷静下来，体贴地说，"你通过测试了，老弟。来我这儿住一阵如何？你光是待在这儿就能帮我好大一个忙。"

"我看不出能怎么帮你。"

"但我看得出。只是待在这儿就行。一个月一千块能打动你吗？我喝醉了会很危险。我不想变得危险，也不想喝醉。"

"但我拦不住你。"

"试三个月如何？等我写完这本该死的书，然后出远门待一阵。在瑞士山区找个地方住院，彻底戒酒。"

"写完这本书？你就非得挣这笔钱不可？"

"不。但已经开头的书我必须写完才行，否则我就完蛋了。我以朋友的身份请求你。你为莱诺克斯做的要比这个多得多。"

我起身走到他面前，恶狠狠地瞪着他。"我害死了莱诺克斯，先生。我害死了他。"

"呸。别跟我装软蛋，马洛。"他用手掌边缘在喉咙口比画，"我在软蛋堆里已经淹到这儿了。"

"软蛋？"我问，"还是仅仅好心？"

他向后退，被沙发边缘绊了一下，但没有失去平衡。

"去你妈的，"他心平气和地说，"没得谈了。不过我不怪你。有些事情我想知道，我也必须要知道。你不知道是什么，我也不清楚我自己知不知道。我只确定肯定有些什么事情，而我必须知道。"

"关于谁？你妻子？"

他的两片嘴唇抿来抿去。"我猜应该关于我，"他说，"咱们去喝那一杯吧。"

他走向房门，一把拉开，我们走了出去。

假如他的目的是让我不安，那他完成得真叫一个好。

24

他拉开门，嘈嘈声从客厅铺天盖地而来。虽说不太可能，但似乎比我进去前更吵了。大概多了两杯酒那么吵吧。韦德这儿那儿和大家打招呼，人们似乎很高兴见到他。但喝到这个份上，他们看见匹兹堡菲尔[1]手持定制冰锥大概也会很高兴。人生只是一场盛大的马戏表演。

走向吧台的半路，我们对上了洛林医生和他妻子。医生站起来，上前直面韦德。他满脸近乎病态的憎恶。

"很高兴见到你，医生，"韦德亲切地说，"你好，琳达。最近你躲到哪儿去了？呃，不，这个问题好像傻乎乎的。我——"

"韦德先生，"洛林的声音在颤抖，"我有话要对你说。非常简单，我希望也足够决绝。离我妻子远点儿。"

韦德好奇地打量他。"医生，你累了。你没有酒。我去拿一杯给你。"

"我不喝酒，韦德先生。你知道得很清楚。我来你家只有一个目的，刚才已经表达清楚了。"

"呃，我好像听懂了，"韦德依然和蔼可亲，"既然你来我家做

---

1 美国职业杀手哈里·施特劳斯的外号，冰锥是他最喜欢的杀人工具。

客，那么我也无话可说，除了我觉得你似乎不太正常。"

周围的交谈声陡然降低。男男女女全都竖起了耳朵。好戏开场。洛林医生从口袋里掏出一双手套，拉直，抓住其中一只的指尖部分，使劲甩在韦德脸上。

韦德连眼睛都没眨一下。"天亮了准备好手枪和咖啡？"他平静地问。

我望向琳达·洛林。她气得脸色通红。她慢慢起身，面对医生。

"天哪，亲爱的，你玩得太过火了。别弄得像个该死的傻瓜好吗，亲爱的？还是你喜欢杵在那儿等别人扇你耳光？"

洛林猛地转向她，举起手套。韦德插到他面前。"悠着点儿，医生。这附近只在私底下打老婆。"

"你这是在说你自己吗？我反正早就知道了，"洛林嗤之以鼻，"再说我也不需要你给我上礼仪课。"

"我只收有前途的学生，"韦德说，"真遗憾，你这么早就要走了。"他抬高嗓门，"坎迪！洛林医生马上要走了！[1]"他扭头对洛林说，"万一你不懂西班牙语，医生，我刚才说的是门在那儿。"他抬起胳膊指了指。

洛林盯着他，没有动弹。"我警告过你了，韦德先生。"他的声音像冰块。"很多人都听到了。我不会警告你第二次。"

"不需要，"韦德淡然道。"但假如你有这个想法，咱们找个中立地点。给我一点行动自由。对不起，琳达。可惜你嫁给了他。"他轻轻揉着脸上被手套打中的地方。琳达·洛林苦笑着耸耸肩。

"我们要走了，"洛林说，"来吧，琳达。"

1　原文为西班牙语。

她坐了回去，拿起酒杯，沉稳而不屑地瞪了丈夫一眼。"你要走了，"她说，"你有好几个电话要打，没忘记吧？"

"你和我一起走。"他暴怒道。

她转过去背对他。他忽然伸出手，抓住她的胳膊。韦德抓住他的肩膀，扯着他转了半圈。

"悠着点儿，医生。你不可能万事如意。"

"拿开你的脏手！"

"好的，你放松，"韦德说，"我有个好主意，医生。你去找个好医生看一看吧。"

有人大笑。洛林绷紧身体，活像野兽准备出击。韦德感觉到了，干净利落地转身走开。洛林医生顿时被晾在了那儿。要是去追韦德，他会显得比此刻更加愚蠢。他除了离开无路可走，于是他只好离开了。他快步穿过房间，眼睛直视前方，坎迪拉开门等着他。他走出去。坎迪关门，面无表情地回到吧台。我走到吧台前要了杯苏格兰威士忌。我没注意韦德去了哪儿。他反正消失了。我也没看见艾琳。我背对房间，随便他们叽叽喳喳，别打扰我喝威士忌就行。

一个小个子姑娘从我身旁冒出来，她的头发是泥黄色，额头扎着束发带，她把酒杯搁在吧台上，嘀咕了一句什么。坎迪点点头，又给她调了一杯酒。

小个子姑娘转向我。"对共产主义感兴趣吗？"她问我。她眼神呆滞，用小小的红舌头舔嘴唇，像是在找巧克力碎屑。"我认为每个人都应该感兴趣，"她继续道，"但在这儿无论你问哪个男人，他们都只想占你便宜。"

我点点头，从酒杯上方看着她的塌鼻梁和被阳光晒得粗糙的皮肤。

"要是好好摸，我倒也不是特别在乎。"她对我说，伸手拿起刚调好的酒。她一口气灌下半杯，把臼齿亮给我看。

"别指望我。"我说。

"你叫什么？"

"马洛。"

"有e还是没e？"

"有e。"

"啊哈，马洛。"她吟诵道，"多么悲伤而美丽的名字。"她放下几乎空了的酒杯，闭上眼睛，仰起头，伸展双臂，险些打中我的眼睛。她激动得声音颤抖，念道：

> 莫非就是这张面孔，发动了成千的战舰，
>
> 烧毁了特洛伊城的高楼？
>
> 温柔的海伦，用你的一吻使我不朽吧。[1]

她睁开眼睛，拿起酒杯，朝我挤挤眼睛。"这段写得不错嘛，老兄。最近有没有新诗？"

"不怎么写了。"

"愿意的话可以吻我。"她羞答答地说。

一个穿府绸上衣和开领衬衫的男人走到她背后，在她头顶上朝我咧嘴笑笑。他的红发剪得很短，一张脸像个烂肺头。我从没见过这么难看的男人。他拍拍姑娘的头顶。

1　引自16世纪英国诗人、剧作家克里斯托弗·马洛剧本《浮士德博士的悲剧》，戴镏龄译，略有改动。

"来吧，小猫咪，该回家了。"

她气冲冲地转过去。"你是说你又要给那些该死的球根海棠浇水了是吧？"她吼道。

"呃，听我说，小猫咪——"

"放开我，该死的强奸犯！"她尖叫道，把剩下的酒泼在他脸上。除了两块冰，剩下的酒只够装满一个茶匙。

"天哪，宝贝儿，我是你丈夫，"他对她吼道，掏出手帕擦脸，"听明白了吗？你丈夫啊。"

她剧烈抽泣，扑进他怀里。我绕过两人，落荒而逃。鸡尾酒会都是这个样子，连台词都差不多。

屋子正在向晚风倾泻宾客。人声渐息，车辆启动，再见像皮球似的弹来弹去。我穿过法式落地窗，走上铺石板的露台。坡面尽头是湖畔，小湖像睡猫似的毫无动静。底下有个木板栈桥，白色系艇索系着一艘划艇。不远处靠近对岸的水面上，一只黑色水鸡像溜冰似的慵懒转圈，似乎没有激起一丝涟漪。

我在带软垫的铝合金躺椅上舒展身体，点起烟斗悠闲地抽着，琢磨我他妈来这儿干什么。只要罗杰·韦德愿意，他似乎完全能控制住自己。他对付洛林做得恰到好处。就算他一拳打在洛林尖尖的小下巴上，我也不会太吃惊。照常理说，他已经算是很出格了，但洛林要比他出格得多。

要是常理还有任何意义，那就是你不该当着满屋子的人威胁别人，用手套打他的脸，而你妻子就站在你旁边，你的行为无异于指责她行为不端。韦德才从与烈酒的激战中恢复过来，他做得算是不赖了。不，远比不赖要好得多。当然了，我没见过他喝醉的样子。我甚至不知道他酒精成瘾。两者之间天差地别。偶尔喝过量的人清醒时还是原来那个人。酒精成瘾者，真正的酒精成瘾者，就完全不是原来那个人了。你无法预测他的任何行为，只知道他会变成你从没遇见过的一个人。

我背后响起轻轻的脚步声，艾琳·韦德穿过露台走向我，在躺椅边缘挨着我坐下。

"好了，你怎么看？"她静静地问。

"乱甩手套的那位绅士？"

"哦，不，"她皱起眉头，随即笑道，"我讨厌喜欢唱大戏的那种人。不是说他当医生有什么不好。他和山谷里的一半男人演过那场戏。琳达·洛林不是荡妇。她打扮不像，说话不像，举止更不像。真不知道洛林医生为什么要表现得好像她就是。"

"也许他是个洗心革面的酒鬼，"我说，"很多这种人会变得特别清教徒。"

"有可能，"她说，望向湖面。"这地方非常清静。只要世上还有地方能让一个作家住得高兴，你就会认为作家待在这儿肯定很开心。"她扭头看着我。"所以你不会被罗杰说服，做他要你做的事。"

"没有任何意义，韦德夫人。我派不上任何用场。这些话我以前就说过了。我没法保证会在合适的时间出现在附近。否则我就需要时时刻刻待在这儿了。就算我没有其他事情要做，这也是不可能的。要是他发狂——举例来说——那会是一瞬间的事情。再说我没看见他有可能会发狂的迹象。我觉得他挺稳当的。"

她低头看着双手。"要是他能写完这本书，我觉得事情就会好得多的。"

"这方面我就帮不了他了。"

她抬起头，双手放在躺椅边缘她的身旁。她略略向前俯身。"他认为你能，你就一定能。这就是重点。你是不是觉得收钱在我家做客冒犯了你？"

"他需要的是精神科医生，韦德夫人。你认识不是江湖郎中的好医生吗？"

她似乎吃了一惊。"精神科医生？为什么？"

我磕出烟斗里的烟灰，拿着烟斗坐在那儿，等它冷却后再收起来。

"想听听外行的意见吗？他觉得他内心深处藏着个秘密，但他搞不清楚究竟是什么。有可能是他自己的罪恶秘密，也有可能是别人的。他认为那是他喝酒的原因，因为他搞不清楚那是什么。他多半认为事情是在他醉酒时发生的，而他应该去人们喝醉了才会去的地方寻找答案——按照他的喝法，是真的喝到烂醉。这是精神科医生的活儿。其实这还好说。要是我猜错了，那么他喝醉只是因为他想喝醉或者无法自拔，所谓秘密仅仅是喝酒的借口。他没法写书，至少不可能写完。因为他会喝醉。当然了，我推测的前提是他喝得自己不省人事，所以写不完书。但实际上也有可能倒过来。"

"哦，不，"她说，"不可能。罗杰有用不完的天赋。我很确定他最好的作品还没写出来呢。"

"我说过了，这是外行的看法。那天早晨你说他也许会丧失对妻子的感情。这件事实际上同样也有可能倒过来。"

她望向屋子，然后转过身背对它。我也望向屋子。韦德站在门口望着我们。就在我的注视下，他走到吧台里，拿起一个酒瓶。

"干涉他毫无用处，"她说得很快。"我从不干涉。从不。我看你说得对，马洛先生。没什么可做的，只有让他自己想办法戒掉。"

烟斗已经凉了，我收起来。"我们一直在抽屉反面摸来摸去，不如倒过来看一看如何？"

"我爱我丈夫，"她直白地说，"也许不是年轻姑娘的那种爱，但我确实爱他。女人一生只年轻一次。我当年爱的男人已经死了。他死在战场上。他的名字，说来奇怪，和你的名字缩写相同。不过现在也无所谓了，虽说有时候我还是不敢相信他已经死了。他的尸体一直没找到。但许多人都是这样。"

她用探寻的目光长久地注视我。"有时候，当然了，不是经常，我走进安静的鸡尾酒廊或凌晨时分的高级酒店大堂，或者走在清晨或深夜的邮轮甲板上，我觉得我也许会见到他在某个阴暗的角落等我。"她停顿片刻，垂下视线。"非常傻气。我很惭愧。我们曾经那么相爱，那是一辈子只有一次的狂热、神秘和难以想象的爱情。"

她停下了，坐在那儿望着湖水，陷入半恍惚的沉默。我再次望向屋子。韦德站在打开的法式落地窗里，手里拿着酒杯。我又望向艾琳。对她来说，我已经不存在了。我起身走向屋子。韦德拿着酒杯站在那儿，那杯酒似乎非常满。他的眼神也不太对劲。

"和我老婆搞得怎么样了，马洛？"他歪着嘴唇说。

"我们没在调情，假如你是那个意思。"

"我就是那个意思。前几天晚上你吻了她。很得意自己手脚麻利对吧？但你在浪费时间，朋友。就算你的调调儿合她口味也没用。"

我想绕过他，但他用结实的肩膀挡住了我。"别急着走嘛，老兄。我们喜欢你留在这儿。我们家里的私家侦探太少了。"

"一个都嫌多。"我说。

他举杯痛饮。他放下酒杯，斜眼看我。

"你应该多给自己一点时间建立耐受性，"我对他说，"都是空话，对吧？"

"好的，教练。喜欢帮人培养品格，是不是？你没蠢到企图教育酒鬼的地步吧。酒鬼无法教育，我的朋友。他们只会崩溃。这个过程有些部分还挺好玩的。"他又举起酒杯喝了一通，放下时杯子几乎全空了。"有些部分真他妈可怕。请允许我引用好医生洛林，一个拎着小黑包的混账杂种的至理名言，马洛，离我老婆远点儿。你当然想泡她。大家都想。你想和她睡觉。大家都想。你想分享她的美梦，闻一闻她的记忆玫瑰。我说不定也想。但没什么可分享的，老弟——没有，没有，什么都没有。黑暗中孤零零的只有你一个人。"

他喝完那杯酒，把酒杯颠倒过来。

"就像这么空，马洛。根本什么都没有。我当然最清楚。"

他把酒杯放在吧台边缘，艰难地走到楼梯口。他抓着扶手向上爬了十来级台阶，然后停下了，靠在扶手上。他低头看着我，惨兮兮地微笑。"原谅我老掉牙的酸水吧，马洛。你是个好人。我不希望你出任何事情。"

"什么样的事情？"

"也许她还没有摆脱初恋情人阴魂不散的魔法，那家伙在挪威失踪了。你不想失踪，对吧，老弟？你是我的特别私家侦探。我迷失在塞普尔维达山谷的蛮荒奇景之中，是你找到了我。"他用手掌在抛光的木扶手上画圈。"假如你害得自己失踪，我会从心底里感到难过的。就像迷恋青柠汁的那个家伙。他失踪得太彻底，有时候都要怀疑他有没有存在过了。你说他有没有可能只是她捏造出来当玩具要的？"

"我怎么会知道？"

他俯视我。他眉间出现了深深的皱纹，嘴唇讥讽地拧成一团。

"谁又有可能知道呢？也许她自己也不知道。宝贝儿累了。宝贝儿玩腻了坏掉的玩具。宝贝儿想说再见了。"

他继续爬楼梯。

我站在那儿，直到坎迪走进房间，开始打扫吧台周围，把酒杯收到托盘里，检查酒瓶看还剩下多少，只当我不存在。至少我是这么认为的。然后他说："先生。还剩下足足一杯。浪费就太可惜了。"他举起一个酒瓶。

"你喝了吧。"

"谢谢，先生，我不喜欢喝酒。顶多一杯啤酒，不能更多了。我的量就是一杯啤酒。"

"明智。"

"一家有一个酒鬼就够了，"他盯着我，"我的英语说得很好，对吧？"

"是的，很好。"

"但我用西班牙语思考。有时候我的脑子就像一把刀。老板是我的家里人。他不需要任何帮助，哥们儿。你看，我能照顾他。"

"你干得很不错，二货。"

"长笛之子。"他咬着雪白的牙齿说。他拿起装满酒杯的托盘，手腕一翻放在肩膀边缘和掌根上，跑堂小弟的派头。

我走到门口，自己开门出去，琢磨着"长笛之子"在西班牙语里为什么是骂人话。我没琢磨太久。我还有很多其他的事情要琢磨。韦德一家的问题不止是酒精。酒精顶多只是一种变相的反应。

那天夜里晚些时候，九点半到十点之间，我拨打韦德家的号码。铃响八声后我挂断电话，但我的手刚松开听筒，电话就响了。是艾琳·韦德。

"有人打电话来，"她说，"我的直觉说有可能是你。我正准备去冲澡。"

"是我，没什么要紧事，韦德夫人。我走的时候他似乎有点头脑不清，我说的是罗杰。现在我好像觉得对他有点责任什么的。"

"他这会儿挺好，"她说，"在床上睡熟了。洛林医生造成的刺激大概比他表现出来的更严重。他肯定对你说了很多乱七八糟的话。"

"他说他累了，想上床休息。要我说，相当合理。"

"假如他只说了这么多，那就确实合理。好了，晚安，马洛先生，谢谢你打电话来。"

"我没说他只说了那么多。我说他这么说了来着。"

一阵沉默，然后她说："每个人偶尔都会有离奇的念头。别太把罗杰当回事，马洛先生。他毕竟是个想象力高度发达的人。自然是这样。经过上次的事情，他不该这么快就开始喝酒。请尽量忘记这整件事吧。其他的不说，他对你肯定很不礼貌吧？"

"他对我没有不礼貌。他的话很有道理。你丈夫这个人能够苛刻地审视自我，看清内心深处究竟有什么。这种天赋很罕见。大多数人一辈子要用一半精力去维护他们从未有过的尊严。晚安，韦德夫人。"

她挂断电话，我摆开棋盘。我填满烟斗，检阅棋子，看有没有谁像法国佬那么刮脸，有没有谁的纽扣松了线，我下了一盘戈尔恰科夫对曼宁金的冠军锦标赛，七十二步，平局收场，一场了不起的经典棋局，锐不可当的力量遇到不可动摇的障碍，没有甲胄的拼杀，没有流血的战争，除了广告公司，你在哪儿都找不到如此精心浪费人类智能的行为。

25

接下来一周风平浪静，我只是忙我算不上什么业务的业务。一天上午，卡恩机构的乔治·彼得斯打电话说他凑巧路过塞普尔维达山谷，出于好奇看了看维林杰医生的疗养院，但维林杰医生已经走了。五六个勘测小组正在绘制地图，准备分割土地。他找几个人聊了聊，他们连维林杰医生这个人都没听说过。

"倒霉蛋被迫关门是因为一张信托契书，"彼得斯说，"我查过了。他们给了他一千块，节约时间和开销，这会儿正在划分地界盖房子，里面至少能挣一百万。这就是犯罪和做生意的区别。你必须有资本才能做生意。有时候我觉得这就是唯一的区别。"

"多么愤世嫉俗的评论，"我说，"但大型犯罪活动也需要资本。"

"资本从哪儿来呢，老弟？肯定不是持械抢劫酒铺子的那些人。再见了。回头聊。"

星期四晚上十一点差十分，韦德打电话给我。他口齿不清，喉咙里咯咯作响，但我依然认得出是他。我还在电话里听见了短促而困难的喘息声。

"我情况不好，马洛。非常不好。我快撑不住了。你能尽快来一趟吗？"

"当然能，但让我先和韦德夫人说几句。"

他没有回答。我听见有东西倒下的声音，然后一阵死寂，过了一会儿我听见乒乒乓乓的声音。我对着听筒吼了几声，但没得到任何回应。时间一秒一秒过去。最后我听见听筒咔嗒一声放回原处，然后就只有断线的嗡嗡声了。

五分钟后我已经上路。半小时刚过我就赶到了，至今我也不明白我是怎么做到的。我像插了翅膀似的开过隘口，拐上文图拉大街，顶着迎面而来的车灯，不知怎的一个左转，在卡车之间穿来穿去，大体而言就是害得自己出丑。我以接近六十码的车速开过恩奇诺，用远光灯照着停在路边的汽车的外沿，免得有人想不开忽然走出来。我运气不错，你豁出去了才会有这种运气。没有条子，没有警笛，没有红灯闪烁。只有韦德家有可能发生什么的种种幻觉，没有一个令人愉快。她单独和喝醉酒的疯子待在屋子里；她折断脖子躺在楼梯底下；她关着门躲在房间里，有人在外面大吼大叫，企图破门而入；她光脚跑在月光下的小路上，黑人大汉拿着剁肉刀追她。

结果和我的想象完全不一样。我开着奥兹冲上他们家车道，整幢屋子灯火通明，她站在敞开的门口，嘴里有支烟。我下车，踏着石板小径走向她。她身穿长裤和开领衬衫，冷静地看着我。就算这儿存在一丝躁动，那也是我带来的。

我的第一句话和我的整个行为一样不着边际。"我以为你不抽烟。"

"什么？哦，我只是不常抽。"她取出嘴里的香烟，看了一眼，扔在地上踩灭。"隔很久抽一次。他给维林杰医生打过电话。"

她的声音漠然而平静，就像夜晚隔着水面传来的声音。彻底放松。

"不可能，"我说，"维林杰医生已经搬走了。他是打给我的。"

"真的吗？我只听见他打电话，请什么人尽快赶来。我以为肯定是维林杰医生。"

"他在哪儿？"

"他摔倒了，"她说，"肯定是椅子后仰得过头了。他以前也这么摔过。磕破了脑袋。流了一点儿血，不多。"

"哦，那就好。"我说，"咱们可不希望见到太多血。我刚才问的是他在哪儿。"

她严肃地看着我，然后抬起手臂指了指。"那儿的什么地方。路边或者围墙底下的灌木丛里。"

我凑上去仔细看她。"天哪，你没去看一眼？"这时我断定她吓呆了。我扭头隔着草坪张望。什么都看不见，但围墙附近暗影憧憧。

"是的，我没去看，"她说得非常冷静，"你去找他。受得了的我已经受够了。我已经受不了了。你去找他。"

她转身走进屋子，没有关门。她没走多远，进门不到一码就忽然瘫倒，躺在地上不动了。金色长鸡尾酒桌两侧面对面摆着两张长沙发，我抱起她，把她放在其中一张上。我摸了摸她的脉搏，似乎并不虚弱或时快时慢。她闭着眼睛，嘴唇发青。我把她留在沙发上，转身走了出去。

他确实就在她说的那个地方。他侧身躺在木槿的阴影中。他的脉搏又快又急，呼吸不怎么自然。他的后脑勺沾着些黏糊糊的东西。我对他说话，摇了他几下。我拍了几下他的面颊。他嘟嘟囔囔，但没有恢复知觉。我拖着他坐起来，把一条胳膊挂在我肩膀上，想抓住他的一条腿，用后背将他扛起来。我没有成功。他比水泥块还沉重。我们一起坐在草地上，我喘息片刻，再次尝试。我总算像消防员救人似的把他扛了起来，沉重地穿过草坪走向敞开的前门。这段距离感觉和来回一趟暹罗差不多。门廊的两级台阶足够十英尺高。我跌跌撞撞走到沙发前，屈膝跪倒，卸下他的身体。等我再次站直，感觉脊梁至少断成了四截。

艾琳·韦德已经不在沙发上了。整个房间都交给了我。这会儿我太累了，不在乎其他人都去了哪儿。我坐下看着他，等他吸气吐气。然后我研究他的头部。他的脑袋沾着血，头发上黏糊糊的都是。看起来不怎么严重，但头部受伤总是很难说。

然后艾琳·韦德站在了我身旁，静静地看着他，表情依然漠然。

"很抱歉，我昏过去了，"她说，"我也不知道为什么。"

"我看最好还是叫医生来。"

"我打了电话给洛林医生。他是我的医生，你知道的。他不想来。"

"那就试试别人。"

"哦，他会来的，"她说，"他不想来，但他正在尽快赶来的路上。"

"坎迪在哪儿？"

"今天他休假。星期四。厨子和坎迪每周四休假。这附近的惯例。你能把他搬到床上去吗？"

"得有人帮忙才行。去拿条毯子或者被子来。今晚很暖和，但他这种情况很容易感染肺炎。"

她说她去拿毯子。我觉得她可真他妈体贴。但我的大脑有点运转不灵。我扛他扛得太累了。

我们给他盖上一条轮船盖毯，过了十五分钟，洛林医生到了，他戴着上浆的假领子和无框眼镜,一脸被迫清理狗呕吐物的表情。

他检查韦德头部的情况。"表皮割伤和瘀肿,"他说,"不可能脑震荡。要我说,他的呼吸清楚地说明了他的情况。"

他拿起帽子,拎起出诊包。

"保持他身体温暖,"他说,"可以给他洗个头,去掉血污,动作轻一点儿。他睡一觉就没事了。"

"医生,我一个人没法把他弄到楼上去。"我说。

"那就让他躺在这儿好了,"他毫无兴趣地看着我,"晚安,韦德夫人。你知道我不治酒精成瘾。就算我治,你丈夫也不可能成为我的病人。相信你肯定能理解。"

"没有人求你诊治他,"我说,"我只是请你帮忙把他抬进卧室,好让我脱掉他的衣服。"

"请问你又是哪一位?"洛林医生冷冰冰地看着我。

"我叫马洛。一个星期前来过这儿。你妻子向你介绍过我。"

"有意思,"他说,"你是怎么和我妻子搭上的?"

"这话他妈什么意思?我只是——"

"我对你想干什么毫无兴趣,"他打断我的话头,转向艾琳,轻轻点头,迈步向外走。我插在他和门之间,背对门堵住他。

"稍等一下,医生。也许你很久不看那篇名叫《希波克拉底誓言》的小文章了。这位先生打电话找我,我家离这儿有段距离。他听上去情况不妙,我一路赶来,违反了本州的每一条交通规则。我发现他躺在地上,扛着他进门,相信我,他比一袋羽毛重得多。仆人不在,这儿没人能帮我把韦德弄到楼上去。你说我该怎么办?"

"别挡道,"他咬牙切齿地说,"否则我就打电话报警,请他们派个警员过来。身为一名职业人士——"

"身为一名职业人士，你连一把跳蚤屎都不如。"我说，让出他的去路。

他脸色变红，速度很慢，但变得很明显。他险些被自己的胆汁呛住。然后他打开门，走了出去。他小心翼翼地关上门。关好门，他望向我。我这辈子都没见过这么恶毒的一个眼神，来自这辈子见过的最恶毒的一张脸。

我从门口转过来，艾琳笑嘻嘻的。

"有什么好笑的？"我怒道。

"你啊。你不在乎你对别人说些什么，对吧？你不知道洛林医生是谁？"

"不在乎，但我知道他是谁。"

她看一眼手表。"坎迪这会儿应该在家，"她说，"我去看一眼。他在车库背后有个房间。"

她穿过一条拱廊出去了，我坐下看着韦德。了不起的大作家在打呼噜。他满脸冒汗，不过我还是让他盖着毯子。一两分钟后，艾琳带着坎迪回来了。

26

墨西哥人穿黑白棋盘格的运动衫和黑色褶裥长裤，没系皮带，脚上是黑白双色的鹿皮鞋，干净得一尘不染。他浓密的黑发向后梳，打了某种发油或发乳，亮晶晶的。

"先生。"他说，挖苦地微微鞠躬。

"坎迪，帮马洛先生把我丈夫搬上楼。他摔倒了，受了点小伤。很抱歉，不得不麻烦你。"

"没什么，夫人。"坎迪微笑着说。

"我看我就说晚安了，"她对我说，"我累极了。你要什么就吩咐坎迪一声。"

她慢吞吞地爬上楼梯。坎迪和我望着她。

"一个好妞儿，"他和我说悄悄话，"留下过夜？"

"不太可能。"

"真可惜。她非常孤独，说真的。"

"眼神别乱闪了，小子。咱们把这位抬上床吧。"

他悲哀地看着沙发上打鼾的韦德。"可怜，"他喃喃道，像是在说真心话，"醉得像个古巴人。"

"说他醉得像头母猪也行，但他块头可不小，"我说，"你抬脚。"

我们抬起他，尽管有两个人，他依然沉得像一口灌铅的棺材。来到楼梯顶上，我们顺着开放式阳台向前走，经过一扇紧闭的房门。坎迪用下巴指了指那扇门。

　　"夫人的房间，"他压低声音说，"你轻轻敲一下，她说不定会让你进去。"

　　我什么都没说，因为我还需要他。我们抬着不省人事的韦德向前走，拐进一扇门，把他放在床上。然后我抓住坎迪的胳膊，我挑靠近肩膀的位置下手，手指掐进去疼死人的地方。我存心要叫他吃苦头。他缩了一下，脸色变得难看。

　　"你叫什么，黑皮？"

　　"放开我，"他喝道，"别叫我黑皮。我不是湿背佬[1]。我叫胡安·加西亚·德索托·约索托-马约尔。我是智利人。"

　　"好的，唐璜。好好遵守这儿的规矩。别到处乱闻，提到东家的时候，嘴巴放干净点。"

　　他猛地挣脱，后退一步，黑眼睛燃烧炽热的怒火。他的手伸进衬衫，掏出一把细长的匕首。他连看都没怎么看，匕首就刀尖朝下立在了掌根上。他忽然撒手，趁刀还悬在半空中的那一刻抓住刀柄。他的动作快极了，而且似乎毫不费力。他的手抬到肩膀高度，向前一甩，匕首划破空气，嵌在窗框的木头上微微颤抖。

　　"当心点儿，先生！"他冷笑道，"爪子收着点儿。没人敢惹我。"

　　他轻快地穿过房间，拔出窗框上的匕首，抛到半空中，原地转身，从背后接住。匕首咔嗒一声合上，消失在了衬衫底下。

1　对墨西哥人的蔑称。

"漂亮，"我说，"可惜有点花架子。"

他溜溜达达走向我，露出嘲讽的微笑。

"说不定还会害得你弄断胳膊肘，"我说，"就像这样。"

我抓住他的右手腕，拉得他失去平衡，我旋身绕到他侧后方，弯曲前臂顶住肘关节背面，然后用前臂当支点向下压。

"使劲一拧，"我说，"你的肘关节就断了。断一个地方就够了。你会有好几个月没法扔飞刀。用的力气再大一点，你这辈子都没法扔了。帮韦德先生脱鞋。"

我放开他，他朝我咧嘴笑笑。"好招数，"他说，"我会记住的。"

他转向韦德，向一只鞋伸出手，忽然停下了。枕头上有血迹。

"谁伤了我老板？"

"不是我，老弟。他摔倒时磕破了脑袋。很浅的割伤。医生来看过了。"

坎迪慢慢吐出一口气。"你看见他摔倒的？"

"我来之前摔的。你很喜欢他，对吧？"

他没有回答。他脱掉韦德的鞋。我们一点一点脱光韦德的衣服，坎迪翻出一条绿色拼银色的睡裤。我们帮韦德穿上睡裤，把他搬到床里面，盖得严严实实的。他还在出汗，还在打鼾。坎迪哀伤地低头看着他，慢慢摇晃他油光光的脑袋。

"得有人照顾他，"他说，"我去换衣服。"

"你去睡一觉吧。我来照顾他。需要的话就叫你。"

他面对我。"你必须好好照顾他，"他用平静的声音说，"非常好。"

他走出房间。我走进卫生间，拿来一块湿洗脸巾和一块厚毛巾。

我把韦德稍稍翻过去一点，毛巾铺在枕头上，擦掉他头上的血污，我的动作很轻，免得他又开始流血。这时我看见了一条两英寸长的割伤。算不上什么。洛林医生的判断挺正确。缝几针自然没什么坏处，但也未必真的需要。我找到一把剪刀，剪掉伤口附近的头发，好让我贴上胶布。我把他翻回来，给他洗脸。这大概是个错误。

他睁开眼睛。刚开始眼神蒙眬，没有焦点，但很快就清澈起来，他看见我站在床边。他抬起手去摸胶布。他嘟囔着说了句什么，然后声音也变得清楚了。

"谁打了我？你？"他摸着胶布说。

"没人打你。你摔了一跤。"

"摔了一跤？什么时候？在哪儿？"

"你打电话的地方。你打电话给我。我听见你摔倒。在电话里。"

"我打电话给你？"他的笑容慢慢浮现。"永远随叫随到，是吧，朋友？几点了？"

"凌晨一点多。"

"艾琳呢？"

"去休息了。她有点受不住了。"

他默默地想了一会儿，眼睛里充满了痛苦。"我有没有——"他停下，皱起眉头。

"据我所知，你没碰她。你应该是这个意思吧。你只是漫无目标地走出前门，在靠近围墙的地方昏倒了。别说话了。睡觉吧。"

"睡觉？"他平静而缓慢地说，像是孩童在背课文，"那会是什么滋味？"

"也许吃粒药会有帮助。有吗？"

"抽屉里。床头柜。"

我拉开抽屉，看见一个装着红色胶囊的塑料药瓶。速可眠，1.5格令的规格。洛林医生开的处方药。和蔼的洛林医生。处方是开给罗杰·韦德夫人的。

我抖出两粒药，把药瓶放回去，拿起床头柜上的保温瓶倒了一杯水。他说一粒就够了。他吞下胶囊，喝了几口水，躺下继续看天花板。时间慢慢过去。我坐在椅子里望着他。他似乎没什么睡意。这时他开口了，说得很慢："我记得一些事情。帮我个忙，马洛。我发疯写了些东西，不希望艾琳看见。还在打字机上，掀开盖子就是。替我撕了。"

"没问题。你只记得这些？"

"艾琳没事吧？你确定？"

"确定。她只是累了。脑袋放空，韦德，别多想了。我就不该问你的。"

"别多想了，这位先生说。"他的声音里有了一丝睡意。他像是在自言自语。"别多想，别做梦，别爱，别恨。晚安，亲爱的王子。我要再吃一粒。"

我帮他吃药，他又喝了些水。他再次躺下，这次转过头来看着我。"听我说，马洛，我写了些东西，不希望艾琳——"

"你已经说过了。等你睡着了，我就去办。"

"哦，谢谢。有你在旁边真好。非常好。"

一段比较长的沉默。他的眼皮渐渐地越来越重。

"杀过人吗，马洛？"

"嗯。"

"感觉很糟糕，对吧？"

"有些人喜欢。"

他的眼睛完全闭上了，随即又睁开，但眼神蒙眬。"怎么可能？"

我没有回答。这双眼睛再次闭上，一点一点地，就像剧院里慢慢落下的幕布。他开始打鼾。我又等了一会儿，然后调暗灯光，走出房间。

27

我在艾琳的门口停下，听了一会儿。房间里没有任何响动，所以我没敲门。要是她想知道丈夫的情况如何，就自己去找答案吧。楼下的客厅显得明亮而空旷。我关掉几盏灯，站在前门附近仰望阳台。客厅中部挑空，与房屋内墙等高，裸露的大梁从中穿过，同时也支撑起了阳台。阳台很宽，两侧边缘的坚实护栏高约三英尺半。护栏的顶部和立柱切割成方形，以搭配横梁。穿过一道方形拱门是餐厅，拱门里嵌着双开的百叶门。我猜餐厅楼上是仆人房。二楼的这个区域用墙壁隔开，应该有另一条楼梯从厨房区域通上去。韦德的卧室在书房楼上，同样是拐角房间。我能看见从他卧室敞开的门里照出的灯光映在天花板上，还能看见他卧室门的最顶上一英尺。

我关掉所有的灯，只留下一盏落地灯，然后走向书房。书房关着门，但里面亮着两盏灯，一盏是皮沙发尽头的落地灯，另一盏是带灯罩的台灯。打字机在台灯下的沉重底座上，桌上它的旁边有一大堆乱糟糟的黄色打字纸。我坐进软垫椅，打量房间里的陈设。我想知道他是怎么割伤头部的。我坐进写字台前的椅子，电话在我的左手边。椅子弹簧很松，要是向后仰翻过去，脑袋有可能撞在桌角上。我润湿手帕，擦拭桌角的木头。没有血，什么都没有。桌上有很多东西，有两只青铜大象之间的一排书籍，有老式的方形玻璃墨水池。我擦了擦墨水池，没有任何结果。其实我找来找去没什么意义，因为假如他是被人袭击的，凶器未必会留在房间里。另外当时也没有其他人在场。我起身打开吊顶灯。灯光照进黑暗的角落，答案原来就这么简单。一个方形金属废纸篓翻倒在墙根，废纸撒了一地。这东西不会自己走到那儿去，所以肯定是被扔或踢过去的。我用润湿的手帕擦了擦废纸篓的尖角。这次我看见了棕红色的血迹。没什么悬疑可言。韦德后仰翻倒，脑袋撞在废纸篓的尖角上——应该只是擦了一下——然后自己爬起来，一脚把那个鬼东西踢到了房间另一头。就这么简单。

接下来他大概又飞快地喝了一杯。酒在沙发前的鸡尾酒桌上。一个空瓶，另一个四分之三满，一个保温瓶，一个银碗里盛着水，原先应该是冰块。杯子只有一个，而且是特大号的。

喝完酒，他觉得稍微好点了。他稀里糊涂地发现听筒没放好，很可能不记得他用电话干了什么。于是他走过去，把听筒放回底座上。时间刚好对得上。电话给人以强迫感。我们这个时代的人被工具驱使，爱它恨它又怕它。但他对电话总是毕恭毕敬，哪怕喝醉了也一样。电话是一种拜物教。

普通人会先打声招呼，确定电话没有通再放好听筒，但一个人喝得醉眼蒙眬还摔了一跤就未必了。再说这个细节并不重要。放好听筒的有可能是他妻子，她有可能听见丈夫摔倒和废纸篓碰到墙壁的声音，走进书房查看情况。而这时他最后喝的那杯酒已经上头，他踉踉跄跄走出屋子，穿过门前草坪，在我找到他的地方昏倒。有人会来找他。当时他不知道是谁。或许是好心人维林杰医生。

到这里都说得通。那么，他妻子会怎么做呢？她应付不了他，没法和他讲道理，甚至不敢接近他。所以她有可能请人来帮忙。仆人今天放假，因此只能打电话叫人。嗯，她给什么人打过电话。她打给了和蔼的洛林医生。先前我以为她是在我来了以后打电话给他的。实际上她并没有这么说。

接下来就开始对不上了。按理说她会去找他，发现他，确定他有没有受伤。一个温暖的夏夜，他在地上躺一会儿倒是没什么。她搬不动他。我使出了浑身力气才扛起他。但按理说你不该发现她站在敞开的门口抽烟，对丈夫的下落只有一个模糊的概念。还是说有可能？我不知道她在他身边有过什么样的遭遇，他在那种情况下会变得多么危险，她有多么不敢靠近他。"受得了的我已经受够了，"我来的时候她这么说，"你去找他。"然后她回到屋里，昏倒在地。

我还是想不通，但暂时只能这样了。我只能假定她经常遇到这种局面，知道她无能为力，只能顺其自然，因此这次她也该这么做。就这样。顺其自然。让他躺在外面地上好了，直到有足够体力的人赶来处理他。

但我还是想不通。坎迪和我抬他上楼回卧室，她却告退躲进了自己的房间，这一点我也想不通。她说她爱这个男人。他是她丈夫，他们已经结婚五年，他清醒时是个非常温和的好男人——这是她的原话。喝醉酒他就变了个人，必须避而远之，因为他很危险。好吧，算了吧。但不知为何，我就是想不通。假如她真的害怕，就不会站在敞开的门口抽烟。假如她只是怨恨、冷漠或嫌恶，就不会晕倒了。

肯定有其他的原因。比方说另一个女人。当时她刚刚发现。琳达·洛林？有可能。洛林医生这么认为，而且非常公开地这么宣称。

我不再多想，掀开打字机的盖子。东西就在里面，几张黄色打字纸，我应该销毁，免得被艾琳看见。我拿着它们走向沙发，心想我有资格倒杯酒边喝边看。书房有半个卫生间。我洗干净高脚杯，斟了一杯美酒，坐下开始阅读。我读到的东西委实癫狂。抄录如下。

28

满月已经过了四天，墙上有一方月光，看着我像是一只浑浊的偌大盲眼，墙壁之眼。开玩笑。蠢他妈到家的明喻。作家啊。每样东西都必须像另外一样东西。我的脑袋像掼奶油一样松软，但没那么甜。还是明喻。这个烂行当我想一想就能吐出来。不过我怎么都能吐出来。多半真的会吐。别催我。给我点时间。虫子在我心窝里爬啊爬啊爬。我应该回床上躺着，但床底下会有一只黑色野兽，黑色野兽会窸窸窣窣爬来爬去，自己搞自己，隔着床板往上搞，然后我会尖叫，但除我之外谁也听不见。尖叫梦，噩梦中的尖叫。没什么可害怕的，我不害怕，因为没什么可害怕的，但说归说，有一次我就那么躺在床上，黑色野兽对我做那事，隔着床板搞他自己，我高潮了。这比我做过的任何龌龊事情都要让我恶心。

我很脏。我需要刮脸。我的手在颤抖。我浑身冒汗。我能闻到我臭烘烘的。衬衫的腋下、胸口和后背都是湿的，袖管的肘弯褶皱也湿了。桌上的杯子空了。现在我要用双手才能倒满那东西。我可以拿起酒瓶灌一口，说不定能提神。鬼东西的味道让人恶心。它没法带我去任何地方。到最后我连觉都没法睡，神经饱受折磨，整个世界会在惊恐中呻吟。好东西，对吧，韦德？再来点。

头两三天没事，然后就一路下坡了。你痛苦，你喝一杯，会有一小会儿感觉好些，但代价越来越高，得到的越来越少，然后过了某个阶段，你除了反胃什么都得不到。然后你打电话给维林杰。好吧，维林杰，我来了。不，现在没有维林杰了。他去古巴或者死了。死在一个娘娘手上。可怜的老维林杰，什么样的命运啊，和一个娘娘死在床上——那种娘娘。来吧，韦德，起来，咱们出去走走。去咱们没去过和一旦去过就再也不会去的地方。这个句子有意义吗？没有。好的，反正也不指望它换钱。此处暂停，插播一个长广告。

好的。我做到了。我起来了。好一个男子汉。我走向沙发，我跪在沙发边，双手放在沙发上，我的脸压在手掌心，哭泣。然后我祈祷，又因为祈祷而鄙视自己。三级醉酒的人看不起自己。你他妈在祈祷什么，白痴？一个正常人祈祷，那是信仰。一个病人祈祷，他只是害怕。傻瓜才祈祷。这是你创造的世界，你创造它全靠你自己和你得到的一点点外部帮助——哼哼，那也是你创造的。别期待了，混账东西。给我站起来，喝了那杯酒。现在干别的已经来不及了。

好的，我拿起酒瓶。双手。也倒进了酒杯。几乎连一滴都没洒。现在就看我能不能喝下去而不呕吐了。还是加点水吧。现在端起杯子，慢慢来。悠着点儿，一口别喝太多。暖和起来了。热起来了。要是我能别出汗就好了。杯子空了。又回到桌上了。

月光裹着一层雾，但我还是稳稳地放下了杯子，小心，小心，就像把一束玫瑰插进长花瓶。露水压得玫瑰垂下脑袋。也许我就是一朵玫瑰。兄弟，我有露水吗？现在给我上楼。喝一口纯的鼓鼓劲儿？不喝？好的，随便你。带到楼上去，等着我。等我到了，总得有点盼头吧。要是我能上楼，就应该得到报偿。我给我的象征性奖赏。我对我自己（比较可爱的那一部分）的爱真是美好，没有情敌。

双倍行距。上去了又下来。不喜欢楼上。海拔让我心脏扑通扑通跳。但我还在敲打字机的这些按键。潜意识是何等伟大的魔法师。它要是能正常时间上下班就好了。楼上也有月光。多半是同一个月亮。月亮没有变化。它像送奶工似的来来去去，月亮的奶白色永远一样。奶白色的月亮永远——等一等，老弟。你怎么跷起二郎腿了？现在没空扯月亮的病史。整个该死的山谷里，你要操心的病史已经够多了。

她在侧身睡觉，无声无息。膝盖蜷起来。太安静了我觉得。一个人睡觉的时候总会发出声音。可能没睡着，可能在酝酿睡意。凑近一点我就会知道。说不定会摔下去。她睁着一只眼睛——还是没有？她在看我——还是没有？没有。否则她会坐起来说，你不舒服吗，亲爱的？对，我不舒服，亲爱的。但你别担心，亲爱的，因为这个不舒服是我的不舒服，不是你的不舒服，你就安安静静漂漂亮亮地睡吧，永远不要记起来，别让我黏糊糊的脏东西沾到你身上，别让阴暗灰色丑陋的东西靠近你。

你太蹩脚了，韦德。连续三个形容词，蹩脚作家。蹩脚作家你连意识流都非得搞出连续三个形容词吗我的天？我抓着栏杆下楼。我走一步胃里就翻腾一轮，我用一个承诺让内脏聚在一起。我到底层了，我到书房了，我到沙发上了，我等着心率慢下来。酒瓶就在手边。韦德家摆东西有一点值得称道，那就是酒瓶永远在手边。谁也不会把酒瓶藏起来，锁起来。谁也不会说，你难道不认为你喝够量了吗，亲爱的？你会害得自己不舒服的，亲爱的。谁也不会这么说。只会侧身睡觉，软绵绵的一堆玫瑰花。

我给坎迪的钱太多了。错误。应该从一袋花生给起，升级到一根香蕉。然后是一点小零钱，慢慢地悠着，永远让他保持渴望。你一开始就给他一大把钞票，很快他就有了资本。这儿一天的开销，他可以在墨西哥过一个月，而且活得潇洒又淫荡。有了资本，他会怎么做呢？嗯，假如一个人觉得他能搞到更多的钱，他有可能会觉得自己挣够了吗？也许没问题。也许我该宰了那个眼睛发亮的杂种。一个好人曾经为我而死，一个穿白衣的蟑螂为什么不行？

忘了坎迪吧。永远有办法磨钝一根针。另一位我永远忘不了。已经用绿色火焰刻在我的肝脏上了。

还是打个电话吧。正在失去控制。觉得它们在跳、跳、跳。赶紧打个电话，免得粉红色的小东西爬到我脸上。快打电话，打、打、打电话。打给苏城的苏。哈啰，接线员，帮我接长途。哈啰，长途，帮我接苏城的苏。她的号码？没有号码，接线员，只有名字。你会发现她沿着第十街走，背阴的一面，高高的木蜡树下，花穗已经展开……好吧，接线员，好吧。取消整个通话，听我说两句，不，我是说，让我问你一件事。要是你取消我这个长途电话，吉福德在伦敦举办的奢华盛宴谁来付账呢？是啊，你觉得你的位置稳当得很。你觉得而已。来，让我直接和吉福德说几句。叫他听电话。他的仆人刚给他上过茶。要是他接不成，咱们派个能接的人去。

我写这些到底是干什么？我尽量不去想的是什么？电话。快打电话。情况严重，非常，非常……

就这些了。我把几张纸叠起来，塞到前胸内袋的钱包背后。我过去打开法式落地窗，走到外面的露台上。月光有点残缺。但悠闲谷里现在是夏天，而夏天永远不会真的残缺。我站在那儿望着没有动静也没有色彩的湖面，思考，琢磨。然后我听见了枪声。

29

阳台上，亮着灯的两扇门都打开了，一扇门通往艾琳的房间，另一扇通往他的房间。艾琳的房间里没有人。他的房间里有搏斗的声音，我冲进去，发现她趴在床上和他撕扯。一把黑黝黝的枪陡然戳到半空中，两只手抓着枪，一只是男性的大手，一只是女性的小手，抓的都不是枪柄。罗杰在床上坐了起来，俯身向前推。艾琳身穿浅蓝色家居服，就是那种垫棉的夹衣，头发披在脸上，此刻她用双手抓住枪，使劲一扭，从他手里抢了下来。尽管他处于麻醉状态，她的力量还是让我吃了一惊。他倒下去，瞪着眼睛喘气，她向后退，撞在我身上。

她站在那儿倚着我，双手抓着枪死死按在身上。她一边喘息一边抽噎，痛苦得浑身发抖。我伸手绕过她的身体，按在那把枪上。

她猛地转身，像是这才发现我的存在。她瞪大眼睛，身体瘫进我的怀里。她松开了枪。这是一把笨重的武器，韦伯利双动左轮，击锤内置。枪管是热的。我用一条胳膊搂住她，把枪塞进我的衣袋，从她头顶望向罗杰。一时间谁也不说话。

然后他睁开眼睛，嘴唇上变出那种厌倦的微笑。"没人受伤，"他喃喃道，"只是朝天花板随便开了一枪。"

我感觉到她的身体变得僵硬。然后她从我怀里挣开。她的视线有了焦点，眼神清澈。我放开她。

"罗杰，"她的声音不比病人的耳语响到哪儿去，"难道非得这样吗？"

他像猫头鹰似的瞪着眼，舔舔嘴唇，没有说话。她走过去靠在梳妆台上，手机械地动起来，撩开脸上的头发。她从头到脚战栗了一次，从左到右摇头。"罗杰，"她又低声说，"可怜的罗杰。可怜不幸的罗杰。"

他直勾勾地望着天花板。"我做了个噩梦，"他慢慢地说，"一个人拿着匕首伏在床上。我不知道是谁。有点像坎迪，但不可能是坎迪。"

"当然不是了，亲爱的。"她柔声说。她离开梳妆台，走过去坐在床沿上。她伸出一只手，爱抚他的额头。"坎迪早就上床休息了。再说坎迪为什么会有匕首？"

"他是老墨。老墨都有匕首。"罗杰继续用冷淡而漠然的声音说，"老墨喜欢匕首。而且他不喜欢我。"

"没人喜欢你。"我粗暴地说。

她立刻扭头对我说："请——请不要这么说。他不清楚。他做了个梦——"

"枪原先放在哪儿？"我咆哮道，望着她，看也不看罗杰。

"床头柜。抽屉里。"他转过头，望着我的眼睛。床头柜的抽屉里原先没有枪，他知道我知道这一点。那个抽屉里放着安眠药和其他一些零碎物品，肯定没有枪。

"要么枕头底下，"他又说，"我的印象有点模糊。我朝那儿——"他抬起一只沉重的手，指着上方——"开了一枪。"

我抬起头。天花板的石膏吊顶上好像确实有个窟窿。我走到能看清楚的地方。对。就是子弹会打出来的那种窟窿。那把枪里出来的子弹能穿透天花板，打上阁楼。我回到床边，低头看着他，恶狠狠地瞪他。

"胡扯。你想自杀。你没做什么噩梦。你在自怜自艾的海洋里游泳。枪不在抽屉里或者枕头底下。你起床，取来枪，回到床上，你打算在床上了结整个烂摊子。但我觉得你没这个勇气。你开了一枪，没有瞄准任何东西。然后你老婆冲进来——这就是你想要的结果。朋友，你想要的就是怜悯和同情。没别的了。连扭打都是假装的。要是你不想被她抢走那把枪，凭她自己是做不到的。"

"我生病了，"他说，"但也可能你说得对。有关系吗？"

"这种情况下就有关系了。他们会送你进疯人院，请相信我，管疯人院的那帮家伙比乔治亚州看管劳改犯的警卫还没同情心。"

艾琳忽然站起来。"你说够了，"她厉声道，"他生病了，你知道的。"

"他就希望自己生病。我只是在提醒他，这么做会付出什么代价。"

"现在跟他说这些不合适。"

"你回自己房间去。"

她的蓝眼睛燃起怒火。"你怎么敢——"

"你回自己房间去。除非你希望我叫警察。这种事应该报警。"

他几乎笑了。"好啊，报警吧，"他说，"就像你对特里·莱诺克斯那样。"

我对这句话毫不在意。我依然盯着她。这会儿她显得疲惫和脆弱，而且非常美丽。怒火中烧的那一刻过去了。我伸出手，碰了碰她的胳膊。"没事了，"我说，"他不会再这么做的。你回床上去吧。"

她盯着罗杰看了好一会儿，然后走出房间。她的身影在门口消失后，我坐在了她刚才坐的床沿上。

"再吃两粒安眠药？"

"不了，谢谢。我睡不睡已经无所谓了。我觉得好多了。"

"那一枪我说的对不对？只是一时发疯在演戏？"

"差不多吧，"他转过头去，"我看我是昏头了。"

"要是你真的想自杀，谁也阻止不了。我明白这一点。你也明白。"

"是啊，"他依然望着别处，"你按我说的做了吗——打字机里的东西。"

"嗯哼。你居然记得，我很惊讶。内容够疯狂的。但说来有趣，字却打得很清楚。"

"我一向有这个本事，无论喝醉还是清醒——至少到某个程度没问题。"

"别担心坎迪，"我说，"你说他不喜欢你，你错了。我说没人喜欢你，我错了。我只是想刺激一下艾琳，让她生气。"

"为什么？"

"她今晚已经昏了一次。"

罗杰轻轻摇头。"艾琳从来不会昏过去。"

"所以是假装的。"

这个结论他同样不喜欢。

"一个好人为你而死——这是什么意思？"我问。

他皱起眉头，思索片刻。"瞎扯而已。我说过我做了个梦——"

"我说的是你打出来的那通胡话。"

这下他看我了，他在枕头上转动头部，样子好像脑袋重达千钧。"另一个梦。"

"我再问一次。坎迪抓到你什么把柄了？"

"闭嘴吧，哥们儿。"他说，闭上眼睛。

我起身关上门。"韦德，你不可能永远逃避下去。坎迪有能力勒索你，没错。很轻松。他甚至可以玩得很好，一方面喜欢你，一方面又拿你的钱。到底是什么事——女人？"

"你居然信了那个白痴洛林。"他闭着眼睛说。

"也不尽然。她妹妹呢？就是死掉的那个。"

这是一记乱拳，却凑巧正中红心。他猛然睁开眼睛，嘴唇上冒出白沫。

"所以——所以你才来这儿？"他用耳语般的声音慢慢地说。

"你知道得很清楚，我是被请来的。你请来的。"

他的脑袋在枕头上来回滚动。尽管吃了速可眠，歇斯底里依然在蚕食他。他脸上满是汗水。

"我不是第一个出轨的好丈夫。别烦我，混蛋，滚开。"

我走进卫生间，拿来一块擦脸毛巾，帮他擦脸。我轻蔑地朝他微笑。我是人渣里的人渣。等这家伙倒下了，然后才一脚接一脚踢他。他很虚弱。他无法反抗或还击。

"改天咱们好好谈一谈这件事。"我说。

"我没疯。"他说。

"你只是希望你没疯。"

"我一直活在地狱里。"

"哦，当然的。显而易见。有意思的是原因。来——吃了这个。"我从床头柜里又取出一粒速可眠，然后又倒了一杯水。他用胳膊肘撑起身体，伸手抓杯子，却偏了足足四英寸。我把杯子放在他手里，他吞下胶囊。然后他平躺下去，浑身瘫软，脸上没有任何表情，鼻子像是被人捏住了。他险些丧命。今晚他没法把任何人推下楼梯。不，其他晚上只怕也做不到。

等他的眼皮变得沉重，我走出他的卧室。韦伯利左轮的分量压着我的大腿，坠着我的口袋向下沉。我又开始向楼下走。艾琳的门敞着。她的房间没开灯，但月光够亮，勾勒出她站在门口里面的身影。她喊了一声什么，像是人名，但不是我的。我走向她。

"声音小点儿，"我说，"他又睡着了。"

"我一直知道你会回来，"她温柔地说，"哪怕已经过了十年。"

我打量她。我和她有一个在发疯。

"关上门，"她用充满爱意的声音继续说，"这么多年，我一直为你守身。"

我转身关上门。在当时似乎是个好主意。等我转过来面对她，她已经扑向了我。于是我接住她。我他妈非得接住不可。她将身体紧紧地贴着我，头发扫过我的脸。她抬起嘴唇，等待亲吻。她在颤抖。她张开嘴唇，分开牙齿，舌头伸了出来。然后她的手垂下去，扯了一下什么东西，身上的睡袍打开了，里面赤裸得就像《九月拂晓》[1]，但少了那份娇羞。

"抱我上床。"她悄声说。

我照她说的做。我用双臂搂住她。我碰到她柔软的皮肤、鲜嫩的

1　法国画家保罗·埃米尔·沙巴名作，描绘了一个清晨站在河水中略略弯腰的裸体女子。

肉体。我抱起她，走了几步到床边，放下她。她依然用双臂搂着我的脖子。她从喉咙里发出某种气音，然后她翻腾呻吟。真是要命。我硬得像一匹种马。我即将失控。这么一个女人这么诱惑你可不是每天都会发生的事情。

坎迪救了我。我听见轻微的吱嘎声，一转身看见门把手在转动。我挣脱她的怀抱，跳向房门。我开门冲了出去，老墨沿着走廊狂奔，然后开始下楼梯。楼梯下到一半，他停下脚步，转身斜着眼睛看我。再一转眼，他不见了。

我回去关上门——这次从外面关上。床上的女人在发出某种古怪的声音，但现在只是古怪的声音而已。魔咒已被打破。

我快步下楼，走进书房，抓起威士忌酒瓶就往嘴里送。等我咽不下去了，我靠在墙上喘息，让烈酒在体内燃烧，直到火焰抵达大脑。

吃晚饭已经是很久以前了。所有正常的事情都是很久以前了。威士忌的劲头来得既快又猛，我继续对着酒瓶狂饮，房间渐渐变得朦胧，家具颠三倒四，灯光仿佛野火或夏夜的闪电。然后我平躺在了皮沙发上，想把酒瓶在胸口立起来。酒瓶似乎空了。它滚下去，嗵的一声掉在地上。

这是我清楚记得的最后一件事。

30

一束阳光挠着我的一只脚腕。我睁开眼睛，看见一棵树的树顶在朦胧的蓝天下轻轻摇曳。我翻个身，皮革碰到我的面颊。一把斧头劈开我的脑袋。我坐起来。我身上有块盖毯。我掀开盖毯，把脚放在地上。我皱起眉头看钟。钟说还有一分钟到六点半。

我站起来，这个动作需要骨气，需要意志力，需要我的一大半力气，而我的体能现在大不如前了。艰难岁月已经狠狠地收拾了我。

我蹒跚着走向洗漱间，解开领带，脱掉衬衫，用双手接凉水浇在脸上，然后浇在头上。等我湿得滴水了，我用毛巾使劲擦干。我穿上衬衫，打好领带，拿起上衣，口袋里的手枪撞在墙上。我取出枪，打开弹仓，把子弹倒在手里，五颗完整的，有一颗只剩下熏黑的弹壳。然后我心想，有什么意义呢？反正子弹总有备用的。于是我把子弹填回去，拿着枪走进书房，塞进写字台的一个抽屉。

我抬起头，见到坎迪站在门口，漂漂亮亮地穿着他的白色外衣，头发向后梳，乌黑油亮，他眼神怨毒。

"喝咖啡吗？"

"谢谢。"

"我关了灯。老板挺好。在睡觉。我关上了他的门。你怎么喝醉了？"

"迫不得已。"

他嗤之以鼻。"没搞成她？被一脚踢出来了吧，包打听。"

"随你怎么说。"

"今天早晨你不怎么凶嘛，包打听。一点也不凶。"

"去给我端他妈的咖啡。"我朝他吼道。

"杂种！"

我一个箭步上去抓住他的胳膊。他没有动，只是轻蔑地看着我。我哈哈一笑，松开他的胳膊。

"你说得对，坎迪。我一点也不凶。"

他转身出去。没多久就端着一个银托盘回来，托盘上有盛咖啡的小银壶、糖、炼乳和整整齐齐叠成三角形的餐巾。他把托盘放在鸡尾酒桌上，收起空酒瓶和喝酒用的其他东西。他从地上捡起另一个酒瓶。

"新鲜的，刚煮好。"他说完就出去了。

我喝了两杯黑咖啡。然后试着抽烟。味道不错。我依然属于人类。然后坎迪又回来了。

"吃早餐吗？"他愁眉苦脸地说。

"不吃，谢谢。"

"那好，快滚吧。我们不希望你留在这儿。"

"我们是谁？"

他掀开一个盒盖，自己拿了一支香烟点上，傲慢地朝我吹了一口烟。

"老板由我照顾。"他说。

"有钱拿吗？"

他皱起眉头，然后点点头。"哦，当然。收入很好。"

"外快有多少——为了不泄露你知道的事情？"

他换回西班牙语。"听不懂。"

"你当然懂。你勒索了他多少钱？我赌不超过两码。"

"两码？那是多少？"

"两百块。"

他咧开嘴。"还是你给我两码吧，包打听。我就不告诉老板你昨晚从她房间里出来。"

"那能买整整一大车你这种湿背佬了。"

他耸耸肩，不以为然。"老板暴躁起来很凶的，包打听，你还是乖乖掏钱比较好。"

"地痞把戏，"我轻蔑地说，"你碰的都是这种小钱。喝多了乱来的男人有的是。再说他有什么不知道的？你没东西可以卖。"

他眼睛里有凶光。"总之你就别在这儿晃了，硬汉子。"

"我正要走。"

我起身，从桌子后面绕出来。他跟着动，继续面对我。我看着他的手，但今天早上他似乎没带刀。等我离他足够近了，我一个耳光扇在他脸上。

"仆人没资格叫我婊子养的，油脂球。我在这儿有正事要办，愿意来的时候自然会来。从今往后给我管好你的嘴。保不定会吃我两枪托。你那张漂亮脸蛋可就变样了。"

他毫无反应，连那一记耳光都像石沉大海。挨耳光，被我叫油脂球，对他来说应该是比死还严重的侮辱。但这次他只是傻站在那儿，一脸木然，动也不动。然后他什么都没说，端起咖啡托盘就出去了。

"谢谢你的咖啡。"我对他的背影说。

他脚步不停地向前走。等他消失了，我摸着下巴上的胡须茬，抖了抖身体，决定打道回府。我已经受够了韦德这一家子。

我穿过客厅，艾琳走下楼梯，她穿白色长裤、露趾凉鞋和浅蓝色衬衫。她看着我，大吃一惊。"马洛先生，我不知道你在这儿。"她说，像是有一个星期没见过我了，而我只是进来讨口茶喝的。

"我把他的枪放在写字台抽屉里了。"我说。

"枪？"然后她好像醒了过来。"哦，昨天夜里闹得有点厉害，对吧？但我还以为你已经回家了。"

我走近她。她脖子上有一条细细的金项链，挂着个白底蓝珐琅镶金的漂亮吊坠。蓝色部分像是一双翅膀，但没有展开。底下的白色部分比较宽，还有一把金色匕首刺穿一个卷轴。我看不清上面的文字。应该是某种军队徽章。

"我喝醉了，"我说，"存心的，而且不太体面。我有点孤独。"

"没必要的。"她说，眼神清澈如水，里面找不到一丝愧疚。

"观点问题，"我说，"我要走了，不确定还会不会回来。听见我说枪放在哪儿了吗？"

"他的写字台抽屉里。换个其他地方收起来似乎更好。但他不是真的想自杀，对吧？"

"这个问题我答不上来。但下次就难说了。"

她摇摇头。"我不这么认为。真的不这么认为。昨晚你帮了个大忙，马洛先生。我不知道该怎么谢你。"

"你努力尝试过了。"

她涨红了脸，然后大笑道："昨晚我做了个特别奇怪的梦。"她慢慢地说，视线越过我的肩膀。"我曾经认识的一个人在屋子里。一个去世已经十年的人。"她抬起手，手指抚摸镶金的珐琅吊坠。"所以我今天才会戴上这个。这是他送给我的。"

"我也做了个怪梦，"我说，"但我不会告诉你。有空告诉我罗杰的情况，需要帮忙尽管说。"

她垂下视线，望着我的眼睛。"但你说你不会回来了。"

"我说我不确定。也许还会回来。希望不用回来。这幢屋子里有什么事情非常不对劲。通过酒瓶冒出来的只是其中一部分。"

她盯着我，皱起眉头。"这话什么意思？"

"我觉得你很清楚我在说什么。"

她仔细想了一会儿，手指依然在轻轻抚摸吊坠。她坚忍地喟然长叹。"永远会有另一个女人，"她静静地说，"迟早的事。未必是决定性的。咱们在各说各的，对不对？咱们说的甚至不一定是同一件事，你说呢？"

"有可能。"我答道。她依然站在台阶上，从下往上第三级台阶。她依然在摸吊坠。她依然像个金色的美梦。"尤其是你想到另一个女人是琳达·洛林的时候。"

她的手从吊坠上落下来，她下了一级台阶。

"洛林医生似乎和我有同感，"她冷漠地说，"他肯定有他的情报来源。"

"你说过他和山谷里的一半男人演过那场戏。"

"是吗？好吧——当时那么说似乎比较得体。"她又下了一级台阶。

"我没刮脸。"我说。

她吃了一惊，然后笑道："哦，我没指望你和我做爱。"

"那你指望我什么，韦德夫人——刚开始你说服我去找你丈夫的时候？为什么选我——你看上了我的哪一点？"

224

"你守信用，"她静静地说，"即便在很难做到的情况下。"

"我很感动。但我不认为是因为这个。"

她走下最后一级台阶，然后抬头看着我。"那会是因为什么呢？"

"就算是，也是个非常可笑的理由。大概是全世界最烂的理由了。"

她微微皱起眉头。"为什么？"

"因为我做的事情，你所谓的守信用，连傻瓜都不会做第二次。"

"知道吗，"她淡淡地说，"咱们的谈话越来越像在猜谜语了。"

"你是个谜一样的女人，韦德夫人。再见了，祝你好运，要是你对罗杰还有一丁点儿真正的关心，就给他找个对路的医生吧——尽快。"

她又笑了。"哦，昨晚那只是轻微的发作。你该看看他严重发作的时候。今天下午他就会起来工作了。"

"别胡说，他不会的。"

"请相信我，他会的。我太了解他了。"

我给了她最后的当头一击，听上去非常险恶。

"你不是真的想救他，对不对？你只是想表现得像是在救他。"

"你这么说我，"她一字一顿地说，"就实在太残忍了。"

她从我身旁走过，进了餐厅的双开门，宽敞的客厅里只剩下我一个人，我走向前门，自己开门出去。避世的明媚山谷，一个完美的夏日清晨。这儿离城区很远，因此没有雾霾，而丘陵挡住了太平洋的潮气。很快就会热起来，是优雅精致的那种热，不是沙漠的酷热，也不是城区黏糊糊臭烘烘的闷热。悠闲谷是个完美的生活场所。完美。好人，好房屋，好车，好马匹，好狗，说不定连孩童都很好。

但有个叫马洛的人一门心思只想出去，而且要快。

31

我回到家，洗澡，刮脸，换衣服，觉得自己又是个干净人了。我做早餐，吃饭，洗碗，打扫厨房和后门廊，填烟斗，拨通电话答录服务的号码。没人找我。何必去办公室呢？除了又一只死蛾子和又一层灰尘，办公室什么都不会有。保险箱里有一张麦迪逊肖像。我可以过去把玩它，或者把玩还带着咖啡味的五张百元新钞。我可以，但我不想。我心里有一块地方不痛快。这些钱并不真的属于我。它们本来是用来买什么的呢？一个死人能用得上多少忠诚呢？呸，我在隔着宿醉的浓雾看人生。

今天的早晨属于似乎永远过不完的那种。我没精打采、疲惫、迟钝，一分一秒过去的时间像是掉进了虚空，柔和的呼呼声音像是耗尽燃料的火箭。鸟儿在窗外的灌木丛里啁啾鸣叫，车辆没完没了地在月桂山谷大道上来来往往。平时我听不见这些声音，但此刻我阴郁、暴躁、乖戾、过度敏感。我决定干掉宿醉。

通常我不会在上午喝酒。南加州的气候太温和，不适合这么做。你的新陈代谢运转得不够快。不过今天我调了高高的一杯冰酒，敞着衬衫坐进安乐椅，有一搭没一搭地看杂志，读一个疯狂的短篇小说，故事里的男人过着双重生活，有两个精神科医生，一个是人类，另一个是虫巢里的一只什么昆虫。男人不停地在两者之间换来换去，整个故事疯得活像嗑了药，但有一种脱线的滑稽感。我小心翼翼地应付这杯酒，每次只抿一口，留意自己的情况。

快到中午的时候，电话响了，一个女声说："我是琳达·洛林。我打到你办公室，答录服务叫我试试你家。我想见你。"

"为什么？"

"我更愿意面对面解释。我想你时不时还是会去办公室的吧？"

"当然。时不时。有钱可挣吗？"

"我没怎么想过这个问题。不过假如你希望得到酬劳，我也没什么可反对的。大约一小时后，我到你办公室。"

"好的呀。"

"你这是怎么了？"她厉声问。

"宿醉。不过还能动弹。我会去的。除非你愿意来我这儿。"

"你的办公室更适合我。"

"我这儿既幽静又舒服。一条断头路，附近没邻居。"

"我对你的暗示不感兴趣——假如我没理解错的话。"

"没有人理解我，洛林夫人。我是一个谜。好吧，我会挣扎着去办公室的。"

"非常感谢。"她挂断电话。

我迟到了，因为路上我停车买了个三明治。我给办公室通风，打开电铃开关，把脑袋伸出连接门，发现她已经来了，坐在"门迪"门南德斯坐过的椅子上，正在看的杂志多半也是同一本。她今天穿茶色的华达呢套装，看上去颇为优雅。她放下杂志，一本正经地打量我，说："你的波士顿蕨需要浇水，我觉得还需要重新装盆，气根太多了。"

我为她拉开门。去他妈的波士顿蕨。她走进我的办公室，我松手让门自己关上，我为她拉开给客户坐的椅子，她和其他人一样扫视整间办公室。我绕回办公桌后我的那一侧。

"你这一摊不怎么富丽堂皇嘛，"她说，"连秘书都没有？"

"一种卑微的生活，不过我已经习惯了。"

"我猜也不怎么挣钱吧。"她说。

"哦，这个难说。要看了。想见识一下麦迪逊的肖像吗？"

"你说什么？"

"一张五千块的钞票。聘金。我收在保险箱里了。"我起身走向保险箱。我转动旋钮，打开保险箱，打开里面一个抽屉的钥匙锁，打开一个信封，把钞票倒在她面前。她瞪着五千块，表情很像惊愕。

"别被办公室的外观骗住，"我说，"有段时间我帮一个老小子办事，他的财产换成现金足有两千万。连你老头子也要向他问好。他的办公室不比我这间强，除了他有点聋，天花板镶着吸音材料。地上是棕色油毡地垫，没铺地毯。"

她拈起麦迪逊肖像，夹在手指间翻个面，然后重新放下。

"特里给你的，对吧？"

"天哪，你什么都知道，洛林夫人，是不是？"

她把钞票从面前推开，皱眉道："他有一张。自从他和西尔维娅复婚，他就一直带在身上。他说这是他的发疯钱。在尸体上没有找到。"

"也可能有别的来路。"

"我知道。但有几个人会带着一张五千块的钞票走来走去？有几个能给你这么大一笔钱的人会用这种形式给你？"

这个问题不值得回答。我只是点点头。她继续直话直说。

"这笔钱本来要雇你做什么，马洛先生？你会告诉我吗？你开车送他去蒂华纳，一路上他有很多时间和你交谈。那天晚上你说得很清楚，你不相信他的自白书。他是不是给了你一张他妻子的情人名单，好让你在里面找到杀人凶手？"

这个问题我同样没有回答，但出于另一个原因。

"罗杰·韦德的名字会不会凑巧就在名单上？"她厉声问我，"假如特里没杀他妻子，凶手肯定是某个不负责任的暴虐男人，一个疯子或者野蛮的酒鬼。只有这种人才会——用你令人反胃的原话说——把她的脸砸成血淋淋的肉酱。所以你伺候韦德夫妇才那么上心，一个随叫随到的老妈子，他喝醉了去照顾他，他跑丢了去找他，他走投无路了就带他回家。"

"请允许我纠正你的两个错误，洛林夫人。这张美丽的雕版肖像也许是也许不是特里给我的，但他没有给我任何名单，也没有提到任何名字。他没有求我做任何事，除了你似乎很确定的开车送他去蒂华纳。我和韦德夫妇扯上关系是一个纽约出版商的杰作，他想让罗杰·韦德写完手上的书都急疯了，这牵涉到让他保持相对清醒，反过来又牵涉到搞清楚有没有什么特别的麻烦事导致他酗酒。假如有，而且能找到原因，那么下一步就是尽量解决问题。我说尽量，有可能解决不了，但试一试总是可以的。"

"我一句话就能说清楚他为什么酗酒，"她轻蔑地说，"他娶了那个贫血的金发花瓶。"

"哦，我说不准，"我说，"我可不会说她贫血。"

"是吗？真有意思。"她的眼睛闪闪发亮。

我捡起我的麦迪逊肖像。"别胡思乱想，洛林夫人。我没有和那位女士睡觉。很抱歉，让你失望了。"

我走向保险箱，把钞票收进带锁的小抽屉，关上保险箱门，转动旋钮。

"转念一想，"她在我背后说，"我很怀疑到底有没有人和她睡觉。"

我回去坐在办公桌的一角上。"嘴巴越来越毒了嘛，洛林夫人。为什么？你单恋咱们那位酗酒的朋友？"

"我讨厌这种胡话，"她恶狠狠地说，"非常讨厌。我猜是我丈夫演的白痴一幕让你觉得有资格侮辱我。不，我没有单恋罗杰·韦德。从来没有过，他清醒着举止得体的时候都没有，现在这个样子就更不可能了。"

我一屁股坐进我的椅子，伸手去拿火柴盒，眼睛盯着她。她看一眼手表。

"你们这些有钱人真是了不起，"我说，"会觉得愿意说什么都行，再龌龊也没问题。你们可以在一个几乎不认识的人面前冷嘲热讽韦德和他妻子，但我稍微顶撞你一句，那就是侮辱了。好吧，咱们把话摊开来说。每个酒鬼迟早都会搭上一个放荡女人。韦德是酒鬼，但你不是放荡女人。你的高贵丈夫只是在随口乱说，活跃鸡尾酒会的气氛罢了。他不是真心的，无非是为了博得满堂哄笑。因此咱们可以排除你，去别处找那个放荡女人。洛林夫人，想找一个和你牵连够深、能让你专程跑来和我互相嘲笑的女人，你说我们需要走多远呢？她对你来说肯定很特别，对吧？否则你何必这么在乎？"

她坐在那儿，不发出任何声音，只是看着我。漫长的半分钟过去了。她嘴角发白，双手紧紧抓住搭配套装的华达呢挎包。

"你没有完全浪费自己的时间，对吧？"她最后说，"多么方便啊，这位出版商居然会想到要雇你！所以特里没向你提到任何名字！一个也没有。但其实也无所谓，对吧，马洛先生？你的本能不会犯错。我能问一下你接下来打算做什么吗？"

"什么都不做。"

"哎呀，多么浪费你的天赋！你对麦迪逊肖像的义务就这么妥协了吗？你当然有事情可以做。"

"咱俩私下里说说，"我说，"你有点动感情了哎。所以韦德认识你妹妹。谢谢你告诉我，尽管没有直说。不过我已经猜到了。那又怎样？他多半只是一大本集邮册里的一小张。这个话题到此为止好了。咱们还是来说说你为什么想见我吧。东拉西扯之中忘干净了，是不是？"

她站起身，又看了一眼手表。"我的车停在楼下。我能不能说服你送我回家喝杯茶？"

"来吧，"我说，"说服我。"

"我听上去就这么可疑吗？我有个客人想认识认识你。"

"老头子？"

"我不这么叫他。"她淡然道。

我站起来，隔着桌子探身。"宝贝儿，有时候你实在可爱极了。真的。我带枪没问题吧？"

"你当然不会害怕一位老人吧。"她朝我撇撇嘴。

"为什么不怕？我打赌你就——很怕。"

她叹息道："对，很抱歉，我确实怕他，从小就怕。他有时候非常吓人。"

"那我还是带两把枪好了。"我说，然后希望我没这么说。

　　我从没见过这么难看的一幢屋子。它是个四四方方的灰色盒子，高三层，陡峭的双重斜坡屋顶上有二三十扇双开的老虎窗，窗户之间和周围有许多结婚蛋糕般的装饰物。大门两侧各有一对石柱，但这地方最妙的是一道室外旋梯，带石头扶手，顶上是个塔楼房间，那里肯定能看到整个湖面。

　　停车场铺着石子。要说这地方缺什么，大概是白杨林立的半英里长车道、鹿苑、野生植物花园、三层楼每层的露台和图书室窗外的几百株玫瑰，从每扇窗户望出去都该是郁郁葱葱的美景，绵延伸向森林、寂静和安谧的虚无。然而实际上这里有一道石板墙，围绕着足足十到十五英亩土地，在我们这个人满为患的小国家，算是好大一块不动产了。车道两侧是修剪得浑圆的柏树树篱。这儿那儿点缀着成丛成簇的各种装饰性树木，看起来都不像加州的树木。外来物种。建造者企图把大西洋海滨越过落基山脉拽到这儿来。勇气可嘉，却没有成功。

　　阿莫斯，那位中年黑人司机，将凯迪拉克轻柔地停在石柱大门前，跳下车，绕过来为洛林夫人开门。我先下车，帮他扶住车门，然后扶她下车。从我们在我那幢楼门口上车到现在，她几乎没和我说过话。她显得既疲惫又紧张。也许这一大坨愚蠢的建筑物让她沮丧。笑口常开的缺心眼见到这东西也会沮丧，像哀伤的鸽子似的咕咕叫。

"这地方是谁建的？"我问她，"他到底在生谁的气？"

她终于笑了。"你没见过它？"

"没来过谷里这么深的地方。"

她走到车道的另一侧，抬起手指给我看。"建造者从塔楼房间跳了下来，就掉在你站的那个地方。他是个法国伯爵，姓拉图雷，和绝大多数法国伯爵不一样，他有很多钱。他妻子叫拉蒙娜·德斯伯勒，本身也不穷。默片时代她一周挣三万块。拉图雷建造了这地方，当作两人的家。本来想建成布卢瓦城堡的缩小版。布卢瓦城堡你当然知道了，对吧？"

"了如指掌。"我说，"我记起来了。周日版用特辑报道过。她离他而去，他自杀。遗嘱好像很奇怪，对吧？"

她点点头。"他留给前妻几百万生活费，剩下的打包作为信托基金。他的不动产必须保留原样。不得改变任何细节，餐桌每晚要摆得富丽堂皇，除仆人和律师外的其他人一律不得入内。当然了，遗嘱已经停止执行。不动产最终被分割出售，我嫁给洛林医生时，我父亲把屋子当结婚礼物送给我。光是修缮到能住人的程度大概就花了他一大笔钱。我讨厌它。向来讨厌。"

"你不是非得住在这儿吧？"

她疲惫地耸耸肩。"至少有一部分时间要住。总得有一个女儿让他看到些安稳生活的迹象吧。洛林医生很喜欢这儿。"

"我猜也是。一个人会在韦德家演那么一出戏，穿睡裤都应该打绑腿。"

她挑起眉毛。"哎呀，马洛先生，谢谢你这么感兴趣。不过这个话题我觉得已经谈得够多了。咱们进去如何？我父亲不喜欢等人。"

我们再次穿过车道，爬上石砌台阶，走进无声无息打开的巨大双开门之中的一扇，一个浑身贵气、看上去异常势利的家伙站在旁边为我们开门。我那幢屋子的建筑面积加起来都不如眼前的门厅大。脚下铺着棋盘格的地砖，后侧的窗户似乎镶着花玻璃，要是有光线从窗口照进来，我也许能看清那头究竟还有什么。我们从门厅又穿过几扇雕花的双开门，最后走进一个长度至少七十英尺的昏暗房间。一个男人坐在房间里等待，他一言不发，冷冷地望着我们。

"父亲，我迟到了吗？"洛林夫人急切地问，"这位是菲利普·马洛先生。哈兰·波特先生。"

男人只是盯着我，下巴向下压了大约半英寸。

"打铃叫茶，"他说，"坐下，马洛先生。"

我坐下，望着他。他望着我，像昆虫学家在看甲虫。三个人谁也不说话。死寂笼罩了房间，直到茶被送来。茶在一个巨大的银质托盘上，托盘放在一张中式桌子上。琳达在桌旁坐下，给我们斟茶。

"两杯，琳达，"哈兰·波特说，"你可以去另一个房间喝茶。"

"好的，父亲。马洛先生，你的茶要怎么喝？"

"随便。"我说，声音似乎回荡在遥远的地方，变得微小而孤单。

她给老头子送上一杯，然后给我一杯。她默默地站起来，走出房间。我目送她离开。我喝了一口茶，掏出一支烟。

"请不要抽烟。我有哮喘。"

我把烟放回烟盒里。我望着他。我不知道身家上亿是什么感觉，但看他的样子似乎没有乐趣可言。他身躯庞大，身高六英尺五，体格与之相配。他穿灰色粗花呢套装，没有垫肩。他的肩膀不需要那玩意儿。他穿白衬衫，打黑领带，胸前没插手帕。外胸袋里露出一个眼镜盒，和皮鞋一样，是黑色的。他的头发也是黑色的，一根灰发都没有。头发梳着麦克阿瑟的偏分发型，我的直觉说底下只有光秃秃的头皮。他的眉毛浓密而乌黑。他的声音像是来自远方。他喝茶的样子像是讨厌这东西。

"为了节约时间，马洛先生，我就直接摆出我的立场吧。我认为你在插手我的事务。要是我说对了，我建议你罢手。"

"我对你的事务所知有限，波特先生，因此不可能插手。"

"我不同意。"

他又喝了一口茶，放下杯子。他在宽大的椅子里向后靠，灰眼睛里射出的强硬视线把我切成碎片。

"我自然知道你是谁。也知道你靠什么谋生——假如那也算谋生——知道你怎么牵涉上了特里·莱诺克斯。有人向我报告称你协助特里逃出美国，后来又接触了我过世女儿认识的一个男人。其中的原因我没有得到解释。解释一下。"

"这个人有名字吗？"我说，"说来听听。"

他露出最细微的一丝笑容，但不像对我有好感的样子。"韦德。罗杰·韦德。好像是个什么作家，据说写了一些我不可能感兴趣的低俗书籍。另外我还知道这个人是个危险的酒精成瘾者。也许你因此有了个奇怪的念头。"

"也许你还是让我留着我那些念头比较好，波特先生。它们当然并不重要，但我也只有这些念头了。首先，我不相信特里杀了他妻子，因为犯罪手法，也因为我不认为他是那种人。其次，我没有主动接触韦德。有人雇我去他家住，尽我所能帮他保持清醒，直到他完成写作任务。第三，据说他是个危险的酒精成瘾者，但我并没有看到任何迹象。第四，我最初和韦德扯上关系是他的纽约出版商想雇我，当时我根本不知道罗杰·韦德认识你女儿。第五，我没接那个活儿，然后韦德夫人求我去找她在某处接受治疗的丈夫。我找到他，送他回家。"

"非常有条理。"他干巴巴地说。

"我的条理还没说完呢，波特先生。第六，你或听你使唤的某个人派了个叫休厄尔·恩迪科特的律师把我捞出拘留所。他没说是谁派他去的，但整件事里不会有别人了。第七，我从拘留所出来以后，一个叫'门迪'门南德斯的黑道人物吓唬我，警告我别多管闲事，载歌载舞地向我讲述特里如何救了他和拉斯维加斯一个叫兰迪·斯塔尔的赌场人士。据我所知，这个故事应该是真的。门南德斯假装生气，因为特里亡命墨西哥没有找他帮忙，而是找了我这么一个瘪三。他，门南德斯，动动手指就能办妥，而且比我办得好十倍。"

"你当然，"哈兰·波特露出阴森森的笑容，"不会认为门南德斯先生和斯塔尔先生有可能算是我的熟人吧。"

"这我就说不上来了，波特先生。一个人用我能理解的方式可挣不出你那份身家。接下来劝我离法院草坪远点的是你女儿，洛林夫人。我们是凑巧在酒吧认识的，会交谈只因为我们都在喝螺丝起子，那是特里最喜欢的鸡尾酒，但在这附近不太寻常。要是她不告诉我，我根本不知道她是谁。我对她说了点我对特里的观感，她说要是惹你生气，我的职业生涯会变得短暂而不幸。波特先生，请问你生气吗？"

"要是我生气了，"他冷冷地说，"你不用问我。你会非常确定地知道。"

"我也这么想。我一直在等黑帮打手登门拜访，但目前为止他们还没来过。条子也没来烦过我。按理说他们应该来的，我应该吃不少苦头的。波特先生，我猜你想要的无非是一个清静。我到底干了什么打扰你的事情？"

他咧嘴笑笑。冷笑，但毕竟笑了。他并拢修长泛黄的手指，一条腿翘到另一条腿的膝头，舒舒服服地向后靠。

"好一碗迷魂汤，马洛先生，我允许你把话说完了。现在轮到你听了。你说我想要的无非是一个清静，没错。你和韦德夫妇的联系仅仅是偶然、意外和巧合，很有可能。就这样维持下去好了。我是个注重家庭的男人，虽说在这个时代，家庭变得几乎毫无意义。我的一个女儿嫁给一个波士顿道学先生，另一个结了好几次愚蠢的婚，最后嫁给一个彬彬有礼的叫花子，他允许她过她毫无意义的堕落生活，直到忽然有一天无缘无故地失去理智杀了她。你觉得难以接受是因为犯罪手法过于凶残，但你错了。实际上，他开枪打死了她，用的是一把毛瑟自动手枪，就是他带去墨西哥的那把枪。接下来他做的那些事情是为了掩饰枪伤。我承认手法确实凶残，但请记住这个人上过战场，负过重伤，经受过巨大的痛苦，也见过其他人受苦。他未必是存心杀死她的。两人有可能扭打过，因为那把枪属于我女儿，虽然小，但力量很大，7.65毫米口径，PPK型号。子弹打穿她的头部，嵌在印花棉布窗帘后的墙上，没有当场寻获，这个细节完全没有公开。因此咱们考虑一下当时的情形。"他停下，盯着我，"你是不是非得抽烟才行？"

"对不起，波特先生，我不由自主就拿出来了。习惯成自然。"我第二次收起那支烟。

"特里杀死了妻子。从警方极为局限的角度来看，他有充足的犯罪动机。但他也有最好的辩护理由——枪属于我女儿，由她持有，他想从她手上抢过来，但没有成功，枪走火打死了她自己。一个好律师能抓住这一点大做文章。他甚至很可能会被无罪释放。假如他立刻打电话给我，我肯定会帮助他。但他用凶残的手段掩饰枪伤，那就没办法了。他只能逃跑，然而他连逃跑都逃得很不高明。"

"确实如此，波特先生。但他先打电话到帕萨迪纳找过你，对不对？他告诉了我。"

大块头男人点点头。"我叫他藏起来，我来看看该怎么办。我不想知道他的下落。这是绝对必要的。我不能窝藏罪犯。"

"听上去不错嘛，波特先生。"

"我是不是听到了一丝讽刺？没关系。然后我得知了细节，我就没有办法可想了。这种杀人案会带来的那种审判是我无法接受的。实话实说，当我听说他在墨西哥留下自白书后开枪自杀，我觉得非常庆幸。"

"我能够理解，波特先生。"

他朝我皱起眉头。"当心点，年轻人。我不喜欢嘲讽。现在你可以理解我为什么不能容忍任何人以任何形式进行任何调查了吧？还有我为什么会运用全部影响力，尽量缩短警方调查时间和减少媒体报道了吧？"

"当然——假如你能确定是他杀了你女儿。"

"当然是他杀的。出于什么意图是另一码事。再说也不重要了。我不是公众人物，也不想当公众人物。我一向费尽周折避免任何形式的曝光。我有影响力，但不会滥用。洛杉矶县的地区检察官很有野心，他头脑清楚，不会为了眼前的名声毁掉职业生涯。我看见你的眼睛亮闪闪的，马洛。别这样。我们生活在所谓的民主社会，多数人统治少数人。一个美好的理念，要是行得通就更好了。人们选举，但提名候选人的是党派机器，党派机器的有效运转依赖于花费大量金钱。钱必须由某人出，这个某人无论是个人还是财团、商会或其他组织，都会期待一定的回报。我和我这种人期待的是允许我们享受体面的隐私生活。我拥有几家报纸，但我不喜欢它们，在我看来，它们永远在威胁我们所剩无几的隐私。它们总在叫嚣的新闻自由，除了极少数可敬的例外，只是兜售丑闻、犯罪、性爱、感官刺激、仇恨和含沙射影的自由，只是政治和金钱利用宣传工具的自由。报纸这门生意挣钱靠的是广告收入。广告收入取决于发行量，你知道发行量取决于什么。"

我站起身，绕着椅子走了一圈。他冷冰冰地注视着我。我重新坐下。我需要一点运气。妈的，我需要车载斗量的运气。

"好吧，波特先生，然后呢？"

他没在听我说话。他皱着眉头，陷入自己的思绪。"金钱有个特别之处，"他继续道，"数量大了，它就会拥有自己的生命，甚至自己的道德准则。金钱的力量会变得难以控制。人类向来是贪婪的动物。人口的增长，战争的海量消耗，抢夺性重税的无止境压力——这些东西让人类变得越来越贪婪。普通人活得疲惫而惶恐，一个疲惫而惶恐的人负担不了理想。他必须养家糊口。我们这个时代见识了公德和私德的令人震惊的退步。人们的生活遭受品质缺乏的戕害，你不可能期待他们拥有品质。大规模生产没有品质可言。你不希望货物的品质太好，因为品质好就会太耐用。于是你用式样替代品质，这是一种商业欺诈，旨在人工营造过时的感觉。大规模生产必须让今年的货物到明年看上去不够时髦，否则明年的货物就卖不出去了。我们拥有全世界最洁白的厨房和最闪亮的卫生间。然而可爱的洁白厨房没法让普通的美国家庭主妇做出能下嘴的食物，而可爱的闪亮卫生间基本上只

240

是个容器，用来存放除臭剂、通便药、安眠药和所谓化妆品业这个欺诈行当生产的各色产品。我们制造全世界最精美的包装，马洛先生，里面的东西以垃圾为主。"

他掏出一大块白色手帕，擦了擦太阳穴。我半张着嘴巴呆坐在椅子上，琢磨老先生到底在激动什么。他厌恶一切。

"这地方对我来说太温暖了，"他说，"我更习惯比较凉爽的气候。我是不是越说越像一篇忘记想证明什么的社论了？"

"我听懂了你的意思，波特先生。你不喜欢世界运行的方式，于是运用权力制造出一个私密的角落，尽可能像你记忆中五十年前大规模生产时代没到来时的人们那样生活。你有上亿家产，给你带来的却只有头疼。"

他抓住对角两端拉紧手帕，团成球塞进口袋。

"然后呢？"他没好气地问。

"就这样，没别的了。你不在乎谁杀了你女儿，波特先生。很久以前你就当她是败类，断绝了往来。就算特里·莱诺克斯没有杀她，真正的凶手依然逍遥法外，你同样不在乎。你不希望他落网，因为那会复活丑闻，接下来的审判和抗辩会把你的隐私炸得比帝国大厦还高。当然了，除非他乐于助人，愿意在审判前自杀。最好在塔希提、危地马拉或者撒哈拉沙漠中央自杀。反正是本县政府不愿花钱派人去核实情况的某个地方。"

他忽然笑了，笑容灿烂而粗犷，而且还不乏友善。

"马洛，你想从我这儿得到什么？"

"假如你的意思是多少钱，不，我不要。我不是自己想来的，而是被带来的。至于我是怎么认识罗杰·韦德的，我说的是实话。但他确实认识你女儿，而且有暴力行为的历史，尽管我没有亲眼见过。昨天夜里他企图自杀。他内心遭受折磨。他有个巨大的负罪情结。假如我凑巧在找一个像样的嫌犯，他倒是对得上。我知道他仅仅是许多情人里的一个，但我凑巧也只认识他一个。"

他站起身，站起来的他确实庞大，而且凶恶。他走过来站在我面前。

"一通电话，马洛先生，就能吊销你的执照。别和我对着干，我不会容忍的。"

"两通电话，等我醒来会嘴贴阴沟，后脑勺缺了一块。"

他粗声粗气地大笑。"我不是这么做事的。我猜在你那个稀奇的行当里，你这么想也是自然而然的。我给了你太多的我的时间。我叫管家送你出去。"

"不用了，"我说，也站起来。"我来了，听了你的一席话。谢谢你的时间。"

他伸出手。"谢谢你跑这一趟。我觉得你这个人挺地道的。别逞英雄，年轻人，没钱可拿的。"

我和他握手。他的手劲堪比管钳。这会儿他的笑容倒是很亲切。他是老大，是赢家，一切都在他控制之下。

"过一阵也许能给你点生意做做，"他说，"别以为我会收买政客或执法人员，没那个必要。再见了，马洛先生。再次感谢你跑这一趟。"

他站在那儿，目送我走出房间。我的手刚放在大门上，琳达·洛林忽然从某个角落钻了出来。

"怎么样？"她静静地问我，"和我父亲合得来吗？"

"很好。他向我解释人类文明，我指的是他眼中的人类文明。他打算让它再稍微多延续一段时间，但最好当心一点，不要干涉他的私人生活。否则他恐怕会打电话给上帝，取消整个订单。"

"你真是无药可救。"她说。

"我？我无药可救？这位女士，好好看一眼你家老头子。和他相比，我就是个拿着崭新拨浪鼓的蓝眼睛小宝宝。"

我走了出去，阿莫斯和凯迪拉克已经在等我了。他送我回好莱坞。我想给他一块钱，但他不肯接受。我想买本T. S.艾略特诗集送他。他说他有了。

33

一周悄然过去，韦德夫妇杳无音信。天气炎热，黏糊糊的。刺鼻的雾霾已经向西蔓延到了贝弗利山。站在穆赫兰公路的最高处，你能看见它像平流雾似的平摊在整座城市上空。每个人都在被它蹂躏。贝弗利山遭受电影明星的荼毒之后，无聊的百万富翁纷纷退守帕萨迪纳，如今城市元老们都在愤怒疾呼：一切都是雾霾的错。假如金丝雀不肯歌唱，送奶工迟到，哈巴狗长跳蚤，戴上浆假领的老傻蛋在去教堂的路上心脏病突发，这都是雾霾的错。我住的地方清晨通常很晴朗，夜里也几乎总是这样。偶尔一天从早到晚都晴朗，没有人知道确切的原因。

就是这样的一天——凑巧是个星期四——罗杰·韦德打来了电话。"你好吗？我是韦德。"他听上去挺好。

"好，你呢？"

"清醒，很抱歉。正在挣血汗钱。咱们应该聊聊，而且我好像欠你钱。"

"没有的事。"

"嗯，来吃午饭如何？中午一点左右能到这儿吗？"

"应该可以。坎迪怎么样？"

"坎迪？"他听上去很困惑。那天夜里的事情他大概忘记了不少。"哦，那天夜里他帮你抬我上床。"

"对。他是个很有用的小伙子——在某些方面。韦德夫人呢？"

"她也很好。她今天在城里购物。"

挂断电话，我坐在旋转椅里前后摇晃。我应该问他书写得怎么样了。也许和作家说话就一定要问他书写得怎么样了，但话说回来，作家也许早就被这个问题烦得要死要活了。

没多久，又有人打电话找我，话筒里是个陌生人。

"我是罗伊·阿施特菲尔特。乔治·彼得斯叫我打电话给你。"

"哦，对，谢谢。在纽约认识特里·莱诺克斯的就是你。当时他自称马斯顿。"

"没错。他把酒当水喝，但肯定是同一个人。你不太可能认错他。来这儿以后，有天晚上我在恰森酒吧看见他和他妻子。当时我和客户在一起。客户认识他们。很抱歉，不能告诉你客户是谁。"

"我理解。现在大概也不是很重要了。他叫什么？"

"稍等，让我想一想。哦，对了，保罗。保罗·马斯顿。另外还有一点，不知道你感不感兴趣。他戴着一枚英国陆军的纪念徽章。英国人的破胸鸭[1]。"

"我明白了。后来他怎么样？"

"不知道。我来了西海岸。我再次见到他也是在这儿，他娶了哈兰·波特那个玩得有点疯的女儿。不过这些你已经知道了。"

"他们现在都死了。不过还是谢谢你告诉我。"

"客气了。乐意效劳。这些事对你有帮助吗？"

"好像没什么，"我说，我在撒谎。"我没打听过他的事情。有

1　指英国陆军的退伍纪念章，图案是雄鹰，但更像胸口破裂的鸭子，故有此名。

次他说他是在孤儿院长大的。有没有可能你是认错人了？"

"老兄啊，他那白发和疤脸还能认错不成？不可能。我不敢说我见人过目不忘，但他那张脸我肯定忘不了。"

"他看见你了吗？"

"就算看见了，也没表现出来。在当时的情况下，我也没抱什么希望。再说他搞不好已经不记得我了。就像我说的，他在纽约那会儿总是喝得烂醉。"

我又感谢了他几句，他说这是他的荣幸，然后我们就挂电话了。

我思考了一会儿。外面大道上的车声是我思考的无音乐性伴奏。太吵了。炎热的夏天，所有声音都太吵了。我站起身，关好下半扇窗户，打电话给凶杀科的格林警探。老天帮忙，他在办公室。

"是这样的，"寒暄过后，我说，"我听说了一些特里·莱诺克斯的事情，让我很困惑。我认识的一个人曾经在纽约认识他，但当时他用的是另一个名字。你查过他的服役记录吗？"

"你们这些人永远也学不会，"格林暴躁地说，"永远也学不会待在马路属于你们的那一边。这个案子已经结案了，锁在盒子里绑上铅块扔进太平洋了。听懂了吗？"

"上周我去哈兰·波特女儿的悠闲谷住所，和老先生待了小半个下午。要查一查吗？"

"去做了什么？"他酸溜溜地问，"就当我相信你好了。"

"讨论一些事情。我应邀前去。他喜欢我。说起来，他告诉我，打死那姑娘的是一把毛瑟PPK，7.65毫米口径。你知道吗？"

"继续说。"

"枪是她自己的，老兄。是不是有点出入了？你别误会。我不是想揭什么黑幕。私事而已。他的伤是从哪儿来的？"

格林沉默下去。我听见他背后有一扇门关上。然后他小声说：
"大概是在国境南边持刀打架吧。"

"去你的，格林，你有他的指纹。你按常规送指纹去华盛顿，按常规收到一份报告。我只想知道他服役记录里的一些事情。"

"谁说他有服役记录了？"

"呃，'门迪'门南德斯是一个。莱诺克斯似乎救过他的命，伤就是这么来的。德军俘虏了莱诺克斯，给了他后来那张脸。"

"门南德斯？你相信那个狗娘养的？你脑袋被枪打了吗？莱诺克斯没有服役记录。没有任何化名下的任何记录。满意了？"

"你说怎样就怎样。"我说，"但我不明白门南德斯为什么要跑来教训我，警告我别多管闲事，因为莱诺克斯是他和维加斯那位兰迪·斯塔尔的好兄弟，他们不希望任何人瞎折腾。毕竟莱诺克斯已经死了。"

"谁知道一个黑帮会动什么念头，"格林讥讽地说，"还有为什么会那么想？也许莱诺克斯曾经和他们搭伙搞名堂，后来才嫁给钞票，有了社会地位。他在维加斯给斯塔尔当过一阵楼层经理。他就是在那儿认识那姑娘的。满脸堆笑，礼服领结。哄客人开心，留意职业赌客。我猜他很擅长这份工作。"

"他有魅力，"我说，"干警察这行用不上。非常感谢，警司。格里高利警监最近怎么样？"

"退休了。你不读报的吗？"

"不读犯罪新闻，警司。格调太低。"

我正要说再见，他忽然打断我。"钞票老先生和你说了什么？"

"我们只是一起喝了杯茶。社交拜访。他说他也许会安排点生意给我做做。他还暗示——只是暗示，而且没用几个字——说哪个警察敢不正眼看我，未来恐怕会很灰暗。"

"警察局不归他管。"格林说。

"这个他承认。他还说他甚至不需要收买警务专员和地检官。他打盹的时候他们会自己乖乖地蜷在他大腿上。"

"去死吧。"格林说，砰的一声挂了电话。

当警察可真是不容易。你永远不知道跳上跳下踩谁的肚子比较安全。

34

从公路到山脚拐弯的那段坑洼道路在正午热浪中扭摆起伏，两旁点缀焦渴土地的零星灌木已被花岗岩粉尘染得雪白。杂草的臭味几乎让人反胃。微风中带着炽热的辛辣气息。我脱掉外套，卷起袖子，但车门滚烫，胳膊没法放在上面。一匹系着缰绳的马在一丛槲树下无聊地打盹。一个棕色皮肤的墨西哥人坐在地上，正在吃报纸裹着的什么东西。一团风滚草懒洋洋地滚过路面，碰到一块露出地面的花岗岩停住了。一只趴在石块上的蜥蜴像是根本没动就凭空消失了。

然后我绕过山脚，开上柏油马路，来到了另一个国度。五分钟后，我拐进韦德家的车道，停车，穿过石板地面，按响门铃。韦德亲自来开门，他身穿棕色和白色的短袖格子衬衫、浅蓝色宽松牛仔裤和家居拖鞋。他似乎晒黑了，气色挺好。他手上有一团墨水渍，鼻翼上有一小块烟灰。

他领我走进书房，自己在写字台前坐下。桌上有厚厚一沓黄色打字纸。我把外衣放在椅子上，然后坐进沙发。

"谢谢你能来，马洛。喝一杯？"

我脸上肯定是听见酒鬼请你喝一杯时的那种表情，我能感觉到。他咧嘴笑笑。

"我喝可乐。"他说。

"改得挺快嘛，"我说，"这会儿我不想喝酒。和你一样喝可乐吧。"

他用脚踩了个什么东西，没多久坎迪就出现了。他板着脸。他身穿蓝衬衫，系一条橙色丝巾，没穿白外套。黑白双色的皮鞋，优雅的高腰华达呢长裤。

韦德要他送可乐。坎迪恶狠狠地瞪我一眼，转身走了。

"新书？"我指着那沓纸说。

"没错。恶臭。"

"我不信。多少了？"

"大概三分之二，有没有价值另说。知道作家什么时候能看出自己写不动了吗？"

"我对作家一无所知。"我填充烟斗。

"他开始读旧稿找灵感的时候。绝对错不了。我这儿有五百页打字稿，十万多单词。我的书总是很长。大众喜欢长篇小说。该死的愚蠢大众，觉得页数多宝贝就肯定多。我都不敢重读一遍。我连一半的内容都记不起来。想到要看自己的作品，我会吓得瑟瑟发抖。"

"你气色不错，"我说，"和那天晚上相比，我都不太敢相信了。你比你自己认为的要勇敢。"

"我现在需要的不止是勇敢。我要的东西光靠希望只怕得不到。那是自我信仰。我是个被宠坏了的作家，已经没有信仰了。我有漂亮的房子、漂亮的老婆和漂亮的销量。但我真正想要的是喝醉和忘记。"

他双手托腮，隔着桌子看我。

"艾琳说我企图自杀。有那么糟糕吗？"

"你不记得了？"

他摇摇头。"什么都不记得了，除了跌倒和划破脑袋。然后过了一会儿我躺在床上。再然后你就出现了。艾琳打电话叫你来的？"

"是的。她没告诉你？"

"她这个星期几乎没和我说过话。我猜她受够了。已经淹到这儿了。"他用掌沿比了比脖子紧贴下巴的部位，"洛林跑来演的那场戏更是雪上加霜。"

"韦德夫人说那不代表什么。"

"哈，她当然会这么说。碰巧也是事实，但我不认为她这么说是出于真心的。那家伙的嫉妒心异乎寻常。你在角落里和他老婆喝个一两杯，说说笑笑，告别时亲亲她的脸，他就立刻认定你和她睡觉了。原因之一是他没得睡。"

"我喜欢悠闲谷，"我说，"因为每个居民的生活都那么舒适和正常。"

他皱起眉头，这时门开了，坎迪端着两瓶可乐和玻璃杯进来，他把可乐倒进杯子，在我面前放下一杯，看也不看我一眼。

"半小时后吃午饭，"韦德说，"怎么不穿白外套？"

"今天我放假，"坎迪面无表情，"老板，我不是厨子。"

"冷切肉或三明治和啤酒就行，"韦德说，"坎迪，厨子今天放假。我要招待朋友吃午饭。"

"你觉得他是你朋友？"坎迪嗤之以鼻，"还是问问你老婆吧。"

韦德靠在椅背上，对他微笑道："嘴巴当心点，小朋友。你的日子太好过了。我不常求你帮忙，对吧？"

坎迪低头看地板。过了一会儿，他抬起头，笑呵呵地说："好的，老板。我去换白外套。午饭交给我了。"

他轻盈地转身，走了出去。韦德看着门关上，然后耸耸肩，望向我。

"以前叫他们用人，现在叫家务帮工。再过一阵我们大概就要端早饭伺候他们在床上吃了。我给他的钱太多，他被宠坏了。"

"薪水还是额外的什么钱？"

"比方说呢？"他厉声道。

我站起身，给他几张叠起来的黄色打字纸。"你还是读一读吧。显然你不记得你请我销毁这几张纸了。在你的打字机里，掀开盖子就是。"

他展开黄色打字纸，靠在椅背上阅读，面前桌上杯子里的可乐咝咝冒气，他没有理会。他读得很慢，眉头紧锁。读完以后，他重新叠好，一根手指沿着折痕边缘滑动。

"艾琳看见了吗？"他小心翼翼地问。

"不知道。有可能。"

"很疯狂，对吧？"

"我很喜欢。尤其是一个好人为你而死那段。"

他又展开那几页纸，恶意地撕成许多长条，然后扔进废纸篓。

"人喝醉了什么都敢写，什么都敢说，什么都敢做，"他慢吞吞地说，"我反正看不懂。坎迪没勒索我。他喜欢我。"

"也许你还是再喝醉一次比较好。说不定就能看懂了。说不定还会想起来很多事情。枪走火的那天夜里，咱们聊过这些。我猜速可眠还让你失去了记忆。当时你听上去很清醒，但现在你假装不记得写过我交给你的那些东西。难怪你写不出书，韦德。你还活着已经是奇迹了。"

他伸手拉开写字台的一个抽屉，在里面摸索一会儿，取出一本三联支票簿。他打开支票簿，拿起钢笔。

"我欠你一千块。"他平静地说，先填支票，然后填存根。他撕下支票，从写字台里绕出来，把支票扔在我面前。"够了吗？"

我靠在椅背上，抬头看着他，没有碰支票，也没有吭声。他的脸绷得很紧，眼窝深陷，眼神空洞。

"我猜你认为我杀了她，让莱诺克斯背黑锅，"他慢慢地说，"她是个荡妇没错，但你不会因为一个女人是荡妇就砸烂她的脑袋。坎迪知道我偶尔去她家。有意思的是我不认为他会告发我。我有可能猜错了，但我确实不认为。"

"就算他告发你也无所谓，"我说，"哈兰·波特的朋友们不会相信他。再说她不是被那尊青铜雕像砸死的，而是被她自己的枪打穿了脑袋。"

"她似乎有一把枪，"他梦呓般地说，"但我不知道她中枪了。报纸没登。"

"不知道还是不记得？"我问他，"对，报纸没登。"

"你希望我怎么做，马洛？"他的声音依然柔和，几近温柔，"你要我怎么做？告诉我妻子？告诉警察？有什么意义呢？"

"你说过，一个好人为你而死。"

"我的意思只是假如警方认真调查，我也许会被列为嫌犯，但只是嫌犯之一。会在好几个方面让我彻底完蛋。"

"我来不是为了指控你谋杀，韦德，让你内心不安的是你自己也不确定。你有对妻子施暴的记录。你喝醉后会失去记忆。你说你不会因为一个女人是荡妇就砸烂她脑袋，但这个看法站不住脚。有些人喝醉了就是会那么做。另外，承担罪责的那个人在我眼中远不如你像凶手。"

他走到敞开的法式落地窗前，站在那儿望着湖面上蒸腾的热气。他没有回答我，既不动弹也不说话。几分钟后，有人轻轻敲门，坎迪推着茶点小车进来，上面有洁白的桌布、盖着银质盖子的餐盘、一壶咖啡和两瓶啤酒。

"啤酒要打开吗，老板？"他对韦德的背影说。

"拿一瓶威士忌给我。"韦德没有转身。

"对不起，老板，没有威士忌。"

韦德猛地转过来，朝他大吼大叫，但坎迪不为所动。他低头瞥见鸡尾酒桌上的支票，扭头仔细看了几眼。然后他抬起头盯着我，从牙缝里挤出一句什么。然后他望向韦德。

"我走了。今天我休息。"

他转身出去。韦德大笑。

"那我自己去拿。"他恶狠狠地说，也出去了。

我掀起一个盖子，看见几块切得整整齐齐的三角形三明治。我拿起一块，倒了半杯啤酒，站着吃三明治。韦德拿着酒瓶和杯子回来。他坐进沙发，结结实实倒了一杯，仰头灌下去。外面传来车开走的声音，大概是坎迪从服务车道离开了。我又吃了一块三明治。

"请坐，别拘束，"韦德说，"咱们有一整个下午要消磨呢。"他脸上已经有红光了，声音充满活力和喜悦，"你不喜欢我，马洛，对不对？"

"你已经问过这个问题，我也回答过了。"

"知道吗？你是个特别无情的狗杂种。为了找到你想要的答案，你什么事情都做得出。你甚至趁我在隔壁烂醉昏睡的时候搞我老婆。"

"扔飞刀的说什么你都相信？"

他又斟了一杯威士忌，拿起来对着阳光看。"不，不是所有的。威士忌的颜色真漂亮，对吧？淹死在金色的洪水里，倒也不坏。'在午夜里溘然魂离人间[1]。'下一句是什么来着？哦，对不起，你肯定不知道。太文学了。你是个什么私家侦探，对吧？介意说说你为什么来吗？"

他又喝了些威士忌，朝我咧嘴微笑。他看见桌上的支票，拿起来举在酒杯上看。

"似乎是开给一个姓马洛的人的，不知道原因和用途。似乎是我的签名。我真蠢。一个容易上当的呆瓜。"

"别演戏了，"我凶恶地说，"你妻子呢？"

他抬起头，彬彬有礼地说："我妻子会及时回家的。那时候毫无疑问我已经没知觉了，她可以随心所欲逗你开心。这幢屋子就是你们的天地了。"

"枪在哪儿？"我忽然问。

他一脸茫然。我说我放在写字台抽屉里了。"已经不在了，我敢肯定，"他说，"愿意的话你自己来搜。别偷我的橡皮筋就好。"

我走到写字台前搜了一遍。没有枪。这就有问题了。说不定被艾琳藏起来了。

"听我说，韦德，我问你妻子在哪儿。我认为她应该回家。不是为了我，朋友，而是为了你。必须有人照看你，我他妈才不希望又落在我头上呢。"

他醉眼蒙眬地看我。支票还在他手上。他放下酒杯，把支票撕成两半，然后撕了又撕，最后一松手，碎纸落在地板上。

1　济慈《夜莺颂》，查良铮译。

"数目显然太小了，"他说，"你的服务费看来非常昂贵。一千块加我老婆都没法满足你。真糟糕，但再高我也出不起了。除了这个。"他拍拍酒瓶。

"我要走了。"我说。

"但为什么？你要我回忆。嗯——酒瓶里装着我的记忆。留下吧，哥们儿。等我喝够了，就和你聊聊我杀过的所有女人。"

"好吧，韦德。我会再待一会儿的，但不是在这儿。需要我就抡椅子砸墙吧。"

我走出去，没有关门。我穿过宽敞的客厅，来到天井里，拖了一把躺椅到屋檐下，躺上去伸展四肢。湖对面的丘陵前有一层蓝色雾霾。太平洋的海风已经开始从低矮群山之间吹向西方，洗干净空气，也带走了部分炎热。悠闲谷正在享受完美的夏天。一切都是规划好的。人间天堂有限公司，而且有着严格限制。只接受最优雅的人士。绝对没有中欧人。只有最精华、最顶尖的阶层，最可爱、最迷人的人群。就像洛林夫妇和韦德夫妇。十足真金。

35

我躺了半个小时，考虑该怎么办。半个我想让他继续喝，喝到烂醉，看他会变成什么样子。他待在自己家的书房里，我不认为会发生什么意外。他也许会再次摔倒，但只怕要等很久才行。这家伙酒量不错。况且不知道为什么，醉鬼永远不会害得自己受太重的伤。他的负罪感也许会卷土重来。更有可能的是这次他会直接呼呼大睡。

另外半个我想离开，置身事外，但我从来不听这半个的。否则我就会待在我出生的小镇，去五金店打工，娶老板的女儿，生五个孩子，星期天早晨读趣味新闻给他们听，他们淘气就打他们的脑袋，和老婆争论他们该领多少零花钱，他们能听收音机或看电视里的什么节目。我甚至有可能发财——小镇有钱人的那种发财，宅子有八个房间，车库里停着两辆车，每个星期天吃鸡肉，客厅咖啡桌上放着《读者文摘》，老婆烫波浪卷，我的脑子像一袋波特兰水泥。这种生活交给你了，朋友，我更喜欢污秽肮脏狡诈的大城市。

我起身返回书房。他呆坐在那儿望着虚无，苏格兰威士忌瓶子空了一大半，他轻轻皱着眉头，眼神说不出的呆滞。他看着我，像一匹马隔着围栏看人。

"有何指教？"

"没有。你还好吧？"

"别烦我。我肩膀上有个小人，正给我讲故事呢。"

我从茶点小车上又拿了个三明治，又倒了一杯啤酒。我嚼着三明治喝着啤酒，靠在他的办公桌上。

"知道吗？"他忽然说，声音突然清晰了很多，"我曾经用过一个男秘书。我口述他记录。让他走了。他坐在那儿等我创作，弄得我心烦意乱。真是个错误。应该留下他的。会风传我是同性恋。写不出其他东西就只好写书评的伶俐小子会捕风捉影，开始给我树立形象。他们必须照顾他们的同类，懂吧？他们全是基佬，一个个都他妈是。基佬是这个时代的艺术主宰，老弟。往日的性变态，今天的领军人物。"

"是吗？这种人难道不是一直都有吗？"

他没有看我，只顾滔滔不绝，但他听见了我的话。

"没错，几千年了。尤其是在艺术的每一个伟大时代。雅典，罗马，文艺复兴，伊丽莎白时代，法国浪漫主义运动——充满了他们。到处都是基佬。读过《金枝》吗？没有，对你来说太长了。不过也有简写本。应该读一读。证明我们的性偏好仅仅是社会惯例，就像穿晚礼服一定要打黑领带。我？我写性爱，但我喜欢女人，不是同性恋。"

他抬头看我，嗤笑道："知道吗？我是个骗子。我的男主角一个个身高八英尺，女主角总是抬着大腿躺在床上，屁股都磨出老茧了。蕾丝和花边，刀剑与马车，优雅和闲适，决斗与牺牲。全都是谎言。他们喷香水，不用肥皂洗澡，他们满嘴烂牙，因为从来不刷，他们臭烘烘的指甲嵌着陈年肉汤。法国贵族在凡尔赛宫铺大理石的走廊里对着墙根撒尿，等你总算从可爱的侯爵夫人身上扒掉几层内衣，首先注意到的是她急需洗澡。我该这么写才对。"

"为什么不呢？"

他吃吃笑道："当然可以，然后住在康普顿只有五个房间的屋子里，就这还得运气好呢。"他弯腰拍了拍威士忌酒瓶。"你很孤独，哥们儿。你需要个伴儿。"

他站起身，颇为稳当地走出房间。我等他回来，什么也不想。一艘快艇轰隆隆地沿着湖面驶来。快艇进入视线，我看见桅座高出水面很多，拖在背后的冲浪板上站着一个晒得黝黑的健壮年轻人。我走到法式落地窗前，望着快艇大弧度转弯。弯转得太急，快艇险些倾覆。冲浪板上的男人单脚蹦跶，努力保持平衡，但最后还是掉进了水里。快艇轻飘飘地停下，水里的男人懒洋洋地自由泳游过去，然后顺着牵引绳向回游，翻身爬上冲浪板。

韦德拎着又一瓶威士忌回来。快艇加速，驶向远方。韦德把新拿来的一瓶放在前一瓶旁边，然后坐下，若有所思。

"我的天，你不是想全喝完吧？"

他眯起眼睛看我。"滚吧，混球。回家打扫厨房，爱干什么干什么去。你挡住我的光线了。"他的声音又变得含混。若是不出意料，他在厨房里已经喝了两杯。

"需要我的话，吼一声就行。"

"我还不至于贱得要找你。"

"好的，谢谢。我会待到韦德夫人回家。听没听说过一个叫保罗·马斯顿的人？"

他缓缓抬起头。他的眼睛能聚焦，但费了不少力气。我看得出他拼命想控制住自己。他暂时占据了上风，一张脸变得毫无表情。

"从来没有。"他一字一顿答道，说得非常慢，"那是谁？"

我再进来看他的时候，他已经睡着了，他张着嘴，汗水打湿了头发，一股威士忌的怪味。他的嘴唇向后缩，龇着牙齿，像是在做鬼脸，他的舌苔既厚又干。

一个酒瓶空了。桌上的酒杯里有大约两英寸酒，另一个酒瓶大约四分之三满。我把空酒瓶放在茶点小车上，把车推出房间，然后回来关上法式落地窗，转动百叶窗的叶片。快艇说不定会回来吵醒他。我关上书房的门。

我推着小车来到厨房，蓝白色调的厨房宽敞、通风而空旷。我依然很饿。我又吃了一块三明治，喝完剩下的啤酒，然后倒了一杯咖啡喝掉。啤酒已经没气了，但咖啡还是热的。然后我回到天井里。快艇过了很久才劈波斩浪开回来。将近四点，我听见遥远的突突声逐渐变成震耳欲聋的隆隆声。应该立法限制才对。说不定早就有了，但快艇上的人不屑一顾。他就喜欢惹人讨厌，这种人我认识不少。我走到湖岸边。

这次他成功了。开船的人转弯时将速度放慢得恰到好处，冲浪板上棕黑色皮肤的年轻人倾斜身体抵御离心力。冲浪板险些跳出水面，还好对面一侧压住了，快艇随即拉正方向，年轻人依然站在冲浪板上，他们按原路返回，演出就此结束。快艇掀起的波浪涌向我脚下的湖岸，重重拍打栈桥的支撑柱，系在那里的小船上下起伏。波浪还在来回拍打，我转身走回屋子。

刚走到天井，我听见厨房方向传来门铃声。门铃再次响起，我意识到只有前门才会有门铃。我走过去打开前门。

艾琳·韦德站在门外，望着另一个方向。她一边转身一边说："对不起，忘带钥匙了。"然后她看见我。"哦——还以为是罗杰或坎迪。"

"坎迪不在。今天星期四。"

她进来，我关上门。她把挎包放在两张长沙发之间的鸡尾酒桌上。她显得很冷淡，依然拒人千里之外。她脱掉一副白色猪皮手套。

"出什么事了吗？"

"嗯，他喝了些酒。不是很严重。他在书房沙发上睡着了。"

"他打电话给你的？"

"对，但找我不是因为喝酒。他请我来吃午饭。他自己恐怕什么都没吃。"

"哦，"她慢慢地坐进一张长沙发，"说起来，我完全忘了今天是星期四。厨师也放假。真是犯傻。"

"坎迪做好午饭才离开的。现在我也该走了。希望我的车没有挡你的路。"

她微笑道："没有。地方有的是。不喝杯茶再走吗？我正要去泡茶。"

"好的。"我不知道我为什么这么说。我根本不想喝茶，但话就是脱口而出了。

她脱掉亚麻上衣。她没戴帽子。"我去看一眼罗杰好不好。"

我望着她走向书房，打开门，在门口伫立片刻，关上门，走了回来。

"他还在睡。睡得很踏实。我去趟楼上。马上就回来。"

我望着她拿起上衣、手套和挎包，上楼走进她的房间。门关上了。我走向书房，打算拿走那瓶烈酒。假如他还在睡，就不会需要那东西了。

　　法式落地窗关着，房间里很憋闷，百叶窗放了下来，因此光线昏暗。空气中有一种刺鼻的怪味，寂静沉重得令人难以忍耐。从门到沙发不过十六英尺，我顶多走到一半就知道了沙发上躺的是个死人。

　　他侧躺在沙发上，面对靠背，一条胳膊弯过来压在身体底下，另一条胳膊的前臂压在眼睛上。他的胸部和沙发靠背之间有一摊血，韦伯利手枪搁在血泊中央。他的半张脸涂满了血污。

　　我弯下腰，查看睁大的那只眼睛的边缘和裸露的鲜红色的手臂，我从肘弯内侧看见了他头上肿胀发黑的弹孔，弹孔还在向外渗血。

　　我没有动他。他的手腕还是热的，但人无疑已经死了。我看了一圈，寻找遗书或字条。除了桌上的那堆手稿，什么都没有。不是每个自杀者都会留遗书。打字机在底座上，盖子没盖。里面没有纸。除此之外，一切都很自然。自杀者会用各种各样的方式做准备。有人喝酒，有人吃精致的香槟大餐。有人换上晚礼服，有人脱光所有衣服。人们在屋顶自杀，在阴沟自杀，在卫生间，在水下，在水上，在水面上空。他们在酒吧上吊，在车库吸尾气。眼前这个似乎很简单。我没听见枪声，他开枪时我肯定在湖边看冲浪小子练大回旋。环境噪音太响了。罗杰·韦德为什么在乎这一点，我不得而知。也许他根本没考虑。最后一刻的冲动刚好合上了快艇来去的瞬间。我不喜欢巧合，但没人在乎我喜不喜欢。

撕碎的支票还在地上，我留下没动。他那晚写的文章撕成长条扔在废纸篓里。这个我没留下。我捡起碎纸，确定没有遗漏，把它们塞进衣袋。废纸篓几乎是空的，所以并不困难。琢磨枪原先放在哪儿毫无意义。可供藏枪的地方数不胜数，可以是椅子或沙发里，可以是某个坐垫底下，可以在地上，可以在书籍背后，任何一个地方。

我出去，关上门。我侧耳倾听。厨房里有响动。我走向厨房。艾琳系着蓝色的围裙，水壶哨刚开始响。她关掉火，冷淡地扫了我一眼。

"茶要怎么喝，马洛先生？"

"从壶里倒出来就行。"

我靠在墙上，取出一支烟，只是为了给手指找点事做。我拿着香烟又捏又拧，掰成两半，把一半扔在地上。她的视线跟着那半支烟向下看。我弯腰捡起来。我把两截揉成一团。

她在泡茶。"我喜欢加奶精和糖，"她扭头说，"奇怪吧？喝咖啡我什么都不加。我在英国学会了喝茶。他们加糖精，而不是蔗糖。战争开始后当然连奶精也没了。"

"你在英国住过？"

"工作过，一直待到大轰炸。我遇到一个男人，不过我已告诉过你了。"

"你是在哪儿认识罗杰的？"

"纽约。"

"在纽约结婚的？"

她转过身，皱眉道："不，我们不是在纽约结婚的。怎么了？"

"只是没话找话，等你泡茶。"

她隔着水槽望向窗外，从那儿可以一直看到湖面。她靠着沥水板的边缘，手指摆弄着一块叠好的抹布。

"不能这样下去了，"她说，"但我不知道该怎么办。也许只能送他进什么机构了。但不知道为什么，我没法说服自己这么做。我必须签一些文件，对吧？"

说话间她转了过来。

"他可以自己签，"我说，"我是说，在此之前，他本来可以的。"

茶壶上的定时器响了。她转回去面对水槽，把茶倒进另一个壶里，然后把后者放在已经准备好杯子的托盘上。我过去端起托盘，走进客厅，放在两张长沙发之间的鸡尾酒桌上。她和我面对面坐下，倒了两杯茶。我拿起我那杯，摆在面前等茶凉下来。我望着她加了两块方糖，倒了些奶精。她拿起茶杯尝了尝。

"刚才那句话是什么意思？"她忽然问，"在此之前，他本来可以的——你指的是他送自己进某家机构，对吧？"

"随口说说而已。我提过的那把枪你藏在哪儿了？他在楼上闹完那场后，我早上告诉你的。"

"藏？"她皱着眉头重复道，"没有。我没做过那种事。我不相信藏起来能有什么不一样。问这个干什么？"

"你今天忘带家里钥匙了？"

"我已经告诉过你了。"

"但没忘带车库钥匙。这种屋子的外门钥匙通常是主钥匙。"

"我进车库不需要钥匙，"她厉声道，"用开关就能开门。前门内侧有个延时开关，你出去时按一下就行。车库旁边也有个开关控制那道门。我们经常不关车库门。有时候坎迪出去以后关上。"

"我懂了。"

"你说了些奇怪的话，"她讥讽地说，"那天早上也是。"

"我在这幢屋子里有些奇怪的遭遇。手枪半夜走火，醉鬼躺在门口草坪上，医生来了什么都不肯做。孤独的女人搂住我，听她说话好像把我当成了别人，墨西哥仆人会扔飞刀。那把枪的事情实在遗憾。但你反正也不爱你丈夫，对吧？上次我似乎已经说过了。"

她缓缓地起身。她冷静得像冰山，但眼睛似乎不再是紫罗兰色，也没有了平时的柔和。然后她的嘴唇开始颤抖。

"里——里面出了什么事吗？"她说得极慢，眼睛望向书房。

我还没来得及点头，她就跑了过去，闪电似的出现在门口。她一把推开门，冲进房间。要是我以为会听见惨烈的尖叫，那我可就上当了。我什么也没听见。我觉得自己是个烂人。我应该让她待在外面，慢慢进入报告坏消息的例行老一套，你做好心理准备，你还是先坐下吧，很抱歉，出了一件很严重的事情，等等等等，不一而足。等你转弯抹角说出来，其实也帮不了任何人的忙。通常只会让情况雪上加霜。

我起身也走进书房。她跪在沙发旁，把他的脑袋抱在胸口，他的血涂在她身上。她没有发出任何声音。她闭着眼睛。她跪在那里尽其所能地前后摇摆，紧紧地搂着他。

我回到客厅里，找到电话和号码簿。我打给似乎离此处最近的县警察分局。其实无所谓，他们是用无线电调度警车的。然后我去厨房打开水龙头，掏出口袋里的黄色碎纸条，塞进电动垃圾处理机。我把另一个茶壶里的茶叶也倒了进去。几秒钟过后，那东西成了历史。我拧上水龙头，关掉处理机。我回到客厅，打开前门，走了出去。

附近肯定有警员在巡逻，因为他不到六分钟就赶到了。我领他走进书房，她依然跪在沙发旁。他立刻走向她。

"对不起，夫人。我理解你的感受，但你不该碰任何东西的。"

她扭头看他，然后手忙脚乱地站起来。"这是我丈夫。他中枪了。"

他摘掉帽子放在桌上，伸手去拿电话。

"他叫罗杰·韦德，"她用尖细的声音说，"他是著名的小说家。"

"我知道他是谁，夫人。"警员说，开始拨号码。

她低头看着衣服前襟。"我能上楼换件衣服吗？"

"当然。"警员朝她点点头，对着听筒说了几句，挂断电话，转过身。"你说他中枪了。意思是有人开枪打他吗？"

"我认为这个人谋杀了他。"她说，没有看我，快步走出房间。

警员望向我。他掏出记事簿，写了几个字。"我还是问一下你的名字吧，"他漫不经心地说，"还有住址。是你报警的？"

"是的。"我报上姓名和住址。

"别着急，等奥尔斯警督来了再说。"

"伯尼·奥尔斯？"

"对。你认识他？"

"当然。认识他很久了。他以前在地检署做事。"

"最近不在了。"警员说，"他如今在洛杉矶县警察局，凶杀科副队长。马洛先生，你是他们家的朋友？"

"听韦德夫人的意思好像不是。"

警员点点头，提提嘴角。"反正你别急，马洛先生。你没带枪吧？"

"今天没带。"

"我还是确定一下吧，"他说，再次望向沙发，"在这种犯罪现场，你很难指望妻子保持多少理智。咱们还是出去等吧。"

37

奥尔斯中等个头，身体粗壮，淡金色的头发剪得很短，有一双淡蓝色的眼睛和粗硬的白眉毛。当初还戴帽子的时候，他每次脱帽都会引来讶异的目光——这个脑袋比你想象中大得多。他是个坚韧强悍的警察，对人生有着阴沉的看法，但骨子里为人很地道。他好几年前就该升到警督了。他在考核中名列三甲少说也有五六次，但县警察局的局长不喜欢他，他也不喜欢局长。

他揉着下巴走下楼梯。闪光灯在书房里咔嚓咔嚓响了很久。人们进进出出。我和一个便衣警探坐在客厅里傻等。

奥尔斯在一把椅子的边缘坐下，垂下双手。他嚼着一支没点燃的香烟，若有所思地看着我。

"还记得悠闲谷有门岗和私家警队的那会儿吧？"

我点点头："还有赌场。"

"是啊。这东西你禁不了的。这条山谷依然是私人财产，就像以前的箭头山，还有翡翠湾。上次办案没有记者蹦来蹦去已经是很久以前了。肯定有人咬着彼得森局长的耳朵说了些什么，没让事情上电传打字机。"

"真是替他们着想啊，"我说，"韦德夫人怎么样？"

"太放松了。她肯定吃了什么药。楼上有十几种药片，连杜冷丁都有。那可不是什么好东西。你的朋友们最近运气不太好，对吧？一个个都死了。"

这话我无言以对。

"开枪自杀总能引起我的兴趣，"奥尔斯随随便便地说，"太容易伪造现场了。他老婆说是你杀了他。她为什么这么说？"

"她不是真的这个意思。"

"这儿没有其他人。她说你知道枪放在哪儿，知道他喝醉了，知道前几天夜里他开过枪，当时她不得不和他扭打，才把枪抢了下来。那天夜里你也在。你没帮上什么忙，对吧？"

"今天下午我翻过他的写字台，没找到枪。我告诉过她枪放在哪儿，请她把枪收好。她今天说她不相信那种事情。"

"你说的'今天'是什么时候？"奥尔斯粗声粗气地说。

"她回家之后，我报警之前。"

"你翻过写字台，为什么？"奥尔斯抬起双手放在膝头。他冷漠地看着我，像是我说什么他都不在乎。

"他喝醉了。我觉得最好把枪放到其他地方去。但那天夜里他并不想自杀，只是在演戏。"

奥尔斯点点头。他拿出嘴里嚼过的香烟，扔进烟灰缸，又取出一支塞进嘴里。

"我在戒烟，"他说，"害得我总咳嗽，但鬼东西的瘾头还在，嘴里不叼一根就觉得不对劲。他一个人的时候你负责盯着他？"

"当然不是。他请我过来吃午饭。我们聊了一会儿，他写作不顺利，心情有点抑郁。他决定喝几杯。你认为我应该抢走酒瓶？"

"我这会儿什么都不认为。只是在拼凑当时的场景。你喝了多少？"

"一瓶啤酒。"

"你在这儿算你倒霉，马洛。那张支票是干什么的？他写好签完然后又撕掉的那张？"

"他们每个人都希望我过来住一段时间，帮他保持清醒。我说的每个人包括他自己、他妻子和他的出版商，一个叫霍华德·斯宾塞的男人。他应该在纽约。你可以查一查他。我拒绝了。过后他妻子来找我，说她丈夫喝醉跑丢了，她很担心，问我能不能去找到他，送他回家。我做到了。接下来某天我把他从门前草坪扛进家门，抬他上床。这些事情我一件也不想掺和，伯尼，但它们就是在我身边冒出来。"

"和莱诺克斯案件没关系，对吧？"

"唉，老天在上。根本没什么莱诺克斯案件。"

"太对了。"奥尔斯干巴巴地说，使劲捏了捏膝盖。一个男人走进前门，对另一个警探说了句什么，然后走向奥尔斯。

"外面有一位洛林医生，警督，说有人打电话给他。他是夫人的医生。"

"让他进来。"

警探出去，洛林医生拎着他漂亮的黑色皮包进来。他冷静而优雅，身穿精纺的热带正装。他从我身旁走过，一眼都没看我。

"楼上？"他问奥尔斯。

"对，她的卧室，"奥尔斯站起身，"医生，你为什么开杜冷丁给她？"

洛林医生皱眉看他。"我开我认为需要的药物给我的病人，"他冷冷地说，"用不着向你解释为什么。谁说我开杜冷丁给韦德夫人了？"

"我说的。药瓶就在楼上，写着你的名字。她的卫生间都能开药店了。也许你不知道，医生，但我们在城里有个很完整的小药片展柜。蓝鸦、红鸟、黄夹克、傻瓜丸，要什么有什么。杜冷丁差不多是其中最糟糕的一个。有人说戈林就靠这东西吊命。他落网的时候每天要吃十八粒。军医花了三个月才帮他戒断。"

"我不知道那些名字是什么意思。"洛林医生淡然道。

"不知道？真可惜。蓝鸦是巴比妥钠。红鸟是速可眠。黄夹克是耐波他。傻瓜丸是巴比妥酸盐加安非他命。杜冷丁是一种合成麻醉剂，非常容易成瘾。你就这么随随便便往外开，对吧？夫人有什么严重的疾病吗？"

"对一个敏感的女人来说，一个醉醺醺的丈夫可以算是非常严重的痛苦了。"洛林医生答道。

"但你没时间照看他，对吧？真可惜。韦德夫人在楼上，医生。耽搁你的时间了，谢谢。"

"你非常没礼貌，长官，我要投诉你。"

"好的，去吧，"奥尔斯说，"但在你投诉我之前，先帮我一个忙。让夫人保持头脑清醒，我有问题要问她。"

"我觉得怎么做最有利于她的情况就会怎么做。说起来，你知道我是谁吗？另外，有件事我要先说清楚，韦德先生不是我的病人。我不治疗酒精成瘾者。"

"只治疗他们的老婆，对吧？"奥尔斯和他对吼，"对，医生，我知道你是谁。我的内心正在流血。我叫奥尔斯，奥尔斯警督。"

洛林医生上楼去了。奥尔斯重新坐下，对我咧嘴笑笑。

"和这种人打交道，非得有点外交手腕才行。"他说。

一个男人走出书房，来到奥尔斯身旁。一个表情严肃的瘦子，戴眼镜，聪明人的大额头。

"警督。"

"说吧。"

"伤口是接触伤，典型的自杀伤口，气压造成大面积肿胀。眼球鼓出，原因相同。我不认为枪身上会有任何指纹，被血流冲刷得太厉害了。"

"可不可能是死者昏睡或醉酒后被谋杀的？"奥尔斯问他。

"当然有可能，但没有这方面的迹象。枪是一把韦伯利双动左轮。这种枪需要花很大的力气才能扳开击铁，但轻轻一扣就能发射。后坐力可以解释枪所在的位置。目前我找不到不符合自杀的迹象。我估计血液中的酒精浓度会很高。但要是高到一定程度——"他停下来，有所指地耸耸肩——"我也许会倾向于怀疑不是自杀。"

"谢谢。给验尸官打过电话了吗？"

男人点点头，转身走了。奥尔斯打个哈欠，看一眼手表。然后抬头看我。

"想走了吗？"

"当然，要是你允许。我觉得我好像是嫌疑犯。"

"回头也许会要你帮忙。待在我们能找到你的地方，就这样。你当过警察，知道办案流程。有些案子必须在证据消失前尽快了结。这个案子恰好相反。假如是他杀，谁想要他这条命？他老婆？她不在场。你？嗯，你可以自由出入这幢屋子，你知道枪原先在哪儿。万事俱备，只欠动机。不过我们也许会重点考虑你的经验。我觉得要是你想杀人，你应该不会做得这么明显。"

"谢谢，伯尼。确实如此。"

"仆人不在家，都出去了。因此肯定是某个凑巧来访的人。这个人必须知道韦德的枪在哪儿，必须发现他醉得昏睡或失去了知觉，必

271

须趁快艇的噪音足以掩盖枪声时扣动扳机，还必须在你回来前逃之夭夭。根据目前已知的情况，我不认为有这种可能性。拥有犯罪手段和作案时间的人只有一个，而这个人不会使用它们，理由很简单，因为只有他有犯罪手段和作案时间。"

我起身准备离开。"好吧，伯尼。我整个晚上都会待在家里。"

"只有一个问题，"奥尔斯沉思道，"这个叫韦德的家伙是个大作家，有钱，有名声。我本人不待见他写的那种垃圾。妓院里的人都比他笔下的角色像样。这是口味问题，不关我这个警察的事情。他有那么多钱，在全国最好的居住区有一幢漂亮的屋子。他有个漂亮的老婆，有许多朋友，没有任何烦恼。我只想知道他为什么会这么想不开，非得开枪自杀才行？肯定有个原因吧。假如你知道，你给我做好准备说出来。回头见。"

我走向前门。门口的男人望向奥尔斯，得到许可后放我出去。我坐进车里，为了绕过堵住车道的各种官方车辆，我不得不把半边车身开上草坪。来到大门口，另一个警员上下打量我，但没说什么。我戴上墨镜，驶向主干道。公路上空旷而宁静。下午的阳光照着精心修剪的草坪和草坪后宽敞而昂贵的豪宅。

悠闲谷的一幢豪宅里，一个并非无名小卒的人死在血泊之中，却没有扰乱这里的慵懒和静谧。对报纸来说，事情和发生在西藏没什么区别。公路的一个转弯处，两片房产一直延伸到路肩，一辆墨绿色的县局警车停在那儿。一名警员下车，举起一条胳膊。我停车。他走到我的车窗旁。

"请出示驾驶执照。"

我掏出钱包，打开递给他。

"只要执照，谢谢。规定不许我碰你的钱包。"

我抽出执照递给他。"怎么了？"

他扫了一眼车内，把执照还给我。

"没什么，"他说，"例行检查。麻烦你了，抱歉。"

他挥手让我过去，回到停在路边的警车里。警察就是这样。从不告诉你他们为什么做一件事情，于是你就不会发现他们自己也不知道了。

我开车回家，买了些冷饮，出门吃晚饭，回家，开窗，解衬衫，等待坏事临头。我等了很久。九点钟，伯尼·奥尔斯打电话叫我来一趟，路上就别停车买花了。

38

　　他们已经让坎迪坐在候见室一把靠墙的硬椅子上了。我经过他身旁，走向彼得森局长四四方方的大办公室，公众感谢他二十年忠诚服务的各种纪念品包围着他的宝座。墙上满是马匹的照片，彼得森局长亲自出现在每一张照片里。他雕花办公桌的四个角刻成马头。他的墨水池是个上了蹄铁的抛光马蹄，签字笔插在装填白沙的另一个马蹄里。马蹄上镶着金色牌子，印着某年某月某日发生了某事之类的文字。一尘不染的吸墨台中央摆着一个达勒姆公牛的烟草小包和一盒棕色卷烟纸。彼得森自己卷香烟。他能在马背上单手卷烟，而且经常这么做，尤其是骑着大白马带领游行队伍的时候，墨西哥马鞍上会镶满漂亮的墨西哥银饰，而他会戴上平顶的墨西哥草帽。他在马背上英姿飒爽，他的马很清楚什么时候该保持安静，什么时候该耍耍小脾气，好让局长一脸高深莫测笑容地单手控制住马匹。局长演技出众。他有着鹰隼般的英俊侧脸，虽说下巴底下最近有点松弛，但他知道该怎么摆姿势就不会太明显。他在拍照上花了许多心思。他今年五十五六岁，他父亲，一个丹麦人，留给他一大笔遗产。局长看上去不像丹麦人，因为他的头发是黑色的，皮肤是棕色的，泰然神情很像雪茄店里的印第安人雕像，脑子也差不多，但没人会说他是骗子。他的警察局出过几个骗子，既糊弄他，也糊弄公众，但他们的欺骗行为从没连累过彼得森局长。他毫不费力地当选，骑着大白马走在游行队伍的最前面，在镜头前盘问嫌疑犯。然而那只是头版头条的说法而已。事实上他从不盘问任何人。他也不知道该怎么盘问。他只是坐在办公桌前，严厉地盯着嫌疑犯，向镜头亮出侧脸。闪光灯噼里啪啦乱闪，摄影师毕恭毕敬感谢局长，嫌疑犯连嘴都没开过就被带下去，局长回他在圣费尔南多山谷牧场的家。他在那儿随时能被联系上。就算找不到他本人，你也可以找他的随便一匹马聊聊。

碰到选举的年份，偶尔会有不开眼的政客企图染指彼得森局长的饭碗，往往会给他起"自带侧脸的蠢蛋"或"烟熏自己的火腿"之类的外号，但他们的路从来都走不远。彼得森局长每次都会直接重新当选，活生生地证明了一个事实：一个人在咱们的国家可以永远占据某个重要公职，只要他鼻子不乱闻、脸蛋能上相和嘴巴够严实就行。要是你在马背上的样子还格外俊俏，那就不可战胜了。

奥尔斯和我走进彼得森局长的办公室，他站在办公桌前，摄影师正从另一扇门鱼贯而出。局长戴着他的白色卷边牛仔帽。他正在卷香烟。他打扮停当准备回家。他严厉地看着我。

"这是谁？"他用浑厚的男中音说。

"叫菲利普·马洛，头儿，"奥尔斯说，"韦德自杀时屋子里只有他。要拍照片吗？"

局长打量我。"我看算了，"他说，转向一个铁灰色头发、表情疲惫的大块头男人。"埃尔南德斯警长，要找我的话，我在牧场。"

"好的，长官。"

彼得森用厨房火柴点烟。他在大拇指的指甲盖上擦火柴。彼得森局长才不需要打火机呢。他这种硬汉永远单手卷烟和点烟。

他说声晚安，走出房间。一个面无表情的黑眼冷峻男人跟着他出去，那是他的私人保镖。门关上了。他出去后，埃尔南德斯警长坐进局长的巨大宝座，角落里的速记员也把架子从墙边搬出来，给自己一点活动空间。奥尔斯在办公桌一头坐下，似乎觉得很好玩。

"好了，马洛，"埃尔南德斯轻快地说，"咱们开始吧。"

"怎么没人给我拍照？"

"你听见局长怎么说了。"

"听见了，但为什么？"我哀叹道。

奥尔斯笑道："你他妈当然知道。"

"你指的是因为我高大黝黑英俊，别人说不定会只看我？"

"够了，"埃尔南德斯冷冰冰地说，"咱们录你的口供吧。从头开始说。"

我从头开始说：我和霍华德·斯宾塞如何会面，我如何认识艾琳·韦德，她如何请我找罗杰，我找到他，她请我去他家，韦德请我做什么，我如何发现他昏倒在木槿树丛旁，等等等等。速记员把我说的记下来。没人打断我。我说的全是事实。只有事实，但不是全部的事实。我略去什么是我的事情。

"很好，"埃尔南德斯最后说，"但并不完整。"这个埃尔南德斯头脑冷静，有能力，很危险。警察局里必须要有这种角色。"韦德在卧室里开枪的那天夜里，你进了韦德夫人的房间，关上门待了一段时间。你在里面干什么？"

"她叫我进去，问我他怎么样。"

"为什么关门？"

"韦德半梦半醒，我不想发出声音。还有他家的男仆竖着耳朵四处晃悠。还有她请我关上门。我没想到关不关门会有这么重要。"

"你在里面待了多久？"

"不清楚。大概三分钟吧。"

"我觉得两个小时才对，"埃尔南德斯冷冷地说，"听懂我意思了吗？"

我望向奥尔斯。奥尔斯哪儿也不看，他和先前一样，正在嚼没点燃的香烟。

"你得到的消息不准确，警长。"

"咱们走着瞧。你离开她的房间后，下楼去书房，在那里的沙发上过夜，更准确地说是下半夜。"

"他打电话到我家里是十一点差十分。我最后进书房的时候早就过了凌晨两点。你说是下半夜也没错。"

"带仆人进来。"埃尔南德斯说。

奥尔斯出去，带着坎迪回来。他们让坎迪坐在一把椅子上。埃尔南德斯问了他几个问题，确定身份之类的。然后他说："好了，坎迪——为了方便起见，就叫你坎迪了——你帮马洛把罗杰·韦德抬上床以后，发生了什么？"

我大致知道坎迪会说什么。坎迪开始讲故事，声音冷静而凶狠，几乎没有口音。他似乎可以随意开关他的口音。他的说法是他留在楼下，觉得有可能还会需要他，部分时间待在厨房，他给自己弄了点东西吃，部分时间待在客厅。他在客厅里的时候，坐在靠近前门的一把椅子上，能看见艾琳·韦德站在她卧室的门口，他看见她脱掉了衣服。他看见她套上袍子，底下什么都没穿，然后看见我走进她的房间，关上门待了很久，他觉得有两个小时。他上楼趴在门上听。他听见床垫弹簧嘎吱嘎吱响。他听见有人压低声音说话。他说得很露骨。他说完后恶毒地看着我，憎恨地抿紧嘴唇。

"带他出去。"埃尔南德斯说。

"稍等一下，"我说，"我想问他几个问题。"

"这儿问问题的是我。"埃尔南德斯厉声说。

"你不知道该怎么问，警长，你不在场。他在撒谎，他自己知道，我也知道。"

埃尔南德斯靠在椅背上，拿起局长的一支笔。他弯曲笔杆。这支笔长而尖，是用马鬃硬化制成的。他松开手，笔尖弹了回来。

"说吧。"他最后说。

我面对坎迪。"你看见韦德夫人脱衣服的时候在什么地方？"

"我坐在靠近前门的椅子上。"他傲慢地答道。

"前门和面对面的两张长沙发之间？"

"我就是这个意思。"

"韦德夫人在哪儿？"

"她房间刚进去的地方。门开着。"

"客厅里光线如何？"

"开着一盏灯。落地灯，大家叫它吊桥灯。"

"阳台上光线如何？"

"没开灯。她的卧室里有灯光。"

"她的卧室里光线如何？"

"没多少光线。大概是床头柜上的台灯。"

"没开顶灯？"

"没开。"

"她脱掉衣服以后——按照你说的，她站在房间刚进去的地方——套上袍子。什么样的袍子？"

"蓝色的。长袍，像家居服。她用腰带扎起来。"

"所以假如你没有真的看见她脱衣服，就不可能知道她在袍子底下穿了什么，对吧？"

他耸耸肩，看上去有点担忧。"对。没错。但我确实看见她脱衣服了。"

"你撒谎。客厅里没有任何地方能让你看见她在卧室门口脱衣服，更不用说在房间里了。她必须到外面阳台的边缘才行。但假如她走出来，就肯定会看见你。"

他只是瞪着我。我转向奥尔斯。"你见过那幢屋子。埃尔南德斯警长没见过——还是说也见过？"

奥尔斯轻轻摇头。埃尔南德斯皱起眉头，不说话。

"只要韦德夫人走到卧室门口或者进入房间，埃尔南德斯警长，那么客厅里就没有任何地方能让他看见韦德夫人的头顶，哪怕他站着也不行，而他说他是坐着的。我比他高四英寸，我站在那幢屋子的前门口，也只能看见楼上一扇打开的门的最顶上一英尺。她必须走到阳台边缘，他才能看见他声称见到的东西。她为什么要那么做？甚至为什么要在门口脱衣服？根本说不通。"

埃尔南德斯只是看着我，然后望向坎迪。"时间呢？"他轻声对我说。

"看你信他还是信我了。我只说能证明的东西。"

埃尔南德斯对坎迪喷吐西班牙语，速度太快，我听不懂。坎迪只是阴沉地瞪着他。

"带他出去。"埃尔南德斯说。

奥尔斯打开门，用大拇指指了指门口。坎迪走出房间。埃尔南德斯取出一盒雪茄，拿起一根塞进嘴里，用金色打火机点上。

奥尔斯回到房间里。埃尔南德斯冷静地说："我刚才说要是有验尸庭审，他在证人席上讲故事，就会因为做伪证在大昆服一到三年的刑期。似乎没怎么打动他。他烦恼的原因很明显。性欲无处释放的经典案例。要是他当时在附近，我们有任何理由怀疑是谋杀，他倒是个很合适的靶子，除了他恐怕更愿意用刀。之前我感觉韦德的死让他很难过。奥尔斯，你有什么问题想问吗？"

奥尔斯摇摇头。埃尔南德斯望向我，说："明早过来，在你的口供上签字。到时候会整理好打出来的。上午十点会有一场死因报告会，调查庭。对安排有什么不喜欢的地方吗，马洛？"

"介意改一改措辞吗？听你这么说，还以为里面有什么我喜欢的地方呢。"

"行了，"他厌倦地说，"滚吧。我要回家了。"

我站起身。

"当然了，我从来就没相信过坎迪对我们扯的那些淡，"他说，"只是用来当开瓶器而已。希望你别反感。"

"毫无感觉，警长。毫无感觉。"

他们目送我出门，没有道晚安。我沿着长长的走廊走到希尔街的大门，上车回家。

毫无感觉是真的。我心里就像群星之间的太空，空荡荡的什么都没有。我回到家，调了一杯烈酒，站在客厅敞开的窗户旁一口一口地喝，听着月桂山谷大街的隆隆车声，望着庞然城市的怒火悬在山丘上空，大街就从这些山丘之间穿过。远处，警车或消防车的哀鸣起起落落，寂静永远持续不了多久。一天二十四小时，总有人在逃跑，总有人想抓他。外面千种罪恶的黑夜中，人们垂死，人们伤残，人们被横飞的玻璃割喉、撞死在方向盘上、碾死在重型轮胎下。人们被殴打、抢劫、勒死、强奸和谋杀；人们饥饿、生病；人们感到无聊，因为孤独或悔恨或恐惧感到绝望、愤怒、残忍、狂热，哭得浑身发抖。一个不比其他城市更糟糕的城市，一个富裕、繁荣、充满自尊的城市，一个失落、挫败、充满空虚的城市。

完全取决于你的位置和你的个人成就。我没有。我不在乎。

我喝完酒，上床休息。

　　验尸庭审一塌糊涂。法医没等医学证据收集齐全就匆匆开庭，唯恐公众会丧失对他的关注。他其实不必担心的。一个作家横死，哪怕是个著名作家，这条新闻也热乎不了多久，再说那年夏天的竞争者实在太多。一个国王逊位，另一个被暗杀。一周之内坠毁了三架大型客机。芝加哥，一个大新闻社的头儿在自己车里被子弹打成碎片。监狱火灾活活烧死二十四名囚犯。洛杉矶县的法医时运不济。他错过了人生中的美好时光。

　　我走下证人席，看见了坎迪。他一脸灿烂的恶意笑容，我不明白为什么。他和平时一样打扮有点过于时髦，穿可可棕色的华达呢正装和白色尼龙衬衫，打一条午夜蓝的领带。站在证人席上，他安安静静说话，给人以良好的印象。是的，老板最近经常喝得烂醉。是的，枪在楼上走火的那天夜里，我帮忙把老板抬上了床。是的，最后那天坎迪我离开前，老板要我去拿威士忌，但我拒绝了。不，我对韦德先生的文学作品一无所知，但知道老板近来很气馁。他多次扔掉手稿，然后又从废纸篓里捡起来。不，我没听到过韦德先生和任何人争吵。等等等等。法医当他是奶牛，但没挤出什么东西来。有高人指点过坎迪怎么说话。

　　艾琳·韦德穿黑色和白色。她脸色苍白，声音低沉而清晰，连扩音器都无法让它变得难听。法医对待她像是戴着两层天鹅绒手套，说话时仿佛难以遏制声音里的哭腔。她走下证人席时法医站起来鞠躬，她对他露出稍纵即逝的一丝笑容，他险些被自己的口水呛死。

她向外走的时候经过我，几乎连一眼都没有看我，直到最后一刻才微微偏转头部两英寸，微不可查地点点头，就好像她许多年前在什么地方见过我，但已经想不起来了。

事情结束后，我在法院外的台阶上遇见了奥尔斯。他望着底下的车流，也可能假装在看。

"干得好，"他头也不转地说，"恭喜恭喜。"

"你把坎迪教得不赖。"

"不是我，小子。地检官觉得性爱的事情与案情无关。"

"性爱的什么事情？"

他总算扭头看我了。"哈，哈，哈，"他说，"我指的不是你。"然后表情变得漠然，"这种事我看了许多年。一个人总会看腻的。但这个是从特殊的瓶子里倒出来的，陈年私家珍藏，仅供上等人享用。再见了，倒霉蛋。等你开始穿二十块一件的衬衫再打电话找我。我会跑过来拎着外衣伺候你穿的。"

人们在我们周围上下台阶。我们只是站在那儿。奥尔斯从口袋里掏出一支烟，看了一会儿，扔在水泥地上，用鞋跟碾得稀烂。

"浪费。"我说。

"一支烟而已，哥们儿。又不是一条命。过段时间你会娶那姑娘，对吧？"

"闭嘴吧。"

他刺耳地大笑。"我找对了人，却说错了话，"他酸溜溜地说，"有异议吗？"

"没有异议，警督。"我说，走下台阶。他在我背后说了些什么，但我只是向前走。

我去了花街的一家腌牛肉小店。很符合我的情绪。门口有个粗鲁的牌子："仅限男性。狗和女人不得入内。"里面的服务也同样没教养。胡子拉碴的服务生把食物扔在你面前，招呼都不打一声就直接扣掉小费。食物简单但美味，店里供应的棕色瑞典啤酒比马丁尼还烈。

回到办公室，电话在响。奥尔斯说："我过来一趟。有话要说。"

他肯定在好莱坞分局或者附近某处，因为他不到二十分钟就到了。他一屁股坐进给客户准备的椅子，翘起腿，没好气地说："我出格了。对不起。忘了吧。"

"为什么要忘？来，咱们揭一揭旧疮疤。"

"我无所谓，但要捂着点揭。在某些人看来，你一肚子坏水，但据我所知你没做过太偏门的事情。"

"你之前说二十块一件的衬衫是什么意思？"

"唉，妈的，我只是心里不痛快，"奥尔斯说，"我在想波特老头子。他好像吩咐秘书找律师通知斯普林格地检官告诉埃尔南德斯警长，你和他有私交。"

"他才不会费这个工夫呢。"

"你见过他。他给了你时间。"

"我见过他，仅此而已。我不喜欢他，但可能只是嫉妒而已。他召见我，给我一些个人建议。他是老大，他有态度，其他的我一概不知。我不觉得他会捞偏门。"

"不存在什么干净的办法能让你挣一亿美元，"奥尔斯说，"也许最顶上的人觉得他的手是干净的，但一路往下总要有人被按在墙上揍，小公司被斩断根基，不得不低价出售，老实的好人丢掉工作，股价受到操纵，买断代理权的价码不到一钱旧黄金，扳倒人民喜欢但损害了富人利益的法律，抽五个点的掮客和大型法律事务所就能收到几十万佣金。大钱就是大权，大权永远被滥用。这就是制度。也许是我们能得到的最好的制度，但离无懈可击还差得远呢。"

"你听着像个赤色分子。"我说，只是为了刺激他。

"这我就不清楚了，"他轻蔑地说，"我还没接受过调查呢。你喜欢自杀的判决，对吧？"

"否则还能是什么？"

"大概什么都不可能吧。"他把他粗壮结实的双手放在桌上，看着手背上的大块棕色色斑。"我老了。角化症，老人斑的学名。过了五十岁才会长这种东西。我是个老警察，每个老警察都是个老混球。韦德的案子有几点我不怎么喜欢。"

"比方说？"我向后靠，望着他眼角绷紧的鱼尾纹。

"警察当久了就能闻到不对劲的案子，哪怕你知道你他妈毫无办法。然后你只能坐着像现在这样聊天。他没留遗言，这一点我不喜欢。"

"他喝醉了。很可能只是突然间心血来潮。"

奥尔斯抬起他淡色的眼睛，双手从桌上滑下去。"我翻过他的书桌。他给自己写信，写了又写，写了又写。无论喝醉还是清醒，他都扑在那台打字机上。有些是胡言乱语，有些有点好玩，有些让人觉得可悲。这家伙有心事。他兜着圈子写来写去，但就是不碰那件事本身。要是他真的自杀，肯定会留下一封两页纸的遗书。"

"他喝醉了。"我重复道。

"对他来说无所谓，"奥尔斯疲惫地说，"接下来我不喜欢的是他在书房里自杀，等着妻子来发现尸体。好的，他喝醉了，但我还是不喜欢。然后我不喜欢的是他恰好赶在快艇的噪音能盖住枪声的时候扣动扳机。对他来说能有什么区别？又是巧合对吧？还有别的巧合呢，他妻子偏偏在仆人放假的日子里忘带钥匙，必须按门铃才能进屋。"

"她可以绕到后门去。"我说。

"对，我知道。但我在复述案发现场。去开门的只可能是你，而她上了证人席说她不知道你在家。假如韦德活着，在书房工作，他未必会听见门铃响。他那扇门是隔音的。仆人不在家。那天是星期四。而她忘了，就像忘带钥匙一样忘了。"

"你忘了一点，伯尼。我的车在车道上。因此她按门铃前就知道我或其他什么人在家。"

他咧嘴笑笑。"我忘了，是吧？好的，我描述一下前后经过。你在湖边，快艇闹得震天响——顺便提一句，那两个家伙来自箭头湖，用拖车载着快艇，只是来玩的——韦德在书房睡觉或昏迷，有人已经从他书桌里取出了手枪，他妻子知道你把枪放在了书桌抽屉里，因为你亲口告诉过她。那么，假如她没有忘带钥匙，假如她进屋后向外看，见到你站在湖边，然后看书房，发现韦德睡着了，她知道枪在哪儿，去拿出来，等待一个合适的时间，开枪崩了他，把枪放回原处，回到屋外待一会儿，等快艇开走，然后按门铃等你来开门。有异议吗？"

"动机是什么？"

"是啊，"他阴郁地说，"这就全推翻了。要是她想干掉那家伙，实在太简单了。她早就占了上风，他习惯性酗酒，有对她实施暴力的记录。大把赡养费，财产分割也会肥了她。根本没有动机。再说时机拿捏得也太准确了。早五分钟回家她就不可能下手，除非你也有份。"

我正要说话，但他举起了手。"别担心。我没在指控任何人，只是推测而已。晚五分钟结果也一样。她只有十分钟可以动手。"

"十分钟，"我恼怒道，"事先不可能知道，更别说预谋了。"

他靠在椅背上，叹息道："我知道。你知道所有问题的答案，我也知道。但我就是不喜欢。还有你和这帮人到底为什么搞在一块儿？那家伙开了张一千块的支票给你，然后撕成碎片。你说是生你的气了。你说你本来就不想要，也不可能收下。有可能。他是不是认为你和他老婆睡觉？"

"行了，伯尼。"

"我没问你睡没睡，我问他是不是这么认为。"

"同一个答案。"

"好吧，换个问题。那个老墨有他什么把柄？"

"我反正不知道。"

"老墨的钱太多了。银行存款超过一千五，有各种各样的漂亮衣服，还有一辆崭新的雪佛兰。"

"也许他贩毒。"我说。

奥尔斯一撑椅子站了起来，低头怒视着我。

"你这家伙运气真他妈好，马洛。两次从重罪指控底下溜掉。你会自信过头的。你帮了那些人的大忙，却连一毛钱都没挣到。要是我没听错，你也帮了那位莱诺克斯的大忙。同样一毛钱都没挣到。朋友，你吃饭的钱从哪儿来？你有大笔积蓄，已经不需要工作了？"

我站起身，绕过办公桌，和他面对面。"我是个浪漫派，伯尼。半夜听见有人叫喊，我会去看出了什么事。这么做你一毛钱也挣不到。你有理智，你关上窗户，调大电视的音量。或者你一脚把油门踩到底，从那儿逃得远远的。不插手别人的麻烦事。插手了只会惹得自己一身骚。最后一次我见到特里·莱诺克斯，我们在我家喝了一杯我煮的咖啡，然后一起抽了支烟。后来听说他死了的时候，我走进厨房煮咖啡，给他倒了一杯，又给他点了支烟，等咖啡凉了，烟烧完了，我对他说声晚安。这么做你一毛钱也挣不到。你不会这么做。所以你是个好警察，而我是私家侦探。艾琳·韦德担心她丈夫，于是我东跑西颠找到他，带他回家。过几天他出事了，打电话给我，我跑去从草坪上把他扛进屋，抬他上床，这么做我一毛钱也没挣到。根本没有任何好处。屁也没有，除了隔三差五脸上挨拳头，被扔进拘留所，被'门迪'门南德斯这种挣快钱的小子威胁。但没有钱，一毛钱也没有。我的保险箱里有张五千块的钞票，但我一分都没花过。因为我得到这笔钱的方式不对劲。刚开始我时常把玩，现在还是偶尔拿出来看两眼。但只是看看——我一毛钱都不会花。"

"肯定是伪钞，"奥尔斯干巴巴地说，"不过这么大面额的没人伪造。你叽里咕噜说了一通，重点到底是什么？"

"没有重点。我说过了，我是个浪漫派。"

"我听见了。还有你一毛钱都没挣到。我也听见了。"

"但我永远可以对警察说去你妈的。伯尼，去你妈的。"

"等我把你关进小房间放在强光灯底下，老弟，你就不会叫我去他妈的了。"

"改天咱们试试看。"

他走到门口，一把拽开门。"知道吗，小子？你以为你很机灵，其实只是在犯蠢。你是墙上的一道影子。我当了二十年警察，一个污点都没有。我知道别人什么时候在骗我，知道别人什么时候对我有所隐瞒。机灵鬼除了他自己愚弄不了任何人。听我一句劝，老弟。我比你清楚。"

他从门口缩回脑袋，松手让门关上。鞋跟咚咚咚地踩着走廊远去。我桌上的电话响了，他的脚步声还依稀可辨。一个清晰的职业化声音说："纽约来电，找菲利普·马洛先生。"

"我就是菲利普·马洛。"

"谢谢。稍等片刻，马洛先生。这就给您接通。"

我认出了随后响起的声音。"霍华德·斯宾塞，马洛先生。我们听说了罗杰·韦德的消息。一个非常沉重的打击。我们不知道完整的细节，但你的名字似乎出现在里面。"

"事情发生的时候我正好在。他喝醉了，开枪自杀。韦德夫人稍晚一些到家。仆人当时不在，星期四他们休假。"

"只有你和他在一起？"

"我没有和他在一起。我在室外，附近闲逛，等他妻子回家。"

"我明白了。呃，我猜应该有过验尸庭审吧？"

"已经结束了，斯宾塞先生。自杀。而且特别不引人注目。"

"是吗？真是奇怪。"他听起来并不失望，更像是困惑和吃惊。"他那么有名。我还以为——唉，我怎么以为都没关系了。我觉得我还是飞来一趟比较好，但在下周末前没法成行。我会拍电报给韦德夫人的。肯定有什么我能为她做的——还有那本书。我是说他肯定已经写了不少，我们可以找个人续完。看来你最后还是接了那个活儿。"

"没有。他自己也求过我，但我直话直说告诉他，我没法阻止他喝酒。"

"显然你连试都没试。"

"听我说，斯宾塞先生，你对当时的情况一无所知。你为什么不了解一下情况就直接下结论呢？倒不是说我一点也不自责。发生这种事情，而你刚好在场，我觉得自责也是难免的。"

"当然了，"他说，"很抱歉我说了那种话。我说话不经大脑。艾琳·韦德这会儿在家吗？还是你不知道？"

"我不知道，斯宾塞先生。你打过去不就知道了吗？"

"我觉得此刻她大概不想和任何人说话。"他慢吞吞地说。

"为什么？她和法医聊过，眼睛都没眨一下。"

他清清喉咙。"你似乎不怎么同情嘛。"

"罗杰·韦德死了，斯宾塞。他有点混账，也许还有点天赋。这个我无所谓。他是个自我中心的酒鬼，他厌恶他自己。他给我惹了很多麻烦，最后还让我心里很难受。我他妈为什么要同情？"

"我在说韦德夫人。"他连忙解释。

"我也是。"

"我来了打电话给你，"他突然说，"再见。"

他挂断电话，我放下听筒。我动也不动地盯着电话看了几分钟。然后我从桌上拿起电话簿，查找一个号码。

40

我打电话到休厄尔·恩迪科特的办公室。接电话的人说他在法庭上，到下午才有空。我能不能留个名字？不了。

我拨通"门迪"门南德斯日落商业街老窝的号码。那地方今年叫El Tapado，也是个不坏的名字。在美洲西班牙语中有藏宝的意思。它以前叫过别的名字，事实上是好几个名字。某年只在商业街上面向南方的空白高墙上挂了个蓝色霓虹灯的号码，它背后是山丘，一条车道拐出大街，绕过建筑物的一侧。非常隐秘。知道那地方的人不多，只有风化组警察、黑帮、吃得起三十块一顿大餐和能在楼上雅间谈五万块生意的人。

接电话的是个女人，一问三不知。然后换了个墨西哥口音的领班。

"找门南德斯先生？请问你哪位？"

"无名氏，朋友。私事。"

"请稍等。"

一段漫长的等待。这次换了个粗鲁小子，声音像是从装甲车上的射击孔里挤出来的。不过也可能只是他脸上的某条缝。

"有屁快放。谁找他？"

"叫马洛。"

"马洛是哪位？"

"你是奇科·阿古斯帝诺？"

"不，不是奇科。来，报上口令。"

"油炸你这张老脸。"

他吃吃笑。"别挂，等着。"

最后，又一个声音说："哈啰，廉价货。一向可好？"

"你一个人？"

"有话就说吧，廉价货。我正在过目歌舞演出。"

"你抹脖子可以算一出。"

"谢幕返场怎么办？"

我哈哈笑。他哈哈笑。"最近没多管闲事吧？"他问。

"你没听说？我又交了个朋友，他也自杀了。以后大家得叫我'死吻小子'才行。"

"很好笑，对吧？"

"不，不好笑。另外，前几天我和哈兰·波特喝了个下午茶。"

"好生活。我从来不喝那东西。"

"他叫你对我好一点儿。"

"我没见过那家伙，也不打算见。"

"他的爪子伸得可长了。门迪，我只想要一点小情报。比方说保罗·马斯顿这个人。"

"没听说过。"

"你答得太快了。保罗·马斯顿是特里·莱诺克斯来西海岸前在纽约用过的名字。"

"所以？"

"有人通过联邦调查局档案查过他的指纹。没有记录，说明他没在武装部队里服过役。"

"所以？"

"非得要我挑明了吗？要么你的散兵坑神话全是瞎扯淡，要么事情发生在其他什么地方。"

"我没说过事情发生在什么地方，廉价货。听我一句劝，全都忘干净吧。好言好语你就该好好听话。"

"哦，行啊。我做了什么你不喜欢的事情，就要背着一辆电车游到卡塔利娜岛去了。别吓唬我，门迪。我和职业选手打过交道。你去过英国吗？"

"嘴贱是吧，廉价货。咱们这座城市啊，一个人遇到什么意外都不稀奇。大威利·马贡这么有块头有脾气的人也会出意外。有空看看晚报。"

"既然你这么说，那我就非看不可了。搞不好还有我的照片呢。马贡怎么了？"

"就像我说的——出意外呗。我只知道报纸上说的。好像是有四个小子开了一辆内华达牌照的车，马贡想收拾他们。车就停在他家门口。内华达牌照上的号码大得吓人，肯定是闹着玩做的。但马贡觉得没什么好笑的，他两条胳膊打了石膏，下巴三处上了钢钉，一条腿用牵引带吊起来。马贡现在没脾气了。你也有可能出这种意外哪。"

"他惹了你，对吧？我看见他在维克多店门口把你家奇科摔在墙上。要不要我打电话给县警局的朋友，知会他一声？"

"随便你，廉价货，"他一字一顿地说，"随便你。"

"我还会提到当时我刚和哈兰·波特的女儿喝完酒出来。算是个补强证据，你觉得呢？打算也收拾她一顿？"

"你给我仔细听好了，廉价货——"

"你去过英国吗，门迪？你、兰迪·斯塔尔和保罗·马斯顿，或者特里·莱诺克斯，或者天晓得什么名字？也许在英国陆军服过役？也许在苏活区搞过非法勾当，事情闹大了，觉得可以在军队里躲一躲？"

"你等一下，别挂。"

我等着。什么事都不做，只是干等着，等得我胳膊都酸了。我把听筒交到另一只手里。最后他总算回来了。

"你给我听仔细了，马洛。再搅和莱诺克斯的案子，你就死定了。特里是我哥们儿，我对他有感情。你对他也有感情，所以我再跟你说几句。那是个突击队，是英国的。事情发生在挪威，一个离岸小岛。那儿有一百万个这种小岛。1942年11月。现在你能不能收手，让你疲惫的大脑休息一下了？"

"谢谢，门迪。我会休息的。你的秘密在我这儿很安全。我只会告诉我认识的人。"

"你去买份报纸，廉价货。读一读，记在心里。有块头有脾气的威利·马贡。在自家门口被痛揍一顿。我的天，他麻醉醒来后那叫一个吃惊！"

他挂断电话。我下楼买了份报纸，正如门南德斯所说，报纸上有一张大威利在病床上的照片。你只能看见他的半张脸和一只眼睛，其余的整个人都缠着绷带。重伤，但没生命危险。那帮小子下手很懂分寸。他们不想要他的命。他毕竟是个警察。在这座城市里，黑帮不杀警察。那种活儿留给青少年。一个像是进过绞肉机的活警察是更好的宣传。他迟早会痊愈，回去上班。然而从那以后有些东西就消失了：让他与众不同的最后一英寸铁骨。他是个会走路的教训，告诉你把歹徒逼得太紧是不对的，尤其是你在风化组，进全城最好的餐厅吃饭，开一辆凯迪拉克。

我坐在那儿沉思良久，然后拨通卡恩机构的号码找乔治·彼得斯。他出去了。我留下名字，说有急事。接线员说他大概五点半回来。

我去好莱坞公共图书馆，在资料室问这问那，但没找到我想要的答案。于是我回到奥兹车上，开车去市中心的主馆。我在一本英国出版的红色硬封面小书里找到了。我复印了我要的内容，开车回家。我又打电话到卡恩机构。彼得斯还没回来，我请接线员告诉他打电话到我家里。

我在咖啡桌上铺开棋盘，摆出名叫斯芬克斯的残局。这个残局印在布莱克本论象棋的著作衬页上，布莱克本是伟大的英国象棋天才，很可能是有史以来最灵活的棋手，虽说在现如今的冷战式对局里连一垒都上不了。象棋残局的解法很少会超过四五步，再往上的难度几乎以几何级数增加。十一步的残局纯粹是不折不扣的折磨。

每隔很久一段时间，碰到心情极度恶劣的时候，我就会摆出斯芬克斯，寻找解局的新路子。这是个静悄悄发疯的好办法。你甚至不会尖叫，但已经很他妈近了。

五点四十，乔治·彼得斯打电话给我。我们寒暄和慰问了一番。

"看来你又一头扎进麻烦事里了，"他喜滋滋地说，"你为什么不换个更安稳的工作，比方说尸体防腐？"

"学习周期太长。听我说，我想成为贵事务所的客户，只要费用别太高。"

"那得看你想办什么事了，老弟。还有你必须找卡恩谈。"

"不行。"

"呃，那就告诉我吧。"

"伦敦到处都是我这种人，但我分不出谁高谁低。他们自称私家调查代理人。你们机构肯定有关系，而我只能随便挑个名字，多半会吃亏。我需要一些信息，应该不难查，而且我希望尽快弄到，最好在下周末之前。"

"你说吧。"

"我想了解特里·莱诺克斯的服役记录，名字也可能用的是保罗·马斯顿。他在英国参加过突击队。1942年袭击某个挪威小岛时负伤被俘。我想知道他原先属于哪支部队，发生过什么事。陆军部肯定有全部档案。不是机密资料，至少我不认为是。就说是牵涉到继承权的问题好了。"

"你不需要私家侦探替你跑腿。你能直接问到，写信给他们就行。"

"别扯了，乔治。那样三个月后才能得到答案。我五天内就要。"

"你倒是想得很清楚。还有其他事情吗？"

"还有一点。他们的重要记录都保存在一个叫萨默塞特宫的地方。我想知道他在那儿有没有任何痕迹——出生、结婚、归化，什么都行。"

"为什么？"

"为什么是什么意思？谁付账？"

"要是两个名字都找不到呢？"

"那我就掉进死胡同了。假如你的人查到了，我要所有东西的复印件，盖章证明出处。你打算敲我多少钱？"

"我得问问卡恩才行。他也许会一口回绝。我们不想要你那种名声。要是他允许我接这个活儿，而你答应不对外提起这层关系，那么我觉得三百块应该差不多。按照美国的标准，英国佬收费并不高。他也许会问我们要十畿尼，也就是将近三十块。再加上或许会发生的其他费用。总共估计五十块，但卡恩至少要两百五才肯开一个案子。"

"职业收费标准呢？"

"哈，哈。他可没听说过那种东西。"

"有进展就打给我，乔治。请你吃个晚饭？"

"罗曼诺夫餐厅？"

"行啊，"我吼道，"只要他们肯给我订座，但只怕很困难。"

"我们可以用卡恩的专座。我知道他今晚有私人饭局。他是罗曼诺夫那儿的常客。一个行当的头面人物总是有各种好处的。卡恩在咱们城市算是个重要角色。"

"是啊，没错。但我认识一个人，而且和他有私交，他用个小拇指的指甲盖就能把卡恩碾得不见人影。"

"干得好，小子。我早就知道你有绝处逢生的本事。七点钟，罗曼诺夫餐厅的酒吧见。告诉领班你在等卡恩上校。他会为你清出一片空间，省得你被编剧和电视演员之流挤来挤去。"

"七点见。"我说。

挂断电话，我继续研究棋盘。但斯芬克斯似乎丧失了对我的吸引力。没多久，彼得斯打来电话，说卡恩觉得没问题，只要事务所的名字别卷入我的麻烦就行。彼得斯说他立刻发夜间电报到伦敦。

41

一周后的星期五上午，霍华德·斯宾塞打电话给我。他在丽兹-贝弗利大酒店，请我去饭店酒吧喝一杯。

"还是去你的房间吧。"我说。

"没问题，只要你愿意。828房间。我刚和艾琳·韦德聊了聊。她似乎很消沉。她读过罗杰留下的稿子，说她认为很容易就能续完。比他其他的作品短了很多，但宣传价值能抵消篇幅的不足。你大概想说我们出版商都是些没心没肺的。艾琳整个下午都会在家。她自然想见我，而我也想见她。"

"我半小时后到，斯宾塞先生。"

他在饭店西楼有个宽敞的漂亮套房。客厅的高窗开着，外面是个狭窄的铸铁栏杆阳台。家具包着某种糖果条纹的织物，加上地毯的繁华图案，房间散发着老派的气氛，然而能放酒杯的地方都垫着玻璃板，里里外外一共放着十九个烟灰缸。旅馆房间是客人教养的晴雨表。丽兹-贝弗利对此不抱任何希望。

斯宾塞和我握手。"请坐，"他说，"喝点什么？"

"随便什么，不喝也行。不是非得喝点什么。"

"我想来一杯阿蒙蒂亚多[1]。夏天的加利福尼亚不太适合喝酒。在纽约你能喝四倍的量，宿醉还不到这里的一半厉害。"

"那我喝黑麦威士忌酸酒。"

他打电话叫酒，然后坐进糖果条纹的椅子，摘掉无框眼镜，用手帕擦干净，重新戴上，仔细调整角度，然后望向我。

"我猜你有话想说，所以想在房间里见我，而不是酒吧。"

"我会开车送你去悠闲谷。我也想见见韦德夫人。"

他似乎有点不自在。"我不确定她想不想见你。"他说。

"我知道她不想，所以要蹭你的门票。"

"你这么做我就有点尴尬了，你说呢？"

"她说过她不想见我？"

"也不尽然，没有明说，"他清清喉咙，"我觉得她为罗杰的死怪你。"

"是啊。她亲口说出来了，他去世那天下午，她就是这么对警察说的。她多半也对县警局负责调查死因的凶杀科副队长这么说了。不过她没对法医这么说。"

他向后靠，用一根手指慢吞吞地挠手掌内侧——其实是在涂鸦。

"你见她能有什么好处呢，马洛？她的遭遇已经很可怕了。我猜她的整个生活有段时间都非常灰暗。何必让她重新体验一遍呢？你想说服她相信你并没有任何失误？"

"她对警察说是我杀了他。"

"她不可能是那个字面意思。否则——"

门铃响了。他起身去开门。客房服务员端着酒进来放下，姿势

1　雪莉酒的一种。

花哨得像是上七道菜的大餐。斯宾塞在账单上签字，给了他五毛钱小费。服务员走了。斯宾塞拿起他的雪莉酒走开，似乎不想递酒给我。我也没去碰它。

"否则怎样？"我问他。

"否则她会对法医说些什么，对吧？"他对我皱眉道，"我觉得咱们在浪费时间。你找我有什么事？"

"是你找我的。"

"我找你只是因为，"他冷冷地说，"我从纽约打电话给你的时候，你说我直接下结论。我觉得言下之意是你有话想说。好的，说吧。"

"我想在韦德夫人面前说。"

"我不喜欢这个想法。我看你还是自己安排一下吧。我个人非常关心艾琳·韦德。作为生意人，我想尽可能抢救罗杰的作品。要是艾琳像你说的那样不喜欢你，我可不想变成你进她家门的手段。你清醒一点。"

"没关系，"我说，"当我没说。我不费什么事就能见到她。我只是想找个人一起去，做个见证。"

"见证什么？"他几乎嚷嚷起来。

"你要么在她面前听，要么永远也听不到。"

"那就永远也别听到好了。"

我站起身。"也许你做得对，斯宾塞。你想要韦德的那本书——只要还有利用价值。你还想当个好人。两个可笑的野心。我一个都没有。祝你好运，再见了。"

他忽然起身，走向我。"你给我等一等，马洛。我不知道你在打什么主意，但你似乎很有想法。罗杰·韦德的死是不是有什么名堂？"

"什么名堂都没有。他被一把韦伯利双动左轮打穿了脑袋。你没看到验尸庭审的结论吗？"

"当然看到了，"他站得离我很近，似乎不太明白，"东海岸的报纸登了，几天后的洛杉矶报纸上有更完整的描述。他单独在家，不过你离屋子不远。仆人那天放假，坎迪和厨子都不在，艾琳进城购物，事情发生后不久回到家。他开枪的时候，湖上刚好有一艘非常吵的快艇经过，淹没了枪声，所以连你都没听见。"

"完全正确，"我说，"然后快艇开走了，我从湖边走回屋里，听见门铃响，为艾琳·韦德开门，她忘带钥匙了。罗杰已经死了。她在书房门口向里看，以为他在沙发上睡觉，然后上楼去卧室换衣服，再下楼去厨房煮茶。过了一阵，她又往书房里看，注意到没有呼吸的声音，随后就发现了原因。我立刻报警。"

"我没看出有什么名堂，"斯宾塞平静地说，声音里没了任何锋芒，"用的是罗杰本人的枪，仅仅一周前他还在自己卧室里放了一枪。你看见艾琳从他手里抢下那把枪。他的精神状态，他的举止，他写书时的抑郁心情，全都表现出来了。"

"她告诉你新书写得挺好。他有什么好抑郁的？"

"那是她的看法，你明白的。也可能很差劲。也可能他觉得比实际上要差劲。你继续说。我不是白痴，我看得出你没说完。"

"调查案件的凶杀科探员是我的老朋友。他比牛头犬还凶，比警犬还敏锐，是个精明的老警察。他有好几点不太喜欢。罗杰是个写作狂，为什么没留下遗书？他为什么用那种方式自杀，存心把尸体留给妻子去发现？他为什么特地挑个我不会听见枪声的时刻开枪？她为什么会忘带钥匙，非要有人开门才能进屋？她为什么要在仆人休假的日子扔下他一个人待着？请记住，她说过她不知道我在家的。要是她知道，最后两点可以去掉。"

"我的天，"斯宾塞哀叫道，"你难道想说该死的白痴警察怀疑艾琳？"

"要是他能想到动机，就肯定会怀疑了。"

"太可笑了。为什么不怀疑你？你有一整个下午的作案时间，而她只有短短几分钟，而且她还忘带家里钥匙了。"

"我能有什么动机？"

他反手拿起我那杯威士忌酸酒一饮而尽。他慢慢放下酒杯，掏出手帕擦嘴唇和被冰镇酒杯弄湿的手指。他收起手帕，抬头盯着我。

"调查还在进行吗？"

"难说。但有一点是肯定的。警方现在已经知道他当时有没有醉得失去知觉了。假如有，那麻烦就还在。"

"而你想找她谈一谈，"他说得很慢，"而且希望有证人在场。"

"没错。"

"这说明存在两种可能性，马洛。要么你吓慌了，要么你认为她应该吓慌了。"

我点点头。

"哪个？"他郑重其事地问。

"我没吓慌。"

他看看手表。"我真希望你是疯了。"

我们对视良久，谁也不说话。

42

向北穿过冷水峡谷，天气渐渐热了起来。我们爬到坡顶，蜿蜒驶向圣费尔南多山谷，阳光明晃晃地晒着我们，热得透不过气来。我望向旁边的斯宾塞。他穿着马甲，炎热似乎并不让他烦恼。他有什么更令他烦恼的心事。他隔着挡风玻璃直视前方，一言不发。厚厚的一层雾霾笼罩着山谷，从上方看像是平流雾。我们开了进去，一下子让斯宾塞打破了沉默。

"我的天，还以为南加利福尼亚气候很好呢，"他说，"这是在干什么——烧旧轮胎吗？"

"进了悠闲谷就好了，"我安慰他说，"那儿有海风。"

"很高兴他们除了酒鬼还有其他的东西，"他说，"就我在这里城郊富人区见过的乌合之众而言，我认为罗杰搬出来住是个可悲的错误。作家需要刺激，不是装在瓶子里的那种刺激。但城郊什么都没有，只有阳光照耀下一场盛大的宿醉。当然了，我指的是上流社会那群人。"

我减速拐弯，开上通往悠闲谷入口那段尘土飞扬的破路，没多久就回到了柏油马路上，又过了一会儿，海风开始现身，它穿过小湖另一头的山间垭口吹了进来。高耸的洒水器在平缓开阔的草地上转动，水滴亲吻青草，发出咻咻的声音。这个钟点，大多数有钱人都在其他什么地方。屋子的百叶窗全放了下来，园丁的卡车停在车道中央，看一眼你就知道。然后我们到了韦德家，我拐弯开过门柱，在艾琳的捷豹背后停车。斯宾塞下车，愣愣地踩着石板步道走向门廊。他按门铃，门立刻开了。坎迪站在门口，身穿白色上衣，黑黝黝的英俊脸蛋上是一双锐利的黑眼睛。一切都井然有序。

斯宾塞走进去。坎迪扫了我一眼，险些把门摔在我脸上。我等了一会儿，什么都没发生。我按着门铃不放，听着叮咚声响个没完。门猛地打开，坎迪出来，咆哮道："滚蛋！快消失。肚子上缺把刀吗？"

"我来见韦德夫人。"

"她一眼都不想看见你。"

"躲开，乡下人。我有正经事。"

"坎迪！"是她的声音，而且很严厉。

他最后瞪了我一眼，退回室内。我进去关上门。她站在一张长沙发的尽头，斯宾塞站在她身旁。她看着像一百万美元。她身穿极高腰的白色长裤和半袖的白色运动衫，左胸袋露出一团丁香紫色的手帕。

"坎迪最近有点专横，"她对斯宾塞说，"很高兴见到你，霍华德。这么远专程跑一趟真是辛苦你了。但我没想到你会带别人来。"

"马洛开车送我来的，"斯宾塞说，"另外他也想见你。"

"我想象不出能有什么原因，"她冷冰冰地说，终于望向我，但不像一周不见让她的生活有了缺口的样子。"怎么？"

"需要占用你的一点时间。"我说。

她缓缓坐下。我坐进她对面的长沙发。斯宾塞皱着眉头。他摘下眼镜擦拭，于是有了自然而然皱眉头的机会，然后在我这张长沙发的另一头坐下。

"相信你刚好赶得上吃午饭。"她微笑着对斯宾塞说。

"今天就算了，谢谢。"

"不吃？哦，当然了，你实在太忙。那么，你只是想看一眼书稿？"

"要是可以的话。"

"当然可以了。坎迪！哦，他跑掉了。就在罗杰书房的写字台上。我去拿。"

斯宾塞站起身。"我去可以吗？"

他没有等她回答，径直穿过客厅走向书房。他在她背后十英尺的地方停下，紧张地看着我。然后他继续向前走。我只是坐在沙发上，等她的脑袋转过来，眼睛冷淡而漠然地盯着我。

"找我什么事？"她开门见山。

"这样那样的事。我看见你又戴上了那个吊坠。"

"我经常戴。一个非常亲密的朋友很久以前给我的。"

"是啊。你说过了。英国军队的什么徽章，对吧？"

她捏着细细的项链末端提起它。"珠宝商复制的。比原件小，用的是黄金和珐琅。"

斯宾塞穿过客厅回来，重新坐下，把厚厚一沓黄色打字纸放在面前鸡尾酒桌的一角。他漫不经心地瞥了书稿一眼，然后望向艾琳。

"能让我仔细看看吗？"我问她。

她转动项链，找到角度松开搭扣。她把吊坠递给我，或者说丢在我手里更加准确。她将双手叠放在膝头，露出好奇的表情。"为什么这么感兴趣？这个徽章属于一支名叫'艺术家步枪团'的预备役部队。把它送给我的男人后来没多久就失踪了。在挪威的翁达尔斯内斯，那个恐怖年份——1940年的春天。"她微笑着用一只手打个简短的手势。"他爱上了我。"

"大空袭期间艾琳一直在伦敦，"斯宾塞用空洞的声音说，"她没法离开。"

我们都没有搭理斯宾塞。"而你也爱上了他。"我说。

她垂下视线，然后抬起头，和我对视。"那是很久以前了，"她说，"而且在打仗。什么怪事都有可能发生。"

"恐怕没这么简单吧，韦德夫人。你大概不记得你向我吐露了多少他的事情。'一辈子只有一次的狂热、神秘和难以想象的爱情'，引用你的原话。从某种角度说，你依然爱着他。算我走他妈的运，因为我和他姓名的缩写相同。我猜这和你选我有点关系对吧？"

"他的名字和你的毫无相似之处，"她冷冷地说，"而且他死了，死了，死了。"

我把珐琅镶金的吊坠递给斯宾塞。他不情愿地接过去。"我以前见过。"他喃喃道。

"听我描述一下图案，"我说，"白色珐琅镶金边的宽刃匕首，刀尖向下，刀身在前方穿过一双向上卷起的淡蓝色珐琅翅膀，然后在后方穿过一个卷轴。卷轴上写着：勇士常胜。"

"似乎没错，"他说，"但这有什么重要的吗？"

"她说这是艺术家步枪团这支预备役部队的徽章。她说给她这东西的男人属于这支部队，在英军1940年春攻打挪威的翁达尔斯内斯时失踪了。"

我吸引了他们的注意力。斯宾塞目不转睛地盯着我。我不是在信口开河，他很清楚。艾琳也清楚。她困惑地皱起茶褐色的眉毛，这个表情应该不是装出来的，而且还很不友善。

"这是个袖章，"我说，"之所以会存在，是因为艺术家步枪团被编入——或者并入，或者加入，天晓得正确的术语是什么——特种空勤团。他们曾经是一支预备役部队。这个徽章在1947年之前根本不存在，因此谁也不可能在1940年把它送给韦德夫人。另外，1940年登陆翁达尔斯内斯作战的没有艺术家步枪团。有舍伍德森林团和莱斯特郡团，都是预备役部队。但没有艺术家步枪团。我是不是很烦人？"

斯宾塞把吊坠放在鸡尾酒桌上，慢慢地推到艾琳面前。他什么都没说。

"你以为我不知道吗？"艾琳轻蔑地问我。

"你以为英国陆军部不知道吗？"我反唇相讥。

"显然有什么误会。"斯宾塞不咸不淡地说。

我扭头恶狠狠地瞪他。"这也是一种说法。"

"另一种说法是我撒谎，"艾琳的声音像冰块。"我不认识叫保罗·马斯顿的人，没爱过他，他也没爱过我。他从没给过我他的军徽复制品，他从没在战斗中失踪过，他从没存在过。徽章是我自己在纽约一家经营英国进口奢侈品的商店里买的，那家店专门卖皮草制品、手工皮鞋、军队和学校领带、板球运动服、带纹章的各种小玩意和其他东西。这样的解释能让你满意吗，马洛先生？"

"最后一部分能，开始一部分不能。无疑曾有人告诉你这是艺术家步兵团的徽章，但没说是什么徽章，也可能本身也不知道。但你肯定认识保罗·马斯顿，他确实曾经在那支部队里服役，而且他也确实在挪威的作战中失踪。但事情不是1940年发生的，韦德夫人，而是1942，他当时在突击队里，地点也不是翁达尔斯内斯，而是一个离岸小岛，突击队的弟兄们对那里发动了快速袭击。"

"我看没必要为这种事闹得不愉快吧。"斯宾塞用裁决的语气说。他在翻面前的那堆黄色打字纸。我不知道他是想给我捧哏还是听不下去了。他拿起一摞打字纸，在手里掂了掂。

"这东西你打算称分量按磅买？"我问他。

他像是吃了一惊，然后露出一丝勉强的笑容。

"那段时间艾琳在伦敦过得很艰难，"他说，"记错事情也是难免的。"

我从口袋里取出一张折起来的纸。"是啊，"我说，"例如你和谁结过婚之类的。这是一份结婚证书的公证复印件，原件保存在卡克斯顿厅的注册署，结婚日期为1942年8月，双方分别是保罗·爱德华·马斯顿和艾琳·维多利亚·桑普塞尔。从某个角度说，韦德夫人也是对的。根本不存在保罗·爱德华·马斯顿这个人。那是个假名，因为军人只有得到许可才能结婚。他伪造了身份。他在军队里用的是另一个名字。我有他完整的服役记录。我吃惊的是大家似乎从没意识到，只需要开口问一声就全清楚了。"

斯宾塞彻底沉默了下去。他向后靠，瞪大眼睛，但看的不是我，而是艾琳。她也望着他，脸上挂着女性格外擅长的一丝半自嘲半诱惑的微笑。

"但他死了，霍华德。早在我遇见罗杰之前就死了。能有什么关系呢？罗杰全知道。我用的一直是婚前的姓氏。在当时的环境下只能那么做。因为印在护照上了。他在行动中去世以后——"她停下来，慢慢吸气，一只手轻轻慢慢地落在大腿上，"一切就都完了，结束了，失去了。"

"你确定罗杰知道？"他一字一顿地问。

"他知道一些事情，"我说，"保罗·马斯顿这个名字对他有意义。我问过他一次，他的眼神变得很奇怪，但他没有告诉我原因。"

她没有理会我，对斯宾塞说，"唉，罗杰当然全知道。"她对斯宾塞露出耐心的笑容，像是他的反应有点迟钝。女人才会的花招。

"那你为什么在日期上撒谎？"斯宾塞干巴巴地问，"为什么说他1940年失踪，而不是1942年？为什么戴一个他不可能给你的徽章，然后又特意说是他送的？"

"也许是我迷失在了一个梦里，"她轻柔地说，"或者更确切地说，一个噩梦。大轰炸杀死了我的许多朋友。那时候道晚安必须尽量说得不像在说再见，但事实上往往就是。你对一个士兵说再见就更糟糕了。先死的永远是善良温柔的好人。"

他没说话。我没说话。她低头看着面前桌上的吊坠。她拿起吊坠，扣回项链上，镇定自若地向后靠。

"我知我没资格盘问你，艾琳，"斯宾塞说得很慢，"所以咱们就忘了吧。马洛对徽章和结婚证书还有其他的事情小题大做。有一瞬间他害得我都起疑心了。"

"马洛先生，"她平静地对他说，"对细枝末节大惊小怪。但碰到真正的大事，比方说救一个人的命，他却跑到湖边去看什么快艇了。"

"而你再也没见过保罗·马斯顿。"我说。

"他死了，我怎么见？"

"你并不知道他有没有死。红十字会没有报告他的死亡。他有可能当了战俘。"

她忽然打个寒战。"1942年10月，"她慢慢地说，"希特勒下令将所有突击队战俘交给盖世太保。我想咱们都明白这代表着什么。严刑拷打，不为人知地死在盖世太保的地牢里。"她再次颤抖，然后怒视着我："你是个可怕的人。你要我重温那段往事，惩罚我撒了个无关紧要的小谎。假如你爱的人被那些人抓住，你知道发生了什么——

什么样的事情无疑会在他或她身上发生，我设法制造出另一种记忆，哪怕是虚假的记忆，难道有什么奇怪的吗？"

"我需要喝一杯，"斯宾塞说，"非常需要。能让我喝一杯吗？"

她拍拍手，坎迪像平时一样不知从哪儿冒了出来。他向斯宾塞鞠了个躬。

"斯宾塞先生，您想喝什么？"

"纯苏格兰威士忌，杯子倒满。"斯宾塞说。

坎迪走到角落里，从墙边拉出移动式吧台。他拿出酒瓶放下，然后结结实实倒了一杯。他回来把酒放在斯宾塞面前，转身要走。

"坎迪，"艾琳平静地说，"马洛先生或许也想喝一杯。"

坎迪停下脚步，望向她，表情阴森而倔强。

"不了，谢谢，"我说，"我不喝。"

坎迪冷哼走开。又是一阵沉默。斯宾塞喝掉了半杯酒。他点上一支烟，对我说话，但不肯看我。

"我相信韦德夫人或坎迪能送我回贝弗利山。或者我叫出租车也行。你的话应该已经说完了吧。"

我折好结婚证书的复印件，放回衣袋里。

"确定你想这样？"我问他。

"大家都想这样。"

"很好，"我站起身，"看来我实在是太傻了，居然想到要这么做。你是做大生意的出版商，要是干这一行需要脑子，那你肯定有不少，应该能猜到我来这儿不只是想撂几句狠话。我翻开陈年往事，自掏腰包查证事实，不仅仅想用它们难为谁。我调查保罗·马斯顿不是因为盖世太保杀了他，不是因为韦德夫人戴错了徽章，不是因为她搞混了日期，不是因为她和他在战争期间仓促结婚。我开始调查他的时候，这些事情我一概不知。我只知道他的名字。你们猜我是怎么知道的？"

"无疑是别人告诉你的。"斯宾塞没好气地说。

"完全正确，斯宾塞先生。战争结束后，有人在纽约认识了他，后来又在恰森酒吧看见他和他妻子在一起。"

"马斯顿这个姓氏很常见。"斯宾塞说，喝了一口威士忌。他转开头，右眼皮向下耷拉了一英寸。于是我重新坐下。"保罗·马斯顿这个名字也未必独一无二，就好比大纽约地区的电话号码簿里有十九个霍华德·斯宾塞，连没中名的都有四个。"

"对。但你说有多少个保罗·马斯顿的半张脸被延迟爆炸的迫击炮弹炸烂，伤疤和修复性整容手术的痕迹你一眼就能看见？"

斯宾塞震惊得合不拢嘴，发出一些沉重的呼吸声。他掏出手帕擦拭太阳穴。

"你说有多少个保罗·马斯顿在同一个场合救过两个凶狠赌徒的命，他们一个叫'门迪'门南德斯，一个叫兰迪·斯塔尔？这两个人还活着，他们的记性好得很。他们觉得合适的时候自然会开口。你还装什么呢，斯宾塞？保罗·马斯顿和特里·莱诺克斯是一个人。可以证明地容不下任何疑问。"

我知道不会有人尖叫着一跳六尺高，事实上也没有。然而笼罩房间的沉默和惊呼一样震耳欲聋。我感觉到了。我感觉到它包围我，浓密而坚硬。我听见厨房里的水流声，听见叠好的报纸落在车道上的沉闷响声，听见少年吹着有点跑调的口哨骑自行车离开。

我的后脖颈有点刺痒。我猛地转身。坎迪站在我背后，手里拿着一把刀。他黝黑的脸上一片木然，但眼神里有些我没见过的东西。

"你累了，朋友，"他轻柔地说，"我给你倒杯酒吧？"

"波本威士忌加冰块，谢谢。"我说。

"稍等，先生。"

他合上弹簧刀，扔进白色上衣的侧袋，悄无声息地离开。

然后我终于望向艾琳。她坐在沙发上，身体向前倾，双手紧扣。她垂着头，就算脸上有表情，我也看不见。她开口时声音清朗而空洞，就像电话里报时的机械人声，只要你一直听下去——但人们并不会，因为没有理由要这么做——它就会不停地告诉你现在几分几秒，音调不会有哪怕一丝改变。

"我见过他一次，霍华德。就一次。我一个字也没和他说。他也没和我说。他变得太厉害了。头发全白了，他的脸——也不完全是原先那张脸了。但我当然认识他，他当然也认识我。我们彼此对视。仅此而已。然后他走出房间，第二天就离开了她家。我是在洛林家见到他的，还有他妻子。一天下午很晚的时候，你也在，霍华德。罗杰也在。我猜你也看见他了。"

"有人介绍我们认识，"斯宾塞说，"我知道他娶了谁。"

"琳达·洛林对我说他忽然消失了。没有给出任何理由。没有任何争吵。没多久，那女人和他离婚。后来我听说她又找到了他。他很落魄。两个人复婚。天晓得为什么。我猜因为他没钱，而他也觉得无所谓了。他知道我嫁给了罗杰。我们错过了彼此。"

"为什么？"斯宾塞问。

坎迪把酒杯放在我面前，一言不发。他望向斯宾塞，斯宾塞摇摇头。坎迪悄无声息地离开。没有人多看他一眼。他就像中国京剧里搬道具的人，他在台上把东西挪来挪去，演员和观众都当他不存在。

"为什么？"她重复道，"唉，你不会明白的。我们有过的一切都失去了，永远也找不回来了。他没落在盖世太保手上。纳粹里也有像样的人，没有遵守希特勒处置突击队员的命令。因此他活下来回国了。我曾经骗自己说我会重新找到他，他和以前一样，热情，年轻，没有被污染。但我发现他娶了那个红发娼妇——简直令人作呕。我早就知道她和罗杰的奸情。保罗无疑也知道。还有琳达·洛林，她也有点放荡，但不算彻底的荡妇。都是一路货色。你问我为什么不离开罗杰，回到保罗身边。他投入那女人的怀抱，而罗杰也投入过同一个饥渴的怀抱，你觉得呢？不了，谢谢。我需要比这些更向上的东西。罗杰嘛，我可以原谅。他喝酒，他不知道自己在干什么。他担心他的作品，他憎恨自己，因为他只是个雇佣写手。他生性软弱、不甘心、不得志，但我能理解他。他只是个丈夫。保罗要么更重要，要么什么都不是。到最后他什么都不是。"

我喝下一大口酒。斯宾塞已经喝完了他那杯。他在挠长沙发的罩布。他已经忘了面前那堆打字纸，一个已经终结的流行作家的未完成作品。

"我可不会说他什么都不是。"我说。

她抬起眼睛，朦朦胧胧地看我一眼，重新垂下视线。

"比什么都不是还差劲。"她说，声音里有一丝讽刺，"他知道她是什么货色，但还是娶了她。然后因为她就是他知道的那种货色，他又杀了她。然后逃得远远地自杀。"

"她不是他杀的，"我说，"你很清楚。"

她以慢动作挺直身体，茫然地盯着我。斯宾塞发出某种怪声。

"是罗杰杀了她，"我说，"这点你也很清楚。"

"他告诉你了？"她静静地问。

"他不需要告诉我。他给了我好几条线索。时候到了他本来会告诉我或其他人，否则他会把自己撕成碎片的。"

她微微摇头。"不，马洛先生。他不是为了这个把自己撕成碎片的。罗杰不知道他杀了她。那段时间完全是个空白。他知道出了什么事情，他拼命回忆，但就是想不起来。休克摧毁了他对那件事的记忆。也许本来会想起来的，也许在生命的最后一刻他确实想起来了。但在此之前没有。之前没有。"

斯宾塞几乎咆哮起来："艾琳，这种事绝对不可能是真的。"

"哦，不，是真的，"我说，"我知道两个确凿无疑的案例。一个是神志不清的醉鬼杀了他在酒吧勾搭上的女人。她系着一条围巾，别了个漂亮的领针，他用围巾勒死了她。她跟他回家，接下来的事情没人清楚，只知道她死了，警察逮住他的时候，那个漂亮的领针就别在他的领带上，他一丁点也想不起来它是从哪儿来的。"

"一直想不起来？"斯宾塞问，"还是仅仅当时？"

"他到最后也没有认罪。不过现在也没法问他了。他被送进了毒气室。另一个案子是头部创伤。男人和一个有钱的变态佬同居，搜集初版书、做得一手好菜、护墙板背后藏着个昂贵的秘密图书室的那种变态佬。两个人打了起来。他们满屋子扭打，从一个房间到另一个房间，上上下下弄得一片狼藉，有钱人最终败下阵来。警察逮住凶手的时候，他身上有几十处瘀伤，还断了一根手指。他只知道他头疼，找不到回帕萨迪纳的路了。他没完没了兜圈子，在同一个加油站停车问路。加油站的老兄觉得他疯了，打电话报警。他又兜完一圈回来，警察正在等他。"

"我不相信罗杰会做这种事，"斯宾塞说，"他不比我更加神经质。"

"他喝醉了会失去记忆。"我说。

"我在场。我看见他动手了。"艾琳冷静地说。

我朝斯宾塞咧嘴笑笑。算是某种笑容，很可能没什么喜悦可言，但我能感觉我的脸在尽忠职守。

"她会告诉我们的，"我对他说，"你听着就好。她会告诉我们的。她已经控制不住了。"

"对，确实如此，"她严肃地说，"有些事就算是仇人做的你也不想揭穿，更别说是你自己丈夫做的了。假如我非得在证人席上公布这一切，霍华德，你肯定不会喜欢的。你那位优秀、有天赋、广受欢迎和帮你挣大钱的作家会显得很低级。他最喜欢写性爱，对吧？但那只是在纸上，而可怜的傻瓜居然真的想过这种生活！那个女人对他而言仅仅是战利品。我监视他们。我应该为此感到羞愧。一个人应该这么说。不，我并没什么可羞愧的。我看见了整场肮脏的勾当。她和情人幽会的客人房事实上非常幽静，有自己的车库，门口开在一条边道的死胡同里，有大树遮挡视线。终于有一天，罗杰这种人迟早会有这一天，他再也当不了一个令人满意的情人了。他稍微有点醉。他想离开，但她尖叫着追出来，赤身裸体，挥舞着一个小雕像。她用的语言太下流和堕落了，我没兴趣复述。然后她企图用小雕像打他。你们都是男人，肯定知道最让男人震惊的莫过于听见一个应该很优雅的女人使用属于阴沟和公厕的语言。他喝醉了，他发作过突然施暴的毛病，此刻再次发作。他夺过她手里的小雕像。剩下的事情你们可想而知。"

"肯定出了很多血吧。"我说。

"血？"她怨恨地笑了笑。"你该看看他回家时的样子。我跑向我的车逃跑，他只是傻站在那儿低头看她。然后他弯腰抱起她，带她进了客人房。当时我知道震惊使得他清醒了一些。大约一小时后，他回到家。他非常安静。看见我在等他，他吃了一惊。但那时候他的酒已经醒了。他昏昏沉沉的。他脸上、头发上、外衣正面全都是血。我领他进书房的卫生间，帮他脱光衣服，大致清理一下，然后带他上楼洗澡。我扶他上床。我翻出一个旧手提箱，下楼收拾血衣，装进手提箱。我擦干净洗脸池和地板，然后用湿毛巾擦干净他的车。我停好他的车，开我的车去查茨沃斯水库，你们能猜到我是怎么处理装血衣和毛巾的手提箱的。"

她停下来。斯宾塞在挠左手掌。她瞥了他一眼，继续说下去。

"我不在的时候他爬起来喝了很多威士忌。第二天早晨，他什么都不记得了。简而言之，他只字不提那件事，脑袋里除了一场宿醉似乎什么都没有。我也什么都没告诉他。"

"他肯定发现那些衣服不见了。"我说。

她点点头。"我猜他后来注意到了，但什么都没说。所有事情似乎都凑到一块去了。报纸上全是那个案子，保罗失踪了，然后死在墨西哥。我怎么知道会发生这种事？罗杰是我丈夫。他做了一件可怕的事情，但她也是个可怕的女人。况且他根本不知道自己在干什么。然后忽然间案子从报纸上消失了。琳达的父亲肯定动了什么手脚。罗杰当然读了报纸，品头论足就像个无辜的旁观者，只是凑巧认识涉案人士而已。"

"你难道不害怕吗？"斯宾塞静静地问。

"我都快吓死了，霍华德。假如他记得，说不定会杀了我。他是个好演员，作家基本上都是，他也许已经知道了，只是在等待时机。但我无法确定。他有可能，只是有可能，永远忘记了一整件事情。而且保罗也自杀了。"

"假如他一直没有提起你丢进水库的血衣，就证明他有所怀疑了，"我说，"还有，要记住，有一次他在打字机里留下几张纸，就是他在楼上开枪、我看见你从他手上抢枪的那天，他在里面说一个好人为他而死。"

"他这么说了？"她的眼睛瞪大了恰好那么多。

"他写的——用打字机。我销毁了，他请我这么做的。但我猜你肯定看到了。"

"我从不读他在书房里写的东西。"

"维林杰带他走的那次，你读了他留下的字条。你甚至从废纸篓里翻出了一些东西来。"

"情况不一样，"她冷冷地说，"我在找线索，想知道他去了哪儿。"

"随便你，"我说，身体向后靠，"还有什么？"

她缓缓摇头，带着深切的哀伤。"大概没了。到最后，他自杀的那天下午，他大概全想起来了。我们永远也不可能知道。我们难道想知道吗？"

斯宾塞清清喉咙。"马洛本来应该扮演什么角色？找他来是你的主意。记得吗？是你说服我去找他的。"

"我害怕极了。我害怕罗杰，也担心罗杰。马洛先生是保罗的朋友，几乎是保罗的熟人里最后一个见过他的。保罗肯定对他说了什么。我必须确定。假如他是个危险人物，我希望他站在我这一边。假如他发现了真相，说不定还有办法能拯救罗杰。"

忽然间，不知道为什么，斯宾塞变得强硬起来。他俯身向前，突出下巴。

"咱们把话说清楚了，艾琳。他是个私家侦探，已经和警察搞坏了关系。他们送他进拘留所。据说他帮助保罗——你叫他保罗，所以我也这么叫吧——逃到了墨西哥。假如保罗是杀人犯，这就是一项重罪。就算他发现真相，能洗清自己的嫌疑，他也会干坐着什么都不做。你难道是这么想的？"

"我害怕啊，霍华德。你难道还不明白吗？我和一个很可能精神错乱的杀人犯住在一起。大多数时间只有我和他两个人。"

"这个我明白，"斯宾塞说，依然态度强硬。"但马洛没接那个活儿，你依然是一个人。然后罗杰开了一枪，接下来一周你还是一个人。再然后罗杰自杀了，说巧不巧，这次刚好是马洛一个人。"

"没错，"她说，"那又怎样？难道怪我吗？"

"好吧，"斯宾塞说，"但还有一种可能性，你认为马洛也许会查明真相，而且他知道枪已经开过一次了，他说不定会把枪递给罗杰，说什么，'你看，老兄，你杀了人，我知道，你老婆也知道。她是个好女人，已经吃了许多苦头。更别说西尔维娅·莱诺克斯的丈夫了。你何不体面一点，自己扣扳机，所有人都会以为你只是喝多了发神经？我去湖边溜达一圈，抽支烟，老兄。祝你好运，再见了。哦，枪给你，已经上好子弹，全交给你了'。"

"你越说越可怕了，霍华德。我从没动过那种念头。"

"你经常说马洛杀了罗杰。这话是什么意思？"

她瞥了我一眼，几乎羞答答的。"我那么说非常不对。我都不知道我在说什么。"

"也许你认为是马洛开枪打死了他。"斯宾塞冷静地提醒她。

她眯起眼睛。"哦，不，霍华德。为什么？他为什么要那么做？这种想法太恐怖了。"

"为什么？"斯宾塞追问道，"有什么恐怖的？警察也这么想。坎迪还给了他们一个动机。他说罗杰对天花板开枪的那天夜里，罗杰吃安眠药睡着以后，马洛在你房间里待了两个小时。"

她的脸红到了头发根。她傻乎乎地望着他。

"而且你没穿衣服，"斯宾塞直言不讳道，"坎迪就是这么对警察说的。"

"但在验尸庭上——"她开始语不成声。斯宾塞打断她。

"警察不相信坎迪的话，所以他在验尸庭上没那么说。"

"哦。"如释重负的轻叹。

"另外，"斯宾塞冷冷地继续道，"警察怀疑你。现在也还是。他们只缺动机。要我说，他们说不定很快就会拼凑出一个来。"

她站了起来。"我看你们二位应该离开我家了，"她愤怒地说，"越快越好。"

"所以，到底是不是你？"斯宾塞冷静地说，没有起身，而是伸手去拿酒，却发现杯子是空的。

"是不是我什么？"

"朝罗杰开枪？"

她站在那里瞪着他，涨红的脸色已经消失。她面色惨白，紧绷而愤怒。

"我只是在问你上了法庭会听到的问题。"

"我出去了。我没带钥匙，不得不按门铃进门。我回家时他已经死了。都是众所周知的事实。我的天哪，你这是在发什么疯？"

他掏出手帕擦嘴。"艾琳，我在这里住过不下二十次，从不知道前门白天会上锁。我没说是你朝他开枪的。我只是在问你。别告诉我不可能。照现在的情形看，其实很容易。"

"我朝我丈夫开枪？"她讶异地问，说得很慢。

"假如，"斯宾塞用同样的漠然语气说，"他是你丈夫。你嫁给他的时候已经有一个了。"

"谢谢你，霍华德。非常感谢。罗杰的最后一本书，他的天鹅之歌，就摆在你面前。拿上走吧。我觉得你最好打电话给警察，说一说你的想法。咱们的友情可以有个迷人的结局。不可能更迷人了。再见，霍华德。我非常累了，头疼得厉害。我要回房间躺下了。至于马洛先生——我猜这些念头都是他灌输给你的——我只想对他说，就算他没有在字面意义上杀死罗杰，也无疑送罗杰走向了他的灭亡。"

她转身离开。我厉声道："韦德夫人，稍等一下。咱们把话说完嘛。没必要弄得这么难堪。大家都是在尽量做正确的事情。你扔进查茨沃斯水库的手提箱——重不重？"

她转身盯着我。"我说过了，那是个旧手提箱。对，非常重。"

"水库周围的铁丝网那么高，你是怎么弄过去的？"

"什么？铁丝网？"她做个无能为力的手势，"我猜一个人在危急关头总会爆发出超乎寻常的力量吧。总之我做到了。就是这样。"

"其实根本没有铁丝网。"我说。

"根本没有铁丝网？"她呆呆地重复，就好像这句话毫无意义。

"罗杰的衣服上也没有血。西尔维娅·莱诺克斯不是在客人房外被杀的，而是在床上。事实上也不会有血迹，因为小雕像把她那张脸砸成肉泥的时候，砸的是一具尸体，她已经死了，是被枪打死的。韦德夫人，尸体出血很少。"

她轻蔑地对我挑起嘴唇。"难道你在场？"她不屑地说。

说完她就撇下我们走了。

我们目送她离开。她慢慢地上楼，动作冷静而优雅。她的身影消失在卧室里，门轻柔但坚决地关上。寂静。

"铁丝网是怎么回事？"斯宾塞迷迷糊糊地问我。他的脑袋前后摆动，脸色通红，汗出如浆。他勇敢地面对现实，但这么做并不轻松。

"只是在唬她，"我说，"我从没靠近过查茨沃斯水库，不知道它到底是什么样。铁丝网也许有，也许没有。"

"我懂了，"他闷闷不乐地说，"但重点是她也不知道。"

"当然不知道。两个人都是她杀的。"

43

有什么东西在轻轻移动，坎迪忽然出现在沙发尽头，他看着我，弹簧刀握在手里。他撤下按钮，刀刃弹出来。他撤下按钮，刀刃缩回刀柄里。他眼睛里有一丝光亮。

"一百万个对不起，先生，"他说，"我误会了你。她杀了老板。我看我——"他停下来，刀刃又弹了出来。

"别这样，"我站起来，伸出手。"刀给我，坎迪。你是个好墨西哥仆人。警察会喜出望外，把罪名推到你身上。正是会让他们开心微笑的那种烟雾弹。你不知道我在说什么，但我知道。他们把事情搞得一塌糊涂，现在就算想拉回正轨也做不到了。况且他们不想。他们会从你嘴里掏出一份认罪书，快得你都来不及说完全名。从周二算的三星期后，你就在圣昆廷坐穿牢底了。"

"我说过我不是墨西哥人。我是智利人，来自比尼亚德尔马，离瓦尔帕莱索不远。"

"刀给我，坎迪。我全知道。你是个自由人。你存了不少钱。你家乡多半有八个兄弟姐妹。聪明点，哪儿来回哪儿去。这份工作已经结束了。"

"工作有的是。"他平静地说。他抬起手臂，把弹簧刀丢进我手里。"这是看在你的面子上。"

我把匕首扔进口袋。他望向阳台。"夫人——我们该怎么办？"

"什么都不做。咱们什么都不做。夫人非常累了。她一直生活在巨大的压力下。她不想被打扰。"

"咱们得报警。"斯宾塞鼓起勇气说。

"为什么？"

"我的天，马洛——必须报警啊。"

"明天。收拾一下你那本未完成的小说，咱们走。"

"咱们必须报警。世上存在一个叫法律的东西。"

"咱们不是非得做那种事。咱们的证据连苍蝇都拍不死。让执法人员完成他们的肮脏任务吧。让律师去琢磨吧。他们制定法律，让一帮律师在另一帮名叫法官的律师面前剖析，好让其他法官说以前的法官错了，让最高法院说第二帮法官错了。没错，世上存在叫法律的那种东西。咱们被它都淹到脖子了。它的功能就是为律师拉生意。要是律师不教黑帮老大如何运作，你觉得他们能混多久？"

斯宾塞怒道："和这些没关系。一个男人在自己家里被杀。他是个作家，而且非常成功，是个重要作家，但和这些也没关系。他是一个人，你和我都知道是谁杀了他。世上存在正义这种东西。"

"明天。"

"要是你让她逍遥法外，那你就和她一样坏。马洛，我开始怀疑你这个人了。要是你认真一点，应该能救下他的性命。从某种程度上说，是你让她逍遥法外的。在我看来，今天下午的这场表演就只是——一场表演。"

"没错。底下藏着一场爱情戏呢。你看得出艾琳为我痴狂。等事情平息下来，我们说不定会结婚。她的经济状况应该会很好。我还没从韦德家挣到一毛钱呢。我都不耐烦了。"

他摘下眼镜，擦了又擦。他擦掉眼窝里的汗水，戴上眼镜，望着地面。

"对不起，"他说，"今天下午我吃了结结实实的一记重拳。得知罗杰自杀就已经够糟糕了。但现在这个答案，光是知道就让我觉得羞耻了。"他抬头看我。"我能信任你吗？"

"信任我干什么？"

"正确的事情——无论是什么事。"他弯腰拿起那堆黄色打字纸，夹在胳膊底下。"唉，算了，当我没说。我猜你知道你在干什么。我只是个优秀出版商，不擅长这种事。我猜其实我只是个自命不凡的白痴。"

他从我身边走出去，坎迪为他让路，然后飞快地走向前门为他开门。斯宾塞从他身边走出去，朝他点了一下头。我跟着他出去，在坎迪身旁停下，看着他闪闪发亮的黑眼睛。

"别犯傻，朋友。"我说。

"夫人非常累了，"他静静地说，"她回卧室休息了。不会有人打扰她。我什么都不知道，先生。我什么都不记得……全听您的吩咐，先生。"

我从口袋里掏出弹簧刀递给他。他微笑。

"没人相信我，但我相信你，坎迪。"

"我也一样，先生。非常感谢。"斯宾塞已经在车里了，我上车发动引擎，倒出车道，送他回贝弗利山。我在酒店侧门放他下车。

"我想了一路，"他下车时说，"她肯定有点精神错乱。我猜他们不可能给她定罪。"

"他们连试都不会试，"我说，"但她不知道。"

他收拾了一会儿胳膊底下那堆黄色打印纸，总算全都捋直，最后朝我点点头。我望着他拉开门，走了进去。我松开刹车，奥兹缓缓驶离白色的路沿，这是我最后一次见到霍华德·斯宾塞。

回家时已经很晚，我又累又沮丧。今天是那种空气沉重、夜间噪音显得发闷而遥远的夜晚。雾蒙蒙的一轮冷月高挂空中。我在房间里走来走去，放了几张唱片，没怎么听进去。我似乎听见某处有个嘀嗒声响个没完，但家里没有任何会发出嘀嗒声的东西。嘀嗒声来自我的脑海。我是个单人的行刑看守队。

我想到第一次看见艾琳·韦德的情形，还有第二、第三和第四次。然而再往后，她身上有某些东西变得虚无缥缈。她不再像个真实人物了。你知道一个人是杀人凶手之后，这个人总会变得不再真实。有些人出于仇恨、恐惧或贪婪杀人。他们是狡猾的凶手，精心策划，希望能逃脱惩罚。有些愤怒的凶手根本没有思考过。有些凶手和死者相爱，对他们来说，杀人是一种曲折的自杀。从某种意义上说，他们都有点精神错乱，但斯宾塞指的并不是这种错乱。

快天亮的时候我终于上床休息。

刺耳的电话铃声把我从睡眠的黑暗井底拽了出来。我翻身下床，摸索着找拖鞋，意识到我睡了不到两个小时。我觉得自己像是在油腻小餐馆吃下肚但只消化了一半的饭菜。我的眼皮粘在一起，嘴里灌满了沙子。我勉强站起身，跟跟跄跄地走进客厅，拿起听筒说："等一下。"

我放下电话，走进卫生间，往脸上泼了几捧凉水。窗外有什么东西咔嚓咔嚓响。我迷迷糊糊地向外看，见到一张毫无表情的棕色面孔。那是每周来一次的日本园丁，我叫他石心哈利。他正在修剪黄钟花，就是日本园丁修剪你家黄钟花的那种剪法。你恳求他四次，他最后说："下星期。"然后清晨六点跑来，就在你卧室窗外咔嚓咔嚓剪了起来。

我擦干脸，回去拿起听筒。

"哪位？"

"先生，是我，坎迪。"

"早上好，坎迪。"

"夫人死了。"

死了。无论在哪种语言里，都是一个冰冷、漆黑、无声无息的词语。夫人死了。

"希望和你没关系。"

"我猜是吃药。名叫杜冷丁。我猜瓶子里有四五十粒。现在空了。昨晚没吃饭。早晨我爬上梯子从窗户看。还是昨天下午那身衣服。我撕破纱窗。夫人死了。冷得像冰水。"

冷得像冰水。"你通知什么人了吗？"

"嗯。洛林医生。他报警了。警察还没来。"

"洛林医生？一个总是迟到的人。"

"我没给他看信。"坎迪说。

"写给谁的？"

"斯宾塞先生。"

"交给警察，坎迪。别让洛林医生拿到。只能给警察。还有一点，坎迪。不要隐瞒任何事情，绝对不要撒谎。我们都在。一定要说实话。这次必须说实话，完全的实话。"

片刻沉默。然后他说："好的。我懂了。回头见，朋友。"他挂断电话。

我拨通丽兹-贝弗利饭店，请接线员转霍华德·斯宾塞。

"请稍等。我给你转前台。"

一个男人的声音:"这里是前台。请问有什么可以效劳的?"

"我要找霍华德·斯宾塞。我知道还很早,但我有急事。"

"斯宾塞先生昨晚退房了。他搭八点的航班去纽约。"

"哦,对不起,我不知道。"

我去厨房煮咖啡——成桶的海量咖啡。浓烈、强劲、苦涩、滚烫、无情、堕落。疲惫男人的活力源泉。

过了两个小时,伯尼·奥尔斯打电话给我。

"好了,伶俐仔,"他说,"滚过来受苦吧。"

44

除了现在是白天，其他都和上次一样，我们在埃尔南德斯警长的办公室，局长去圣芭芭拉参加狂欢周的开幕式了。在场的有埃尔南德斯、伯尼·奥尔斯、法医办公室的代表和看着像是非法堕胎被逮住的洛林医生，另外还有个叫劳福德的男人，地检署的代表，瘦高个，面无表情，风传他弟弟是中央大道辖区数字彩赌局的老大。

埃尔南德斯面前有几张手写的笔记纸，肉色，毛边，文字是用绿墨水写的。

"今天的会议是非正式的，"等所有人都尽可能舒服地坐进硬椅子了，埃尔南德斯说，"没有速记员和录音机。各位请畅所欲言。威斯医生代表法医，他将决定是否有必要召开验尸庭。威斯医生？"

这是个胖乎乎、乐呵呵的男人，看上去挺有能力。"我认为没必要，"他说，"她身上有麻醉药中毒的全部表面迹象。救护车赶到的时候，那女人还有非常微弱的呼吸，但陷入了深度昏迷，所有反射都已消失。到了这个阶段，百分之百没救。她皮肤冰凉，不仔细检查都觉察不到她还有呼吸。仆人以为她已经死了。事后一小时她正式死亡。我听说这位女士偶尔发作非常严重的支气管哮喘。杜冷丁是洛林医生开给她供紧急时使用的。"

"威斯医生，她服下的杜冷丁剂量有确切数字或大致估计吗？"

"致命剂量，"他答道，微微一笑，"没有个人病史、后天和先天抗药性数据，我们不可能很快得出结论。根据她的自白书，她服用了两千三百毫克，假如没有药瘾，这是最低致死剂量的四到五倍。"他质问地望向洛林医生。

"韦德夫人没有药瘾，"洛林医生冷冷地说，"处方剂量是一次一到两粒五十毫克的药片。我能允许的二十四小时最高摄入量是三到四粒。"

"但你一口气给了她五十粒，"埃尔南德斯警长说，"这种药以这个数量放在手边只怕很危险吧？医生，她的支气管哮喘有多严重？"

洛林医生轻蔑地笑了笑。"和所有哮喘一样，间歇性的。没到过术语称之为'持续状态'的程度，也就是患者在严重发作时有窒息的可能。"

"有什么补充吗，威斯医生？"

"嗯，"威斯医生慢吞吞地说，"假如没有遗书，也没有其他证据能告诉我们她服用了多少药物，案件会被判定为意外过量致死。这种药的安全区间并不大。明天就有确定的结果了。老天在上，埃尔南德斯，你不打算扣下她的遗书吧？"

埃尔南德斯皱着眉头看桌上。"我只是在琢磨。真不知道麻醉药是哮喘的标准治疗手段。每天都能学到新知识哪。"

洛林涨红了脸。"紧急处置手段，我说过了。医生不可能随时随地出现。哮喘发作有可能非常突然。"

埃尔南德斯瞪了他一眼，转向劳福德。"要是我把这封信交给媒体，地检署会有什么反应？"

地检署的代表冷冷地扫了我一眼。"埃尔南德斯，这家伙在这儿干什么？"

"我请他来的。"

"我怎么知道他不会对记者复述我说的话？"

"嗯，他嘴巴特别大。你已经知道了对吧？上回你逮了他一次。"

劳福德咧嘴苦笑，然后清清喉咙。"我读了那封所谓的自白书，"他字斟句酌地说，"我一个字都不信。你们读到的背景情况有情绪枯竭、亲人死亡、滥用药物、大轰炸期间在英国生活的艰辛、那场秘密婚姻、以前的丈夫来到这儿，等等等等。毫无疑问，她产生了某种负罪感，尝试用移情手段排解出去。"

他停下来，环顾四周，却只见到几张毫无表情的脸。"我没法替地检官发言，但我个人认为，就算那女人还活着，这封自白书也无法成为起诉的依据。"

"你已经相信了一份自白书，当然不肯相信与之前那份抵触的另一份了。"埃尔南德斯挖苦道。

"悠着点儿，埃尔南德斯。任何一个执法部门都必须考虑公共关系问题。假如报纸刊发这份自白书，我们就会有麻烦。这是肯定的。有很多饥渴的改革团体围着我们虎视眈眈，就等这种机会下手捅刀子了。你们风化组副队长上周挨了一顿收拾，我们有个大陪审团已经跃跃欲试了，这才过了不到十天。"

埃尔南德斯说："好吧，这个宝贝归你了。给我签个收据。"

他归拢起那几张粉色毛边笔记纸，劳福德弯腰在表格上签字，然后拿起粉色笔记纸，折好放进胸袋，转身走出房间。

威斯医生站起身。他性格坚韧，态度温和，不为所动。"韦德家的上一个验尸庭开得太仓促，"他说，"看来这一个连开都不会开了。"

他朝奥尔斯和埃尔南德斯点点头，和洛林郑重其事地握手，转身走出房间。洛林也站起身，但有些犹豫。

"所以我是不是可以通知某位相关人士，这件事情不会有进一步调查了？"他生硬地说。

"非常抱歉，医生，耽搁你这么长时间没法照顾病人。"

"你没有回答我的问题，"洛林厉声道，"我要警告你——"

"孙子，你给我滚。"埃尔南德斯说。

洛林医生吓得险些一个趔趄，然后转过身，跌跌撞撞地逃出房间。门关上了，足有半分钟谁也不说话。埃尔南德斯从烟盒里抖出一支烟，然后抬头望向我。

"嗯？"他说。

"嗯什么？"

"你还等什么？"

"这就结束了？完了？没了？"

"伯尼，你告诉他。"

"对，没错，就结束了。"奥尔斯说，"我本来已经准备好带她回来问话了。韦德不是自杀的，大脑里酒精含量太高。但就像我对你说的，动机在哪儿？她的自白书有可能细节对不上，但证明了她在监视他。她知道恩奇诺客人房的布局。莱诺克斯那娘们儿抢走了她的两个男人。客人房里发生了什么随你想象。有个问题你忘了问斯宾塞。韦德有没有一把毛瑟PPK？对，他有一把毛瑟自动小手枪。我们今天已经打电话问过斯宾塞了。韦德喝醉了会失去记忆。倒霉的杂种要么以为他杀了西尔维娅·莱诺克斯或者真的杀了她，要么有什么理由知道他老婆杀了她。无论如何他迟早都会实话实说。没错，他早就开始酗酒了，但这个男人娶了个美丽的空壳。老墨全都知道。小混蛋差不多全知道。那是个梦中女郎。她有一部分心思活在此时此地，但绝大部分留在了彼时彼地。就算她动过情，对象也肯定不是她丈夫。明白我在说什么吧？"

我没有回答。

"你他妈险些勾搭上她，对不对？"

我还是没有回答。

奥尔斯和埃尔南德斯一起咧嘴坏笑。"我们这些人也不是完全没脑子，"奥尔斯说，"我们知道她脱衣服的故事有问题。你说服了老墨，他听了你的。他很痛苦，不知所措，他喜欢韦德，想确定究竟发生了什么。等他确定了，他打算用刀子解决问题。这件事对他来说是个人恩怨。他没监视过韦德。是妻子在监视韦德，她存心搅浑水，让韦德摸不清头脑。所有因素全对上了。到最后我猜她开始害怕韦德。但韦德从没把她从楼梯上推下去过。那次是个意外。她自己绊了一下，韦德还想拉住她呢。坎迪也看见了。"

"这些都没法解释她为什么要我待在他们家。"

"我能想到好几种可能性。有一个是老掉牙的理由。每个警察都碰到过几百次。你是个不安定因素，帮莱诺克斯逃跑的人，莱诺克斯的朋友，某种程度上的密友。他知道什么，他告诉了你什么？他拿走了杀死西尔维娅的枪，他知道那把枪发射过。她或许认为他这么做是为了她。反过来让她认为莱诺克斯知道是她开的枪。得知他自杀，她就完全确定了。但你呢？你依然是个不安定因素。她想套你的话，她有魅力可供使用，还有现成的局面可以充当接近你的借口。另外，假如她需要一个倒霉蛋，最合适的当然是你。你不妨说她专门搜集倒霉蛋。"

"你把她想得太有心机了。"我说。

奥尔斯折断一支烟，把半截塞进嘴里嚼，另外半截夹在耳朵背后。

"另一种可能性是她需要一个男人，一个强壮的男子汉，能把她揉碎在怀抱里，让她重新开始做梦。"

"她恨我，"我说，"这个我不信。"

"那是当然，"埃尔南德斯干巴巴地插嘴道，"你拒绝了她。但她本来能克服的。可是你随后又当着斯宾塞的面揭穿了一切。"

"二位大爷最近是不是在看精神病医生？"

"天哪，"奥尔斯说，"你没听说吗？现如今他们成天阴魂不散。我们局里就有两个。这个行当已经不叫警察，而是越来越像医药业的一个分支。他们自由出入监狱、法院和审讯室。他们写十五页长的报告，解释某个少年犯为什么抢劫酒铺子、强奸女学生、向高年级同学兜售大麻。再过十年，埃尔南德斯和我这种人会在做罗夏测试和词汇联想，而不是引体向上和打靶练习。我们出门办案带的是小黑包，里面装移动式测谎仪和吐真剂药瓶。真可惜我们没逮住殴打大威利·马贡的四个兔崽子，否则倒是可以试试重塑人格，让他们爱自己的老妈。"

"我可以滚蛋了吗？"

"你还有什么不死心的？"埃尔南德斯弹着橡皮筋问。

"我死心了。这个案子已经死了。她死了，他们都死了。从头到尾都漂漂亮亮的一点不漏。现在除了回家忘个一干二净也没什么可做的了，所以就放我滚蛋吧。"

奥尔斯拿起耳朵背后的那半截香烟看了看，像是在琢磨它是怎么出现在那儿的，然后反手扔向背后。

"你有什么好哭的？"埃尔南德斯说，"要不是她没枪可用，说不定就来个大满贯了。"

"另外，"奥尔斯阴森森地说，"电话昨天没坏。"

"哦，对，"我说，"你们会飞奔而来，然后听见一套真假难分的说辞，只承认她撒了几个傻乎乎的小谎。今天上午你们拿到的我猜是完整的自白书。你们没让我看，然而假如仅仅是情书，就不可能打电话到地检署了。要是当初莱诺克斯案件有人认真调查，就会挖出他的服役记录、受伤地点和其他等等。顺藤摸瓜查下去，他和韦德夫妇的关联迟早会冒出来。罗杰·韦德知道保罗·马斯顿是谁，凑巧和我有联系的另一个私家侦探也知道。"

"有可能，"埃尔南德斯承认道，"但警察不是这么调查案件的。你不会绕着一个一目了然的案子打转，就算没人逼你结案和放手也一样。我调查过几百起杀人案。有些完完整整、干干净净，就像从教科书里搬出来的。绝大多数这儿说得通但那儿说不通。可假如你有了动机、手段、时机、畏罪潜逃、亲笔自白书和事后不久的自杀，你就不会多费神了。全世界没有哪个警察局有人力和时间去怀疑显而易见的结论。莱诺克斯这个凶手的疑点只有一个，就是某人觉得他为人不错，不可能做这种事，还有其他人同样可能杀人。但其他人没有潜逃，没有写自白书，没有一枪崩出自己的脑浆。只有他这么做了。至于为人好，最后死在毒气室里、电椅上、绞索底下的那些凶手，其中六七成在邻居眼里都和富勒刷销售员一样温顺，和罗杰·韦德一样温顺、安静和教养良好。你想知道她在遗书里写了什么？好的，读吧。我去走廊那头转一圈。"

他起身拉开一个抽屉，拿出一个文件夹放在桌上。"这里有五份影印件，马洛。别让我逮住你偷看。"

他走向房门，又扭头对奥尔斯说："陪我找派绍莱克聊聊？"

奥尔斯点点头，跟他出去。办公室里只剩下我一个人，我翻开文件夹的封面，看着黑底白字的影印件。然后我数了一下，但只碰页面边缘。影印件共有六份，每份都有几页订在一起。我拿起一份，卷起来塞进口袋。然后开始读接下来的一份。等我读完，我坐下等待。十分钟后，埃尔南德斯一个人回来了。他在写字台前坐下，数了数文件夹里的影印件数量，然后把文件夹塞回抽屉里。

他抬起眼睛，面无表情地看着我。"满意了？"

"劳福德知道你有影印件？"

"不是听我说的，不是听伯尼说的，那几份是伯尼亲手影印的。怎么了？"

"要是丢了一份会怎么样？"

他不悦地笑了笑。"不会丢的。但万一丢了，肯定不是县警局任何人的责任。地检署也有影印设备。"

"你不太喜欢斯普林格地区检察官，对吧，警长？"

他面露讶色。"我？我喜欢每一个人，甚至包括你。你给我滚蛋吧。我还有正经事要做。"

我起身离开。他忽然说："最近带枪吗？"

"有时候带。"

"大威利·马贡带两把。真不知道他为什么不用。"

"我猜他以为人人都被他吓住了。"

"有可能，"埃尔南德斯漫不经心地说。他捡起一根橡皮筋，套住两个拇指拉开。橡皮筋越拉越长，终于啪的一声断了。他揉着大拇指被弹疼的地方。"每个人都有绷不住的时候，"他说，"无论他看起来多么坚韧。咱们回头见。"

我以最快速度出门和离开那幢楼。当过替罪羊，就永远是替罪羊了。

45

回到卡温格大楼六层的狗窝，我照例用晨间邮件玩双杀[1]。送信口
到办公桌到废纸篓。廷克到艾佛斯到钱斯。我在桌面上清理出一片空
地，摊开影印件。先前我把它卷了起来，免得压出折痕。

我又读了一遍。非常详细，非常符合逻辑，足以满足任何一个
没有偏见的头脑。艾琳·韦德一时间妒忌和狂怒发作，杀死了特里的
妻子，后来因为确定罗杰知情，又安排时机杀死了罗杰。那天晚上在
罗杰房间对天花板开枪是计谋的一部分。没有得到回答也永远无法等
来回答的问题是罗杰·韦德为什么会袖手旁观，让她完成整个计划。
他肯定知道结局会是什么。所以事实上他早就放弃了自己，已经不在
乎了。文字是他的工作，不管什么事他都有话可说，唯独这件事是个
例外。

她写道：

> 医生上次开给我的杜冷丁还剩四十六粒，我现在打算
> 全吃掉，然后躺在床上。门锁好了。用不了多久，我就无药

1　棒球比赛中，在一个打席内，经由一系列连贯防守动作而造成两名进攻球员同时出
局的情况。

可救了。霍华德，希望你能明白。本人在此写下的是临终遗言，字字属实。我没有遗憾，只可惜我没逮住他们两个在一起，同时杀死他们。我对自称特里·莱诺克斯的保罗也没有遗憾。他是我爱过并与之结婚的那个男人的残余空壳。他对我来说毫无意义。他从战场上回来后我只在那天下午见过他一次，刚开始我没认出他。不过后来我认出来了，而他立刻认出了我。我被死神夺走的爱人，他应该早早死在挪威的冰天雪地里。回来的他是赌徒的朋友，有钱媚妇的丈夫，一个被娇惯和宠坏的男人，过去或许还搞过歪门邪道。时间让一切都变得低劣可鄙和充满遗憾。生命的悲剧，霍华德，不在于美丽的事物过早衰亡，而在于它们变得苍老和鄙俗。这种事不会发生在我身上。永别了，霍华德。

　　我把影印件收进抽屉锁好。该吃午饭了，但我没心情。我从底下抽屉里取出办公室提神酒喝了一大口，然后取下桌边挂钩上的电话簿，找到《日报》的号码。我打过去，请接线姑娘转罗尼·摩根。

　　"摩根先生到四点后才进办公室。您不妨试一试市政厅的新闻发布室。"

　　我打过去，如愿找到了他。他记得我是谁。"听说老兄你最近很忙。"

　　"假如你想要，我有东西给你。不过我觉得你未必想要。"

　　"是吗？什么东西？"

　　"两起谋杀案的自白书，影印件。"

　　"你在哪儿？"

　　我告诉了他。他想进一步了解情况，但我在电话上不会多说。他说他不跟犯罪新闻。我说但你毕竟是记者，而且给全市唯一的独立报纸写稿。他还想争辩。

"这东西你是从哪儿搞来的？我怎么知道值得我花时间？"

"原件在地检署。他们不会公布，因为它揭穿了他们藏在冰柜背后的几个秘密。"

"我打给你。我要和警察那边核实一下。"

我们挂断电话。我去药房吃了个鸡肉色拉三明治，喝了些咖啡。咖啡煮过头了，三明治的风味很像从旧衬衫上撕下来的一块破布。美国佬什么三明治都肯吃，只要面包烤过，用两根牙签固定住，生菜叶子从侧面支棱出来，最好还有点枯萎。

三点半左右，罗尼·摩根来找我。他和从拘留所送我回家那天晚上一样，还是一个瘦瘦长长、面无表情的疲惫人类。他没精打采地握了握我的手，掏出一个皱巴巴的烟盒。

"谢尔曼先生，我们的总编，说我可以来找你，看看你有什么。"

"除非你答应我的条件，否则就不能公开。"我打开抽屉锁，拿出影印件递给他。他飞快地读完四页纸，然后慢慢地重读一遍。他显得非常兴奋，活像廉价葬礼上的殡仪馆老板。

"给我电话。"

我把电话从桌上推给他。他拨号码，等待，说："是我，摩根。让我和谢尔曼先生说话。"他等了一会儿，另一个女人接听，找到他要找的人，请对方换条线打过来。

他挂断电话，把电话机放在大腿上，食指压着叉簧。铃声响起，他拿起听筒按在耳朵上。

"谢尔曼先生，我拿到了。"

他读得很慢，吐字清晰。读完后停顿片刻。然后说："稍等，先生。"他拿开听筒，隔着办公桌望向我."他想知道你是怎么搞到的。"

我探身拿走他手里的影印件。"告诉他，我怎么搞到的不关他事。从哪儿搞到的就是另一码事了。反面的印章说得很清楚。"

"谢尔曼先生，看起来是洛杉矶县警察局的官方存档。我猜真实性很容易核实。另外，这是有代价的。"

他听了一会儿，然后说："对，先生。他就在这儿。"他把电话机从桌上推给我。"想和你聊几句。"

话筒里是个生硬的权威声音。"马洛先生，你有什么条件。请记住，整个洛杉矶只有《日报》会考虑碰这个题材。"

"但你也没怎么碰莱诺克斯案件，谢尔曼先生。"

"我知道。但当时就丑闻而言仅仅是一件丑闻而已，不存在谁有罪的问题。假如你这份文件是真的，我们面对的情况就完全不一样了。所以，你有什么条件？"

"以影印件复制品的形式完整刊发自白书，否则就干脆别发。"

"需要核实。你能理解吗？"

"我不知道该怎么核实，谢尔曼先生。你去问地检官，他要么否认，要么向全城所有报纸公布。他只能这么做。你去问县警局，他们会把皮球踢给地检署。"

"这就不需要你操心了，马洛先生。我们有门路。你的条件怎么说？"

"我刚才说过了。"

"哦。你不需要报酬？"

"就算要也不是钱。"

"嗯，你的事情你自己最清楚。能再和摩根说几句吗？"

我把电话还给罗尼·摩根。

他简短地说了几句，放下电话。"他同意了，"他说，"我拿走影印件，他去核实。他会按你说的做。缩到一半，占据1A版的一半。"

我把影印件给他。他拿在手里，捏了捏长鼻子的鼻尖。"允许我说一句我认为你是个该死的傻瓜吗？"

"我同意。"

"你还来得及改主意。"

"免了。记得你从市拘留所送我回家的那天晚上吗？你说我有个朋友要告别。我还一直没真的和他告别呢。你们刊发这份影印件，就算是我的告别了。虽说隔了很久——非常、非常久。"

"好吧，老兄，"他坏兮兮地咧嘴笑，"但我还是认为你是个该死的傻瓜。需要我告诉你为什么吗？"

"请便。"

"我知道的比你想象中的多。当记者就有这个让人泄气的难题。你总是知道很多没法报道的事情。你会变得愤世嫉俗。假如《日报》刊发这份自白书，许多人会怀恨在心。地检官、法医、县警局那帮人、一个姓波特的有权有势的避世公民，还有门南德斯和斯塔尔这两个狠角色。你最后多半会进医院或再进拘留所。"

"我不这么认为。"

"你爱怎么认为就怎么认为，哥们儿，我在说我怎么认为。地检官生气是因为他本来已经捂住了莱诺克斯案件。就算莱诺克斯自杀并留下自白书让他看上去情有可原，但许多人会很想知道莱诺克斯这个无辜者为什么要留下自白书，他是怎么死的，是真的自杀还是有人帮忙，为什么没人去调查自杀现场，为什么整件事销声匿迹得那么快。另外，假如这份影印件的原件在他手上，他会认为县警局的人出卖了他。”

“你们可以不刊出反面的证明印章。”

“我们不会的。我们和局长是好战友。我们认为他是个正直人物。他无法阻止门南德斯这种人，我们不怪他。所有形式的赌博在某些地方全都合法，某些形式的赌博在所有地方全都合法，因此谁也无法阻止赌博。这份文件是你从县警局偷来的。我不知道你是怎么得手的。想告诉我吗？”

“不想。”

“好吧。法医生气是因为他搞砸了韦德自杀案。地检官在这里面也出了一份力气。哈兰·波特生气是因为有人重新翻出了他花费许多力气才结束的案件。门南德斯和斯塔尔生气的原因我不确定，但我知道他们警告过你，叫你罢手。这种人对一个人生气了，这个人总会受到伤害。你大概会得到和大威利·马贡一样的待遇。”

“马贡多半是太热衷于他那份工作了。”

“为什么呢？”摩根拖着长音说，“因为这种人必须说到做到。既然他们费神来叫你罢手，那你就应该罢手。假如你不罢手，他们放过你，他们就会显得很软弱。黑道老大、重要人物、董事会都不会用软弱的人。他们是危险人物。另外还有克里斯·麦蒂。”

“听说他算是内华达的皇帝。”

“你没听错，老兄。麦蒂为人不错，但他知道怎么做对内华达最好。在雷诺和维加斯活动的有钱黑道都小心翼翼地不敢招惹麦蒂先生，否则他们的税率会冲天而起，警方的配合度会相应降低。然后东海岸的头头脑脑就会决定必须做出一些改变了。办事人员和克里斯·麦蒂合不来就等于办事不力。把他弄走，换人上位。把他弄走对他们来说只有一个意思——装在棺材里运走。"

"我的名字又传不到他们耳朵里。"我说。

摩根皱起眉头，一条胳膊上下挥舞，打着毫无意义的手势。"用不着。麦蒂在塔霍湖靠内华达那一侧有个庄园，刚好和哈兰·波特的庄园挨在一起。他们说不定隔三差五会打个招呼。或许是麦蒂养的某个人听波特养的某个人说，有个叫马洛的瘪三嘴巴太大，搬弄和他没有半点关系的是非。或许是说者无意听者有心，这句话一路往下传，最后洛杉矶某套公寓里的电话响了，某个浑身肌肉的家伙得到指示，带上两三个朋友去活动活动筋骨。要是有人想收拾甚至做掉你，打手没必要知道理由。对他们来说只是家常便饭。心里一点也不难过。你坐好了别动，让我们打折你的胳膊。所以，你要不要收回去？"

他拿起影印件递给我。

"你知道我要什么。"我说。

摩根缓缓起身，把影印件放进侧面衣袋。"我有可能说得不对，"他说，"你知道的也许比我多。我不可能知道哈兰·波特这种人怎么看事情。"

"总是怒目而视，"我说，"我见过他。但他不会差使一帮暴徒给他做事。不符合他理想中的生活方式。"

"要我说，"摩根讥讽地说，"一通电话中止谋杀案调查和干掉证人阻止调查，两者只是手段问题而已。回头见——希望还能见。"

他晃晃悠悠走出办公室，像是被风吹走的一团东西。

46

我开车去维克多餐厅，打算喝一杯螺丝起子，消磨时间等晨报的晚间版上市。可是酒吧里人满为患，没有任何乐趣。我认识的酒保转过来，叫出了我的名字。

"你喜欢加一丁点儿苦味酒，对吧？"

"通常不加。今晚加两丁点儿好了。"

"最近没见过你那位朋友。绿眼睛冰冷的那一位。"

"我也没见过他。"

他转身走开，端着酒回来。我小口小口喝，这样可以多坚持一会儿，因为我并不想喝醉。要么喝个烂醉，要么就保持清醒。过了一段时间，我又叫了一杯同样的酒。刚过六点，卖报小童钻进酒吧。一个酒保朝他嚷嚷，叫他滚蛋，但他还是在顾客中间飞快地跑了一圈，直到一名侍者逮住他，把他扔了出去。顾客之一就是我。我打开《日报》看1A版。他们做到了。全登在上面。他们把影印件转成白底黑字，缩到半个版面能放下的大小。另一版上有一段简短而粗暴的编者按。在另一版上有半栏评论，作者署名罗尼·摩根。

我喝完酒，出去换了个地方吃饭，然后开车回家。

罗尼·摩根的文章直陈莱诺克斯案和罗杰·韦德所谓自杀中牵涉到的事实和前后经过——只提到官方公布的事实，没有增减，没有指责。这是清晰而简练的实打实报道。编者按就是另一码事了。它提出问题，就是公职人员被拿住把柄后报纸向他们提出的那种问题。

九点半左右，电话铃响了，伯尼·奥尔斯说他回家路上过来坐坐。

"看见《日报》了？"他觍着脸问，没等我回答就挂了电话。

他来到我家，先抱怨台阶难走，然后问我有没有咖啡，他想喝一杯。我说我给你煮。我煮咖啡的时候，他在屋里走来走去，就像回到了自己家。

"你这么一个讨人嫌的家伙，住在这儿怪孤单的，"他说，"翻过后面那座山是什么？"

"另一条马路吧。怎么了？"

"问问而已。你的灌木丛需要剪枝了。"

我端着咖啡去客厅，他坐下喝了几口。他点了一支我的香烟，吞云吐雾一两分钟，然后揿熄。"越来越不待见这东西了，"他说，"也许都怪电视广告。它们兜售什么你就讨厌什么。妈的，他们肯定觉得大众是智障。每次有个脖子上挂听诊器的白大褂混球举起一样东西，不管是牙膏是香烟是啤酒是漱口水是香波还是让胖子摔跤手比高山百合更好闻的一小盒什么玩意儿，我就会记住绝对不买这种鬼东西。妈的，就算喜欢也绝对不买。读过《日报》了？"

"一个朋友提点过我了。是个记者。"

"你有朋友？"他讶异道，"没说报社是怎么拿到那份材料的吧？"

"没有。看目前的状况，他也不是非说不可。"

"斯普林格要气疯了。劳福德，今天凌晨拿到信的地检署代表劳福德，他声称他直接把信交给了上司，但大家不得不怀疑哪。《日报》刊发的东西怎么看都像从原件上直接影印的。"

我喝着咖啡，一言不发。

"他活该，"奥尔斯继续道，"斯普林格应该亲自处理的。就个人而言，我不认为泄密的是劳福德。他也是个政客。"他目不转睛地盯着我。

"伯尼，你来找我干什么？你又不喜欢我。我们曾经是朋友，一个人能和一个坏脾气警察有多少交情，咱们就是什么样的朋友。可惜关系最近有点僵了。"

他向前俯身，露出微笑，笑容有点狰狞。"没有哪个警察会喜欢普通人背着他做警察该做的事情。韦德死掉的时候，要是你告诉我韦德和莱诺克斯家的骚货有关系，我早就想明白了。要是你告诉我韦德夫人和那位特里·莱诺克斯有关系，我早就把她攥在我的手心里了，而且还是活着的。要是你从一开始就跟我实话实说，韦德说不定到现在还活着，更不用说莱诺克斯了。你觉得自己特别精明，对吧？"

"你希望我说什么？"

"什么都别说，已经来不及了。我说过机灵鬼除了他自己愚弄不了任何人。我跟你说得清清楚楚了，但显然不管用。现在你要是聪明就快点离开。没有人喜欢你，有几位老兄不喜欢一个人就会想办法做点什么。一个线人告诉我的。"

"我没那么重要，伯尼。咱们就别互相埋怨了。韦德死掉前你根本没介入案件。他死掉后无论你还是法医还是地检官还是任何人似乎都不在乎。我也许做错了几件事。但查明真相后，你昨天下午本来可以抓她——凭什么呢？"

"凭你应该告诉我们的那些事。"

"我？我不是背着你做了警察该做的事情吗？"

他忽然站起来，脸色通红。"行了，伶俐仔。她本来应该活着。我们本来会以杀人嫌疑逮捕她。但你希望她死，混账东西，你很清楚。"

"我希望她仔仔细细、安安静静看一看她自己，然后怎么做是她的事情。我想洗清一个无辜者的罪名。我他妈一点也不在乎该怎么做到，现在一样无所谓。要是你想拿我怎么样，随时都能找到我。"

"狠角色会来收拾你的，白痴。哪儿还需要我费这个神？你以为你不够重要，不会招惹他们。作为名叫马洛的私家侦探，没错，你确实不重要；作为一个被警告过应该收手却在报纸上公然羞辱他们的人，事情就不一样了。你伤害了他们的尊严。"

"真是可惜，"我说，"光是想一想，用你的话说，我的内心就开始流血。"

他走到门口，打开门。他站在那里，望着底下的红杉台阶，又望向对面山丘和马路尽头斜坡上的树木。

"这儿惬意又安静，"他说，"静得恰到好处。"

他走下台阶，上车离开。警察从不告别。他们总是等着在嫌犯队伍里再次见到你。

47

第二天有一小段时间，事情眼看着似乎要热乎起来了。地区检察官斯普林格一早召开新闻发布会，宣读了一份声明。他是身材高大、脸色红润、眉毛浓黑、早生华发的那种男人，天生擅长搞政治。

"本人已经读过最近自尽的那位不幸女士留下的所谓自白书，这份材料的真实性尚有待认定，然而即便是真的，也显然是一个错乱心智的产物。我愿意假定《日报》刊发这份材料系出于善意，然而其中确有诸多荒谬和矛盾之处，本人在此就不一一列举了。就算这些文字出自艾琳·韦德之手——本署将与尊敬的彼得森局长领导的人员精诚合作，尽快查明是否确实如此——我也可以向大家保证，她写下文字时头脑一定不清醒、手也一定在颤抖。仅仅几周以前，这位不幸女士发现丈夫倒在他自己泼洒的血泊中。多么恐怖的灾难，请想象一下随之而来的震惊、绝望和彻底的孤独吧！如今她追随他步入死亡的苦境。搅扰死者的安宁能得到什么好处呢？朋友们，除了一张急需发行量的报纸可以多卖几份拷贝，到底能得到什么好处呢？什么都没有，朋友们，什么都没有。让我们到此为止吧。就像不朽文豪威廉·莎士比亚的戏剧杰作《哈姆雷特》中的奥菲利亚，艾琳·韦德将悔恨的芸香佩戴得与众不同。本人的政敌乐于利用这种不同，但本人的朋友和支持者不会受骗上当。他们知道本署向来倡导睿智成熟的执法，支持慈悲为怀的正义，拥护可靠稳定的保守主义政府。我不清楚《日报》支持什么，也不怎么在乎他们支持什么。就让贤明的大众自己做出判断吧。"

《日报》，一家二十四小时连轴转的报社，他们在早间版刊发了这通废话，总编亨利·谢尔曼以署名文章回击斯普林格。

地区检察官斯普林格先生今天早晨状态不错。他一表人才，浑厚的男中音异常悦耳。他没有用任何事实来打扰我们。无论斯普林格先生什么时候想检验那份材料的真实性，《日报》都会乐于从命。我们不敢奢望斯普林格先生会采取任何行动以重启已在其首肯或命令下告结的案件，正如我们难以想象斯普林格先生会倒立在市政厅的塔楼上一样。正如斯普林格先生那极为恰当的措辞所说：搅扰死者的安宁能得到什么好处呢？或者用《日报》不那么优雅的语言来说：既然受害人已经死亡，找出实施罪行的人又有什么好处呢？当然什么都没有了，除了正义和真相。

《日报》谨代表已故的威廉·莎士比亚感谢斯普林格先生令人赞叹地提及《哈姆雷特》，尤其是他虽不准确但至关重要地引用了奥菲利亚。"你必须将悔恨的芸香佩戴得与众不同"指的不是奥菲利亚的典故，而是出自她本人之口，而我们这些不够博学的头脑始终不太明白她的意思。不过咱们就别深究了。这句话听起来朗朗上口，有助于混淆议题。请允许我们在此引用同样出自受到官方认可的戏剧杰作《哈姆雷特》中，一句凑巧由反角说出的至理名言："谁是真有罪的，让斧钺加在他的头上吧。"

中午时分，罗尼·摩根打电话问我感想。我说我不认为斯普林格会受到任何伤害。

"只会破坏他在书呆子心中的形象，"罗尼·摩根说，"而他们早就知道他的底细了。我问的是你有什么感想？"

"我没感想。只是坐在这儿等人拿鞋底踩我脸呢。"

"我不是这个意思。"

"我还能喘气。你就别吓唬我了。我得到了我想要的。要是莱诺克斯还活着，他可以径直走到斯普林格面前，朝他眼睛里吐口水。"

"你替他做到了。这会儿斯普林格也知道。他们有一百种办法陷害他们不喜欢的人。我搞不懂你为什么非要浪费这个时间。莱诺克斯没那么了不起吧？"

"和这个有什么关系？"

他沉默片刻，最后说："对不起，马洛。我多嘴了。祝你好运。"

我们和普通人一样道别，然后挂电话。

下午两点左右，琳达·洛林打电话给我。"别指名道姓，谢谢，"她说，"我刚从北边那个大湖飞回来。昨晚那头有个人被《日报》上的某些东西气得要死。我的准前夫当头吃了一记。我离开的时候可怜虫还在哭呢。他飞过去报告情况的。"

"准前夫是什么意思？"

"别装傻。这次家父批准了。巴黎是个悄悄离婚的好地方。所以我很快就要动身去那儿。要是你身上还有半分理智，最好花掉一点你给我看过的那张漂亮雕版肖像，去个谁也找不到你的地方。"

"怎么和我扯上关系了？"

"这是你问的第二个傻问题。马洛，你除了自己谁也糊弄不了。知道猎人怎么打老虎吗？"

"我怎么可能知道？"

"他们绑一头山羊在木桩上，然后躲起来埋伏。山羊的下场往往很惨。我喜欢你。我确定我不知道原因，但就是喜欢。我不想眼看着你当山羊。你拼了命地做正确的事情，你心目中正确的事情。"

"多谢你的好意，"我说，"我伸头出去被剁掉脑袋，那也是我的脑袋。"

"傻瓜，别逞英雄，"她厉声道，"就算我们都认识的某个人选择当替罪羊，你也不是非要模仿他不可。"

"要是你肯多待一阵，我就请你喝一杯。"

"来巴黎请我喝一杯吧。秋天的巴黎很迷人。"

"我很愿意。听说春天还要更美丽。没去过，所以我也不知道。"

"按照你的情况，只怕永远也去不了。"

"再见了，琳达。希望你能找到你想要的东西。"

"再见了，"她冷冷地说，"我总能找到我想要的东西。但每次等我找到，就不再想要它了。"

她挂断电话。那天剩下的时间就像白开水。吃过晚饭，我把奥兹留在一家通宵服务的修车店里，请他们检修刹车片，自己叫出租车回家。我那条街和平时一样空旷。木头信箱里有一张免费肥皂优惠券。我慢吞吞地爬台阶。这是个温柔的夜晚，空气中有一丝薄雾。山坡上的树木几乎一动不动。没有风。我打开门锁，但门推到一半就停下了。门从门框上打开了大约十英寸。屋里黑洞洞的，没有任何响动，但我觉得里面的房间并不是空的。也许是弹簧轻轻地嘎吱一声。也许是我隔着门厅瞥见一眼白色上衣的反光。也许是在这么一个温暖而幽静的夜晚，里面的房间不够温暖，不够幽静。也许是空气中飘来一缕男性的体味。也许不过是我神经过敏。

我侧身走下门廊，回到地面上，贴着灌木丛猫下腰。什么也没有发生。屋里没有亮灯，没有任何我能听见的响动，我左边腰间的皮套里有枪，短管警用点三八，枪柄向前。我拔出手枪，但无济于事。寂静依然如故。我心想我真是个该死的傻瓜。我直起腰，抬起一只脚正要走向前门，这时一辆车拐过街角，飞快爬坡，几乎无声无息地在我家台阶底下停车。一辆黑色大轿车，看线条像是凯迪拉克。可能是琳达·洛林的车，然而有两个问题。没人打开车门，靠近我的车窗紧闭着。我耐心等待，竖起耳朵听，蹲在灌木丛旁边，然而没有任何声音可听，也没有等来任何东西。仅仅是一辆黑色轿车动也不动地停在我家的红杉台阶下，车窗紧闭。就算引擎没有熄灭，我在这儿也听不见。然后一盏红色聚光灯亮了，光束照到屋角二十英尺开外。大轿车慢慢倒车，直到光束扫过我家正面，扫过出檐和屋顶。

警察不开凯迪拉克。带红色聚光灯的凯迪拉克属于大人物——市长和警务专员，也许还有地区检察官，也许还有黑帮。

聚光灯继续移动。我卧倒在地，但光束还是找到了我。它停在我身上。仅此而已。车门还是没有开，屋里依然静悄悄、黑洞洞的。

然后一个警报器响了，低声号叫一两秒后停下。然后屋里终于大放光明，一个穿白色小礼服的男人走出来，站在台阶顶上，望向侧面的墙壁和灌木丛。

"请进，廉价货，"门南德斯吃吃笑道，"你有伴儿了。"

我可以开枪打死他，不费吹灰之力。但这时他向后退去，就算我能开枪，这会儿也来不及了。然后大轿车摇下了后排车窗，我听见摇车窗的辘辘声。然后一把冲锋枪响了，朝我三十英尺外的山坡上打了一梭子。

"请进，廉价货，"门南德斯在门口重复道，"你没别的地方可去了。"

于是我爬起来，走向前门，光束寸步不离地跟着我。我把枪塞回腰间的枪套里。我踏上红杉台阶尽头的小平台，刚穿过前门就停下了脚步。一个男人坐在房间的另一头，他翘着腿，手枪斜放在大腿上。他瘦长身材，一看就不好惹，风干的皮肤像是常年生活在烈日灼烧的气候下。他穿深棕色的华达呢防风上衣，拉链几乎开到腰间。他看着我，视线和枪都一动不动。他冷静得像是月光下的砖墙。

48

　　我盯着他看得太久。我隐约看见侧面有动静，肩胛骨顿时疼得发麻，整条胳膊直到指尖都失去了知觉。我转过身，看见一个满脸凶相的大块头墨西哥人。他没有咧嘴笑，只是瞪着我。他握着点四五的棕色大手垂到身边。他留着小胡子，油光锃亮的黑发向上向后过头顶再向下梳，脑袋像是大了一圈。他后脑勺上扣着一顶脏兮兮的宽边帽，两条皮绑带耷拉在针织衬衫的前襟上，身上散发出一股汗臭味。没有谁能比凶残的墨西哥人更凶残，就像没有谁能比温柔的墨西哥人更温柔，没有谁能比诚实的墨西哥人更诚实，尤其是没有谁能比悲伤的墨西哥人更悲伤。这家伙是个狠角色，哪儿都找不到比他更狠的角色。

　　我揉着肩膀。有点刺痒，但剧痛和麻木依然如故。要是我企图拔枪，枪多半会掉在地上。

　　门南德斯朝凶汉伸出手。凶汉看都没看就把枪扔了过去，门南德斯一把接住。他走到我面前站住，满脸放光。"就说哪儿痒痒吧，廉价货？"他的黑眼珠在跳舞。

　　我只是盯着他。这种问题没有答案。

　　"我问你问题呢，廉价货。"

　　我舔了舔嘴唇，反问他："阿古斯帝诺怎么了？还以为他是你的枪炮手呢。"

"奇科变软蛋了。"他轻声说。

"他一向是软蛋，就像他的老板。"

椅子里的男人眼睛一闪。他想笑但没有真的笑出来。害得我胳膊无法动弹的凶汉既不动也不说话。我知道他在呼吸。我能闻到。

"有人撞上你胳膊了，廉价货？"

"被玉米卷饼绊了一下。"

他几乎没有正眼看我，漫不经心地用枪管抽了我一耳光。

"少跟我耍嘴皮子，廉价货。你没时间玩这一套了。有人提醒过你，好言好语提醒你。我费神费力亲自上门，叫一个鸟人给我趴下，他最好就给我乖乖趴下。否则等他躺下去，就别想爬起来了。"

我能感觉到一股鲜血顺着面颊往下淌。我能感觉到那一下打得我面颊疼到发麻。剧痛逐渐扩散，我的整个脑袋都在疼。他出手不重，但用的家伙够硬。不过我还能说话，也没人阻止我开口。

"门迪，你怎么亲自动手了？还以为那是收拾大威利·马贡的那帮小子干的苦力活呢。"

"咱们这是私事，"他和颜悦色地说，"因为我有个人理由要教训你。收拾马贡完全是公事。他居然觉得他能随便摆布我——我，给他买衣服买车的是我，填满他保险箱的是我，为他家付清房贷的还是我。风化组的那群孙子全一个德性。连他家小孩的学费都是我掏的。你以为狗娘养的会心怀感激。但他是怎么做的？他走进我的私人办公室，当着手下人的面扇我耳光。"

"为什么呢？"我问他，心怀侥幸地想把他的怒火引到别人身上去。

"因为有个镀金的婊子说我们用灌铅的骰子。娘们儿好像是他的床伴之一。我把她赶出俱乐部，连同她带来的每一个大子儿。"

"似乎可以理解，"我说，"马贡应该知道职业赌徒从不出千。没这个必要。但我倒是怎么招惹你了？"

他又给了我一下，存心的。"你害我丢脸了。混我这个行当，话不需要说两遍。对再狠的角色也不行。他要么乖乖出去照着做，要么你就控制不住了。你控制不住，就没得混了。"

"我的直觉说事情没这么简单，"我说，"不好意思，允许我拿一下手帕。"

枪口指着我，我掏出手帕，擦掉脸上的血。

"一块钱买四个的包打听，"门南德斯慢悠悠地说，"以为能把我'门迪'门南德斯当猴耍，能让大家笑话我，能害得我当众出丑——我，门南德斯。我该用刀给你刻个花，廉价货。我该把你切成一条条碎肉。"

"莱诺克斯是你的好兄弟，"我看着他的眼睛说，"他死了，像条狗似的被埋掉，坟上连个名字都没写。我做了点事情来证明他的清白，所以你就丢脸了是吧？他救了你的命，丢了他的命，对你来说屁也不算。对你来说只有扮演大人物才最重要。你他妈谁也不在乎，除了你自己。你这个人物并不大，只是比较吵。"

他的表情凝固了，他抡起胳膊准备给我第三下，这次打算用上些力气。他的胳膊还在向后转，我踏上半步，瞄准他心窝就是一脚。

我没有思考，也没有计划，没有考虑我的活命机会或者到底有没有机会。我只是受够了他叽叽歪歪，我身上疼，我在流血，也许这会儿我只是有点被打昏了头。

他弯下腰，使劲吸气，枪从手里掉了出去。他发疯般地乱抓，喉咙深处发出嘎嘎怪声。我一膝盖顶在他脸上。他吃痛尖叫。

椅子里的男人放声大笑。我一时间犹豫了。他站起身，手里的枪跟着他一起抬起来。

"别杀他，"他不紧不慢地说，"我们需要他当活饵。"

门厅的暗处有了动静，奥尔斯走进来，他眼神空洞，面无表情，异常镇定。他低头看门南德斯。门南德斯跪在那儿，脑门顶着地板。

"软蛋，"奥尔斯说，"软得像土豆泥。"

"他不软，"我说，"只是受伤了。每个人都有可能受伤。大威利·马贡难道是软蛋吗？"

奥尔斯看着我。另一个男人也看着我。门口的老墨凶汉没有发出任何声音。

"拿开你脸上那根该死的香烟，"我朝奥尔斯吼道，"要么点了抽掉，要么别掏出来。我受够了看着你。我受够你了，仅此而已。我受够了警察。"

他似乎很惊讶，然后咧开了嘴。

"那一下够重的，小子，"他乐呵呵地说，"伤得重吗？坏坏子打得你鼻青脸肿是吧？哎呀，要我说，你这都是自找的，挨几下对你他妈的有好处。"他低头看门迪。门迪跪了起来。他正在爬出深井，一步几英寸地爬。他大口大口喘息。

"这位朋友就是话多，"奥尔斯说，"尤其是没带三个讼棍教他住口的时候。"

他把门南德斯拽起来。门迪的鼻子在流血。他摸索着从白色小礼服的口袋里掏出手帕捂住鼻子。他没吭声。

"你被出卖了，宝贝儿，"奥尔斯字斟句酌道，"我不怎么为马贡感到难过。他那也是自找的。但他是警察，你这种瘪三不能碰警察——从来不能，永远不能。"

门南德斯放下手帕，看着奥尔斯。他扭头看我一眼，又望向椅子上的男人。他慢慢转身，望向门口的老墨凶汉。他们都望着他。他们脸上都没有表情。然后一把刀不知道从哪儿冒了出来，门迪扑向奥尔斯。奥尔斯向侧面一闪，单手扼住他的喉咙，另一只手打掉他手里的刀，轻而易举，几乎不当一回事。奥尔斯分开双脚，挺直后背，微微屈膝，抓着门南德斯的脖子单手把他提了起来。他提着门南德斯走过客厅，把他摔在墙上。他放下门南德斯，但没有松开他的喉咙。

"碰我一指头，我就宰了你，"奥尔斯说，"一指头。"然后垂下双手。

门南德斯傲慢地朝他笑笑，看一眼手帕，折起来隐藏鲜血，又拿起来捂住鼻子。他低头望向先前用来扇我的枪。椅子里的男人漫不经心地说："没装子弹，捡起来也没用。"

"出卖，"门迪对奥尔斯说，"你说第一遍我就听见了。"

"你要的是三个打手，"奥尔斯说，"内华达派来的是三名警员。维加斯有人不喜欢你总是忘记和他们清账。有人想和你谈谈。你可以跟他们走，也可以跟我去市里，被一副手铐挂在门背后。那儿有几个小子很想和你亲近亲近。"

"上帝保佑内华达。"门迪平静地说，扭头又看了一眼门口的老墨凶汉。然后他飞快地画个十字，走前门出去了。老墨凶汉跟上他。另一个男人，风干的沙漠居民，他捡起地上的枪和刀，也出去了。他关上门。奥尔斯一动不动地等着。外面传来车门砰然关闭的声音，然后一辆车驶入黑夜。

"你确定那几个土匪是警察？"我问奥尔斯。

他转过身，像是见到我吃了一惊。"他们有警徽。"他答得很简单。

"干得好，伯尼。非常好。铁石心肠的王八蛋，你觉得他能活着到维加斯吗？"

我走进卫生间，打开冷水，用湿毛巾敷我抽痛不已的面颊。我看着镜子里的自己。面颊瘀青，肿得变形，枪管碰到颧骨的地方有几道参差割伤，左眼底下也变了颜色。我会有好几天不怎么好看。

奥尔斯走到我背后，身影出现在镜子里。他那根没点燃的香烟顺着嘴唇滚啊滚，像猫在戏弄半死的老鼠，催促它爬起来最后再逃跑一次。

"下次别企图和警察斗智斗勇了，"他没好气地说，"你以为我们让你偷走影印件只是为了好玩？我们预感门迪会来找你麻烦。我们和斯塔尔摊牌。我们说我们没法在本县禁赌，但可以让生意难做，影响收入。在我们的地盘上，黑帮不能对警察动粗还全身而退，哪怕挨揍的是个坏警察。斯塔尔信誓旦旦说他和这件事无关，组织同样不满，门南德斯要挨教训。门迪打电话叫几个外地的打手来收拾你，斯塔尔派了三个他认识的警察来，开一辆他的车子，花销也算他本人的。斯塔尔在维加斯是警务专员。"

我转身看着奥尔斯。"沙漠里的郊狼今晚有肉吃了。恭喜恭喜。警务工作是一项振奋人心的伟大事业，伯尼，警务工作唯一的问题是身陷其中的警察。"

"算你倒霉，英雄，"他的声音忽然变得冰冷而粗暴。"你走进自家客厅挨揍，我险些笑出声来。小子，这事情让我生气。这是个脏活儿，所以只能脏对脏。想要这种货色开口，你得给他们一点权威感。你伤得不重，但我们必须让他们给你点伤害。"

"哦，对不起了，"我说，"对不起，不得不让你饱受煎熬。"

他把绷紧的老脸戳到我面前。"我讨厌赌博业者，"他用阴狠的声音说，"和讨厌毒贩一样讨厌他们。他们传播一种疾病，危害绝不亚于毒品。你觉得雷诺和维加斯的那些宫殿只提供无伤大雅的娱乐？白痴，那种地方完全为小人物而存在，押上身家性命搏一记的完蛋货，回家路上进来转转的普通人，口袋里揣着工资信封，没多久就输掉了周末买日用百货的钱。有钱的赌徒输个四五万也只会一笑了之，扭头再来一把更大的。但挣大钱靠的不是有钱的赌徒。大钱来自分币、角币和五毛，偶尔来个一块五块。大钱就像卫生间水管里的自来水，是从不间断的水流。无论什么时候，只要有人想扳倒一个赌博业者，我的活儿就来了。我喜欢这种工作。一个州政府，只要它从赌博业提钱并称之为收税，这个政府就在帮黑帮拉业务。理发师或美容店小妹押下两块钱。这些钱到了辛迪加手里，真正产生利润的就是这些钱。民众想要一支正派的警务力量，对吧？为什么？保护持有优待卡的人？咱们州有合法的赛马场，一年营业三百六十五天。他们规规矩矩经营，政府拿到分红，但大家在赛马场每押一块钱，就会在场外簿记那儿押五十块。一张赛马券上有八九场比赛，其中一半是没人注意的冷门比赛，只要有人点头，随时都能安排胜负。骑师想赢比赛只有一种方法，但想输掉就有二十种，虽然每八根桩子就有一个管理员盯着，但只要骑师懂行，他们就一点办法也他妈没有。这是合法赌博，哥们儿，干干净净规规矩矩的生意，经过州政府的批准。所以这就是正当的了对吧？不，在我看来根本不对。因为这就是赌博，赌博滋生赌徒，各方各面全考虑进来，世上只存在一种赌博：不正当的那种。”

“感觉好点了？”我问他，在伤口上搽无色碘酒。

“我是个疲惫丧气的老警察。只能感觉到怨气。”

我转身盯着他。“你是个他妈的好警察，伯尼，但也还是错得离谱。在某个方面警察全是一个德性。他们都会怪罪错误的因素。一个人掷骰子输掉了薪水支票，禁止赌博。他喝醉了，禁止烈酒。他开车撞死了人，禁止制造汽车。他和姑娘开房被逮住，禁止性交。他滚台阶掉下去，禁止建设多层房屋。"

"唉，闭嘴吧。"

"是啊，让我闭嘴。我只是个普通公民。别骗自己了，伯尼。黑帮、犯罪辛迪加和打手团体会存在不是因为奸猾的政客和他们在市政厅及立法机构的走狗。犯罪不是疾病，而是症状。警察就像给脑瘤患者开阿司匹林的医生，除了警察更喜欢用警棍给人治病。我们是博大、粗鲁、富裕、狂野的一群人，犯罪是我们为之付出的代价，有组织犯罪是我们为组织付出的代价。犯罪会陪伴我们很长时间。有组织犯罪仅仅是万能金钱的肮脏一面。"

"干净的一面是什么？"

"我没见过。也许哈兰·波特能告诉你。咱们喝一杯吧。"

"你进门的时候模样挺不赖。"奥尔斯说。

"门迪朝你挥刀子的时候你的模样更不赖。"

"握一握吧。"他说，伸出他的手。

我们喝了那杯酒，他从后门离开。前一天夜里他来侦察过，今晚撬开后门溜进屋里。我家后门向外开，老旧的木料已经风干皱缩，很容易就能撬开。起出固定铰链的钉子，剩下的易如反掌。奥尔斯给我看门框上的凹痕，然后翻过屋后的丘陵，去隔壁街道取他的车。他可以同样轻而易举地撬开前门，但那样会弄坏门锁，露出一个明显的破绽。

我目送他穿过树林，手电筒的灯光为他照亮前方，他翻过山坡消失了。我锁好门，又调了一杯低度数的酒，回到客厅坐下。我看看表，时间还早，只是感觉从我回家已经过了很久而已。

我走过去拿起电话，拨通话务员，请她接洛林家。管家问我是谁，然后去看洛林夫人在不在。她在。

"没错，我就是那头山羊，"我说，"但他们活捉了老虎。我稍微有点鼻青脸肿。"

"回头你必须说给我听听。"她听上去很遥远，就好像已经到了巴黎。

"我可以边喝酒边说给你听，就看你有没有时间了。"

"今晚？呃，我在收拾东西，准备搬出去。非常抱歉，今晚不可能了。"

"是啊，我能想象。嗯，我只是觉得你也许有兴趣知道。谢谢你好心提醒我。事情和你家老头子一点关系也没有。"

"你确定？"

"百分之百。"

"哦，稍等一下。"她离开了一小会儿，回来后声音热络了一些。"也许我还能见缝插针喝一杯。哪儿？"

"随你便。今晚我没车开，但可以叫出租。"

"胡说什么，我来接你，但需要一个小时或者更久一点儿。你的地址？"

我告诉她，她挂断电话，我打开门廊灯，站在门口呼吸夜间的空气。这会儿凉爽多了。

我回到屋里，打电话找罗尼·摩根，但联系不上他。然后我把心一横，打到拉斯维加斯的水龟俱乐部找兰迪·斯塔尔先生。他多半不会接，但他接了。他的声音很平静，听起来像个公事公办、有能力的男人。

"很高兴接到你的电话，马洛。特里的朋友就是我的朋友。有什么可以为你效劳的吗？"

"门迪上路了。"

"去哪儿的路？"

"维加斯，和你派去找他的三个打手在一起，坐一辆有红色聚光灯和警笛的黑色凯迪拉克大轿车。我猜车是你的，对吗？"

他大笑道："就像某个报业人员说的，我们在维加斯把凯迪拉克当拖车用。你到底想说什么？"

"门迪带着两个地痞来我家堵我。他的想法，说得难听点，是死揍我一顿，因为他觉得报纸上的一篇文章是我的错。"

"是你的错吗？"

"我可不是开报社的，斯塔尔先生。"

"我也没养开凯迪拉克的地痞，马洛先生。"

"他们说不定是警察。"

"这我就不知道了。还有其他事吗？"

"他用枪抽我。我踢了他心窝一脚，然后用膝盖顶他鼻子。他好像不太满意。但就算这样，我还是希望他能活着到维加斯。"

"我确定只要上路时他还活着，到达时也会活着。很抱歉，我必须尽快挂电话了。"

"稍等一秒钟，斯塔尔。奥塔托克兰那出戏有没有你的份？还是门迪一个人办的？"

"你说什么？"

"别逗了，斯塔尔。门迪对我生气不是因为他号称的原因，那点事还不至于让他来我家堵我，给我大威利·马贡的待遇。动机不足。他警告我，叫我别多管闲事，别深挖莱诺克斯的案子。但我还是查了，因为情况凑巧就是这么发展的。所以他就像我刚才说的那样来找我了。所以肯定有个更恰当的理由。"

"我懂了。"他慢条斯理地说，依然心平气和，"你认为特里的死法里有什么地方不对劲？比方说，他不是自杀，而是被人打死的？"

"我认为细节会很有用。他写了一份自白书，但内容是假的。他给我写了一封信，这个倒是寄出来了。旅馆的一名侍者或杂役把信夹带出去，替他寄出。他躲在旅馆里，但也没法出去。信里有一张大面额钞票，信写完时刚好有人敲门。我很想知道走进房间的是谁。"

"为什么？"

"假如是杂役或侍者，特里会在信里加上一句，把话说清楚。假如是警察，信就不会寄出来了。所以到底是谁呢？还有，特里为什么要写那份自白书？"

"不清楚，马洛。完全不清楚。"

"很抱歉打搅你了，斯塔尔先生。"

"什么话嘛，很高兴接到你的电话。我会问问门迪知不知道。"

"好啊，要是你还能见到他——见到他的活人。要是见不到，也还是查一查为好。否则某人就会去查了。"

"你？"他的语气变得强硬，但声调依然平静。

"不，斯塔尔先生，不是我。轻轻一口气就能把你吹出维加斯的某人。相信我，斯塔尔先生。请你相信我。我说的完全是实话。"

"我会见到门迪的活人的。这个不用担心，马洛。"

"看来这些事你全都知道。晚安，斯塔尔先生。"

　　车在我家前面停下，车门开了，我出去站在台阶顶上招呼她。但下车的是中年黑人司机，他拉开车门等她出来，然后跟着她上台阶，手里拎着过夜的小行李箱。所以我只是等着。

　　她走到台阶顶上，转身对司机说："阿莫斯，马洛先生会开车送我去旅馆。谢谢你为我做的一切。明天上午我再打电话给你。"

　　"好的，洛林夫人。我能问马洛先生一个问题吗？"

　　"当然可以，阿莫斯。"

　　他把过夜行李箱放在门口里面，她从我身边走进去，留下我和阿莫斯两个人。

　　"'我老了……我老了……我该卷起我长裤的裤脚。'马洛先生，这一句是什么意思？"

　　"什么意思都没有。只是听着顺耳。"

　　他微笑道："《J. 阿尔弗瑞德·普鲁弗洛克的情歌》里的一句。还有一句，'客厅里女士们来来去去，谈论米开朗基罗。'先生，这一句让你有任何感想吗？"

　　"有啊，这句话说明写诗的那厮不怎么了解女人。"

　　"我也是这么想的，先生。诚然我非常欣赏T.S.艾略特。"

　　"你刚才说的是'诚然'吗？"

"咦，我是这么说的。马洛先生，我没用错吧？"

"没错，但别在百万富翁面前说。他说不定会觉得你故意让他难堪。"

他哀伤地笑了笑。"我做梦都不会这么做。你出事故了吗，先生？"

"没。存心弄成这样的。晚安，阿莫斯。"

"晚安，先生。"

他走台阶下去，我回到屋子里。琳达·洛林站在客厅中央环顾四周。

"阿莫斯是霍华德大学毕业的，"她说，"你住的地方不是很安全嘛——对你这么一个不安全的男人而言。"

"世上哪有什么安全的地方？"

"你可怜的脸蛋。谁对你做了这种事情？"

"'门迪'门南德斯。"

"你对他做了什么？"

"没什么。踢了他一两脚。他走进一个陷阱，这会儿正在去内华达的路上，三四个内华达黑心警察陪着他。忘了他吧。"

她坐进长沙发。

"想喝什么？"我问。我拿起烟盒递给她。她说她不想抽烟。她说喝什么都行。

"我想喝香槟，"我说，"我没有冰桶，但酒是凉的。我存了好几年。两瓶。红带。大概是好酒。不过我不懂香槟。"

"存着干什么？"她问。

"等你。"

她微笑，依然盯着我的脸。"全都破了。"她抬起手，用指尖轻轻抚摸我的面颊。"存着等我？不太可能吧。咱们认识才两个月。"

"那就是存着等咱们认识。我去拿。"我拎起她的过夜包，走向客厅的另一头。

"你拿我的包干什么？"她凶巴巴地问。

"这是过夜包，对吧？"

"放下，给我回来。"

我听了她的。她的眼睛亮晶晶的，同时又蒙蒙眬眬的。

"这就新鲜了，"她慢吞吞地说，"非常新鲜。"

"哪儿新鲜了？"

"你一个指头都没碰过我。不调情，不挑逗，不动手动脚，什么都没有。我以为你这个人粗鲁、爱说怪话、凶狠而冰冷。"

"我看也是——有时候吧。"

"然后我来做客，等咱们喝得差不多了，我猜你打算二话不说抓起我扔到床上。是吧？"

"老实说，"我答道，"类似的想法确实在我脑袋里打转呢。"

"我受宠若惊，但假如我不想这样呢？我喜欢你，非常喜欢，但不等于我想和你上床。仅仅因为我带了个过夜包，你就能随随便便做出这种结论？"

"也许是我搞错了。"我说。我走过去拎起她的过夜包，拿回来放在门口。"我去拿香槟。"

"我不想伤害你的感情。也许你应该把香槟留给某个更幸运的时刻。"

"只有两瓶，"我说，"真正的幸运时刻需要一打。"

"哦，我懂了，"她忽然生气，"我只是备用品，你还在等更漂亮更有魅力的正选出现。非常感谢。现在你伤害了我的感情，不过看起来我在这儿会很安全。假如你觉得一瓶香槟就能让我投怀送抱，我可以向你保证你错得非常离谱。"

"我已经承认错误了。"

"我告诉你我正要离婚，我让阿莫斯送我来这儿，还带着一个过夜包，这些并不代表我很容易上手。"她说，余怒未消。

"去你的过夜包！"我吼道，"去你妈的过夜包！再说一遍我就把那个鬼东西扔到台阶底下去。我请你喝一杯。我要去厨房拿酒。就这么简单。灌醉你的念头我连一丝都没有。你不想和我上床。我完全理解。你没理由想和我上床。但我们还是可以喝一两杯香槟的，对吧？两个人吵谁诱惑谁、何时何地和多少香槟有什么意义呢？"

"你没必要发火的。"她涨红了脸。

"又是一个招式，"我咆哮道，"这些招式我知道五十个，没一个我不讨厌的。全都很假，全都带着眉来眼去的意思。"

她起身走到我近处，用指尖轻轻抚摸我脸上的伤口和瘀肿。"对不起。我是个疲惫失落的女人。请对我好一点儿。我取悦不了任何人。"

"你不疲惫，也不比绝大多数人更失落。按理说你应该和你妹妹一样，是个被宠坏了的浅薄娘们儿，喜欢到处睡男人。但老天开眼，你居然不是。你们全家的诚实和很大一部分勇气都落在你身上了。你不需要别人对你好一点。"

我转身离开客厅，沿着走廊来到厨房，从冰箱里取出一瓶香槟，拔掉软木塞，拿过两个高脚杯，浅浅地倒了小半杯，端起一杯就喝。我的眼泪被呛了出来，但还是喝完了那一杯。我重新斟酒，然后把酒和酒杯放在托盘上，端着托盘走进客厅。

她不在客厅里。过夜包也不见了。我放下托盘，打开前门。我没听见开门的声音，她也没车可用。事实上我没听见任何声音。

然后她在我背后开口了。"白痴，你以为我会逃跑？"

我关上门，转过身。她已经放下了头发，光脚穿植绒拖鞋，身上是日本图案的落日色丝绸长袍。她慢慢走向我，笑容羞怯得出乎意料。我拿起一个酒杯递给她。她接过去，喝了两小口，然后还给我。

"酒很好。"她说。然后她无声无息地投入我的怀抱，没有一丝做作或表演的成分，她把嘴压在我的嘴上，分开双唇和牙齿。她的舌尖碰到我的舌尖。过了好一会儿，她将头部向后仰，但依然搂着我的脖子。她眼神清莹。

"一直想这么做来着，"她说，"但必须表现得很难缠。我不知道为什么。也许只是紧张吧。我确实不容易上手。觉得可惜吗？"

"要是我觉得你容易上手，第一次在维克多餐厅的酒吧遇见你，我就会和你调情了。"

她慢慢摇头，微笑道："我看未必。所以我才会来这儿。"

"那天晚上也许不会，"我说，"那天晚上有别的事情。"

"也许你从来不和酒吧里的女人调情。"

"通常不。光线太暗了。"

"但很多女人去酒吧就是为了被调情。"

"很多女人大清早起床就有这个想法。"

"但酒精是壮阳药——一定程度内。"

"医生诚荐。"

"好像有人说医生怎么了？我要我的香槟。"

我又吻了她一次。这个活儿很轻松，令人愉快。

"我想亲吻你可怜的脸蛋，"她说，然后说到做到，"热得发烫。"她说。

"我身上其他的零件都快冻硬了。"

"没有的事。我要我的香槟。"

"为什么？"

"要是不喝，很快就会走气。另外我喜欢香槟的味道。"

"好吧。"

"你很喜欢我吗？要是我和你上床，你会喜欢我吗？"

"有可能。"

"你不是非得和我上床不可，明白吗？我并不特别坚持。"

"谢谢。"

"我要我的香槟。"

"你有多少钱？"

"加起来？我怎么知道？大概八百万吧。"

"我决定要和你上床了。"

"见钱眼开。"她说。

"香槟是我买的。"

"去你的香槟。"她说。

　　一小时后，她抬起一条光溜溜的胳膊，轻轻挠我的耳朵，她说："会考虑娶我吗？"

　　"维持不了六个月。"

　　"唉，我的天，"她说，"大概是吧。但难道不值得吗？你对人生有什么期待——全保，覆盖一切风险？"

　　"我四十二岁，被独自生活宠坏了。而你有点被金钱宠坏了，虽说不太严重。"

　　"我三十六岁。有钱并不可耻，为钱结婚也不可耻。大多数有钱人不配有钱，也不知道有钱该怎么为人处世。但好景长不了。迟早会再打一场世界大战，打完后大家都是穷光蛋。只有捞偏门的和骗子手除外，其他人的钱都会被抽税抽得一干二净。"

　　我爱抚她的头发，抓起一绺在手指上绕。"你也许说得对。"

　　"咱们可以飞去巴黎，享受一段美好时光。"她用胳膊肘撑起身体，低头看着我。我能看见她眼睛里的闪光，但看不清她的表情。"你是不是很抗拒结婚？"

　　"一百个人里有两个人的婚姻很美满。其他人只是过日子罢了。凑合二十年，留给男人的只有车库里的一张工作台。美国姑娘非常可爱。美国老婆抢占的领土太他妈多了。另外——"

"我要喝香槟。"

"另外，"我说，"对你来说只会是个小插曲。只有第一次离婚最痛苦。以后的就只是财产问题了。对你来说不成问题。十年以后，你在街上和我擦肩而过，你会琢磨你到底在哪儿见过我来着。前提还是你注意到了我这个人。"

"你这个自给自足、自满自信、浑身是刺的混蛋。我要喝香槟。"

"这样你才会记住我。"

"还自负。一肚子自负。这会儿稍微有点受伤。你以为我会记住你？无论我嫁过睡过多少个男人，都会记住你？凭什么？"

"对不起。我高估自己了。我去给你拿香槟。"

"咱们在一起难道不是很美满，很合情合理吗？"她挖苦地说，"我是个有钱的女人，亲爱的，以后会富可敌国。要是这个世界值得花钱，我可以整个儿买给你。你说你有什么？回家只有空荡荡的屋子，连一只猫一条狗都没养，还有个又小又憋闷的办公室让你闷坐苦等。就算我和你离婚，我也不会让你回去过这种生活。"

"你怎么阻止我？我可不是特里·莱诺克斯。"

"求你了。咱们别提起他，也别提起韦德家那根金发冰柱，还有她醉醺醺自寻死路的倒霉丈夫。你想当全世界唯一拒绝我的男人？这算什么样的自尊？我给了你我心目中最了不起的赞美。我求你娶我。"

"你给过我更了不起的赞美。"

她开始落泪。"你这个傻瓜，彻头彻尾的傻瓜！"她的面颊湿了。我能感觉到她脸上的泪水。"就算只维持六个月或一两年又怎样？除了你办公桌和百叶窗上的灰尘，除了你空虚生活里的孤独，你到底能失去什么？"

"你还想要香槟吗？"

"好吧。"

我搂住她，她趴在我肩膀上哭泣。她没有爱上我，我知道，她也知道。她不是因为我哭。她只是到了该洒几滴眼泪的时候。

然后她坐起来，我下床，她去卫生间补妆。我端来香槟。她回来时面带微笑。

"很抱歉，我闹得不成体统，"她说，"过上六个月，我连你叫什么都记不得了。拿到客厅去。我想见点光线。"

我照她说的做。她和先前一样坐进长沙发。我把香槟放在她面前。她看着酒杯，但没去拿。

"我会介绍一下我自己，"我说，"然后咱们可以喝一杯。"

"就像今晚？"

"今晚一去就不会再来了。"

她拿起酒杯，慢慢喝了一小口，然后在长沙发上转动身体，把剩下的酒泼在我脸上。然后她又开始哭。我拿出手帕，擦干净我的脸，然后为她擦脸。

"我不知道我为什么那么做，"她说，"但老天在上，你别说什么我是女人，女人从不知道她们为什么做什么事。"

我又在她杯子里倒了些香槟，朝她笑笑。她慢慢喝掉，然后转向另一侧，横躺在我大腿上。

"我累了，"她说，"这下你得抱我回去了。"

没多久，她就睡着了。

第二天早晨，我起床煮咖啡时她还在睡。我冲澡刮脸，换好衣服。这时她醒了。我们共进早餐。我叫了辆出租车，拎着她的过夜包走下台阶。

我们道别。我目送出租车驶出视线。我爬台阶回到家里，走进卧室，把床上弄得乱七八糟，然后重新铺床。一个枕头上有一根黑色长发。我的胃里坠着一团铅块。

法国人对此有个说法。那帮混蛋无论对什么都有个说法，而且往往正确。

说一声再见，就是死去一点点。

51

休厄尔·恩迪科特说他在加班，晚上七点半左右可以过来聊聊。

他有一间拐角办公室，铺着蓝色地毯，四角雕花的红木写字台很有年头，显然非常值钱，常见的玻璃门书架上摆着芥末黄封套的法律书籍，常见的密探[1]手绘的著名英国法官卡通画像挂在墙上，奥利弗·文德尔·霍尔姆斯大法官的巨幅肖像单独挂在南面墙上。恩迪科特的椅子包着黑色皮革。他身旁有一张打开的翻盖书桌，里面塞满了文件。这间办公室没给装潢师留下改进的余地。

他没穿外套，看上去很疲惫，然而他天生就是这种表情。他在抽他那种没滋没味的香烟。烟灰掉在解开的领带上。他软塌塌的黑发耷拉着。

我坐下后他沉默地看着我。过了一会儿，他说："就没见过你这么固执的杂种。别告诉我你还在挖那堆烂事。"

"有些事情让我不舒服。你当初去鸟笼子里见我，代表的是哈兰·波特先生，现在我这么说没问题了吧？"

他点点头。我用指尖轻轻碰了碰面颊。伤口已经好了，瘀肿也消了，但挨的某一下大概伤到了神经，脸上还有一块地方没知觉。我忍

---

1 英国画家莱斯利·沃德的化名之一，他绘制了许多名人的卡通肖像画。

不住要伸手摸。不过时间长了自然会痊愈。

"而你去奥塔托克兰时被暂时委任为地检署的工作人员？"

"对，但你别多嘴，马洛。这是一条很有价值的关系。也许我用过头了。"

"希望依然是。"

他摇摇头。"不，已经结束了。波特先生的法律事务现在通过圣弗朗西斯科、纽约和华盛顿的事务所办理。"

"我猜他对我恨之入骨——要是他能想到我的话。"

恩迪科特微笑道："说来奇怪，他把火气全撒到女婿洛林身上了。哈兰·波特这种人必须找个人怪罪。他本人不可能犯错。他觉得要不是洛林给那女人吃危险的药物，整件事就不会发生。"

"他错了。你在奥塔托克兰见到特里·莱诺克斯的尸体了吗？"

"确实见到了。在一家家具店的里屋。小镇没有正式的殡仪馆。那个人也做棺材。尸体冰凉。我看见太阳穴上的伤口。假如你在这方面有什么想法，我可以保证死者身份毫无疑问。"

"不，恩迪科特先生，我没有，因为对他来说实在不太可能。但他化了妆，对吧？"

"脸和手加深了颜色，头发染黑了，但伤疤依然明显。当然还有指纹，很容易和他在家里碰过的东西比对。"

"那儿的警力怎么样？"

"很原始。局长只能勉强读写，但他了解指纹。天气炎热，你知道的，非常热。"他皱起眉头，拿出嘴里的香烟，漫不经心地扔进一个巨大的黑色玄武岩容器。"他们不得不从旅馆运冰过来，"他又说，"大量的冰。"他再次望向我。"当地没人会做防腐。事情必须尽快处理。"

"你会说西班牙语吗，恩迪科特先生？"

"只会几个单词。旅馆经理帮我翻译。"他微笑道，"那家伙是个衣冠楚楚的滑头。看上去很凶恶，但很懂礼貌，愿意帮忙。没多久就处理完了。"

"我有一封特里的信。我猜波特先生应该知道。我告诉了他女儿，洛林夫人。我给她看过。信里有一张麦迪逊肖像。"

"一张什么？"

"五千块的钞票。"

他挑起眉毛。"是吗？嗯，他肯定有这个钱。复婚后，他妻子给了他二十五万美元。我觉得他想去墨西哥生活，远离已经发生的一切。我不知道钱去了哪儿。那方面不归我管。"

"信在这儿，恩迪科特先生，也许你愿意读一读。"

我取出信递给他。他仔细读完，律师无论读什么都是这个样子。他把信放在桌上，身体向后靠，眼神茫然。

"有点太文学了，对吧？"他平静地说，"真不知道他为什么那么做。"

"你说的是自杀、自白还是写信给我？"

"当然是自白和自杀。"恩迪科特恨恨地说，"写信给你可以理解。你为他做了那么多——还有后来那些事，你至少得到了合理的补偿。"

"邮筒的问题让我想不通，"我说，"他说他窗户底下街上有个邮筒，旅馆侍者在寄信前要把信举起来给他看，让特里亲眼见到信被寄出。"

恩迪科特眼睛里有什么东西熄灭了。"为什么？"他冷漠地问。他打开一个方盒，又拿出一支过滤嘴香烟。我隔着桌子递上打火机。

"奥塔托克兰这种地方不可能有邮筒。"我说。

"你继续说。"

"刚开始我没想到。后来我查了查那个地方。勉强算个村庄。总人口一万到一万二。只有一条街道的一段铺了沥青。局长有辆福特A型当公务用车。邮局在一家商店的拐角，一家chanceria，也就是肉店。有一家旅馆，两家酒吧，没有良好的公路，有个小机场。有人去附近的山里打猎——很多人，所以才修了机场。去那儿唯一体面的方法就是坐飞机。"

"继续说，打猎的事情我知道。"

"因此，你说那儿的街上有邮筒，还不如说那儿有跑马场、赛狗场、高尔夫球场、回力球场和带五彩喷泉加音乐台的公园呢。"

"所以他犯了个错，"恩迪科特冷冷地说，"也许是看起来像邮筒的什么东西，比方说垃圾箱。"

我站起身，伸手拿起那封信，折好放回口袋里。

"垃圾箱，"我说，"很好，太对了。涂成墨西哥的国民色，绿白红，印着又大又清晰的一行字：保持卫生，人人有责。当然了，是西班牙语。周围还躺着七条癞皮狗。"

"别耍嘴皮子，马洛。"

"对不起，我把想法说出来了。另外还有个小问题，我已经对兰迪·斯塔尔提过了。那封信到底是怎么寄出的呢？按照信里的说法，寄信的方法是预先安排好的。因此肯定有某人告诉他那儿有个邮筒。因此某人撒谎了。但某人还是按原计划寄出了夹着五千块的那封信。很有意思，你说呢？"

他吐出一口烟，望着它飘散。

"你的结论是什么？还有为什么把斯塔尔扯进来？"

"斯塔尔，还有一个叫门南德斯的无赖——他已经被人从这儿带走了，这两个人是特里在英军服役时的铁哥们儿。他们虽然不是什么好货色——应该说几乎每个方面都不是——但依然有一定的自尊和其他等等。这儿有人掩盖了真相，原因显而易见。奥塔托克兰也有人掩盖真相，但出于完全不同的原因。"

"你的结论是什么？"他再次问我，语气变得严厉。

"你的呢？"

他没有回答我。于是我感谢他抽时间见我，然后告辞离开。

他皱着眉头看我开门，但我认为他皱眉是因为真的不明白，也可能他在努力回忆旅馆外是什么样子和到底有没有邮筒。

又一个齿轮开始转动——仅此而已。它转了足足一个月才转出结果。

某个星期五上午，我发现一个陌生人在办公室等我。他是个衣冠楚楚的墨西哥人或南美人。他坐在打开的窗口旁，抽着气味浓烈的棕色香烟。他很高很瘦，非常优雅，留着漂亮的黑色小胡子，黑发比一般人的长度要长，身穿松织面料的浅黄褐色正装。他戴着绿色太阳镜，见到我就很有礼貌地站了起来。

"马洛先生？"

"有什么能为你效劳的？"

他递给我一张折起来的纸。"先生，这是拉斯维加斯的斯塔尔先生的介绍信。您说西班牙语吗？"

"会，但不流利。说英语比较好。"

"那就英语吧，"他说，"对我来说都一样。"

我接过那张纸，读了起来。"特此介绍西斯科·马约拉诺斯，他是本人的朋友。我认为他能帮助你。斯字。"

"马约拉诺斯先生，咱们进去谈。"我说。

我拉开门等他进去。他经过我时我闻到了香水味。他的眉毛太他妈精致了，但这个人未必真有那么娇滴滴，因为他的两侧面颊上都有刀疤。

52

他坐进客户椅，跷起腿。"据说你想知道莱诺克斯先生的某些情况。"

"仅限最后一幕。"

"当时我在场，先生。我在旅馆有个职位，"他耸耸肩，"并不重要，当然只是暂时的。我是值白班的接待员。"他的英语很好，但带着西班牙语的韵味。西班牙语，我指的是美洲西班牙语，自有其独特的抑扬顿挫，在美国人听来，和字词的意思毫无关系。那就像海洋的波涛起伏。

"你看着不像那种人。"我说。

"人总有落难的时候。"

"把那封信寄给我的是谁？"

他拿出一盒香烟递给我。"试试这个。"

我摇摇头。"对我来说太呛了。哥伦比亚烟我挺喜欢。古巴烟能弄死我。"

他微微一笑，自己又点了一支，吞云吐雾。这家伙太他妈优雅了，优雅得开始让我生气了。

"我知道那封信，先生。服务生不敢去莱诺克斯先生的房间，因为门口有guarda守着，用你们的话说就是警察或条子。于是我亲自送信去邮电局。当然了，是在开枪之后，您明白的。"

"你应该看看信封里面的。有好大一张钞票。"

"信封口了，"他冷冷地说，"先生，'荣誉不像螃蟹那样横着爬'。"

"非常抱歉。请继续说。"

"我上楼去莱诺克斯先生的房间，把房门摔在guarda的脸上，他左手拿着一张一百比索的钞票，右手拿着手枪。那封信放在面前的桌上。另外还有一张纸，但我没看内容。我拒绝收钱。"

"钱太多了。"我说，但他对讽刺无动于衷。

"他坚持给我。最后我收下了钱，但后来给了服务生。我把信放在上次送咖啡用的托盘上，用餐巾盖住。条子恶狠狠地瞪我，但没说什么。楼梯下到一半，我听见了枪声。我以最快速度藏好信，跑回楼上。条子想踹开房门。我用钥匙开门。莱诺克斯先生已经死了。"

他用指尖轻轻抚摸办公桌的边缘，叹息道："剩下的您无疑都知道了。"

"旅馆客满了吗？"

"不，不满。只有五六位客人。"

"美国人？"

"有两个北美人。猎人。"

"真正的美国佬还是移民的墨西哥人？"

他的指尖慢慢摸过膝盖以上的浅黄褐色布料。"我认为其中之一非常有可能是西班牙裔。他说边境西班牙语。非常粗俗。"

"他们有没有靠近过莱诺克斯的房间？"

他猛地抬起头，但绿色太阳镜害得我什么也看不见。"先生，他们为什么要靠近？"

我点点头。"嗯，你能跑一趟告诉我这些事真是太谢谢你了，马约拉诺斯先生。转告兰迪，就说我感激不尽，可以吗？"

　　"不用客气，先生。"

　　"另外，要是他有时间，回头找个知道自己在说什么的人来见我。"

　　"先生？"他的声音很柔和，但更加冰冷，"你怀疑我的话？"

　　"你们这些人总在唠叨荣誉。荣誉是盗贼的斗篷，但只是有时候。你别发火。安静坐着，听我换个角度说。"

　　他盛气凌人地向后靠。

　　"请记住，我只是在猜测。有可能说错，但也有可能是正确的。那两个美国佬去那儿有他们的目的。他们乘飞机来到奥塔托克兰，假装是猎人。其中之一名叫门南德斯，赌徒。他有可能用化名登记，也有可能用本名，这个很难说。莱诺克斯知道他们来了，也知道他们为什么来。他写信给我是因为他良心不安。他要得我团团转，但他为人太好，没法泰然处之。他在信里夹了张钞票，一张五千块的钞票，是因为他有很多钱，而他知道我没钱。他还给出了一点微妙的小暗示，我有可能注意到，也有可能注意不到。他这种人，总想做正确的事情，但最后做出来的永远是其他事情。你说你把信交给邮差了。为什么不把信放进旅馆门前的筒子？"

　　"先生，筒子？"

　　"邮筒。Cajón cartero，你们应该是这么说的。"

　　他微笑道："奥塔托克兰可不是墨西哥城，先生。那是个非常原始的小地方。奥塔托克兰的街边邮筒？那儿的人恐怕都不明白它是干什么的。也不会有邮递员打开邮筒取信。"

　　我说："哦。好的，先不说这个了。你没有用什么盘子端什么咖啡去莱诺克斯先生的房间，马约拉诺斯先生。你没有经过条子走进他的房间。但那两个美国佬进去了。条子当然被摆平了。还有另外几个人也是。一个美国佬从背后打昏了莱诺克斯，然后他拿起毛瑟手枪，打开一粒子弹，取出弹头，把弹壳放进枪膛。他用这把枪顶着莱诺克斯的太阳穴扣动扳机。那一枪造成一个看上去很可怕的伤口，但并没有杀死他。然后莱诺克斯被抬上担架，盖得严严实实地抬出去。美国律师赶到的时候，莱诺克斯被麻醉了，冰藏在兼做棺材的木匠铺的黑暗角落里。美国律师在那里见到莱诺克斯，他浑身冰凉，深度昏迷，太阳穴上有个血淋淋的焦黑伤口，看上去无疑是个死人。第二天下葬的棺材里填满了石块。美国律师带着指纹和皆大欢喜的文件回家。马约拉诺斯先生，你觉得这个故事怎么样？"

他耸耸肩。"有可能，先生。需要金钱和权力。确实有可能，只要这位门南德斯先生在奥塔托克兰认识一些关键人物就行，比方说市长、旅馆老板，等等等等。"

"嗯，但这也同样有可能。想法不错，对吧？能够解释他们为什么选奥塔托克兰这么一个偏僻小地方。"

他的笑容闪了一下。"那么，莱诺克斯先生也许还活着？"

"对。自杀肯定是伪装的，为了印证自白书。自杀必须足够可信，能糊弄一个当过地区检察官的律师，而假如事情败露，现任地检官会被弄得灰头土脸。这位门南德斯不像自己想象中那么凶狠，却因为我多管闲事而用枪抽我的脸。因此他肯定有什么理由。假如伪装自杀被拆穿，门南德斯会卡在一场国际丑闻的正中央。墨西哥人和我们一样不喜欢警察知法犯法。"

"所有这些都有可能，先生，我非常清楚。但你指控我撒谎。你说我没有进莱诺克斯先生的房间拿他那封信。"

"你本来就在房间里，老弟——写信。"

他抬起手，摘下太阳镜。谁也没法改变一个人眼珠的颜色。

"我看现在喝螺丝起子还早了点儿。"他说。

53

他们在墨西哥城给他做的手术堪称绝妙，但有什么奇怪的呢？他们的医生、技师、医院、画家和建筑师和我们的一样好。有时候还更好呢。一位墨西哥警察发明了检验硝烟反应的石蜡膜法。他们不可能给特里一张十全十美的新脸，但做得已经很好了。他们甚至整了他的鼻子，磨掉一些骨头，让鼻子显得更扁平，不那么像北欧人。他们无法完全消除伤疤，索性在另一边脸上添了两条。刀疤在拉丁美洲国家并不稀奇。

"他们甚至给这儿移植了神经。"他说，摸了摸曾经破相的半边脸。

"我的猜测有多准？"

"很准了。错了几处细节，但并不重要。整件事完成得很迅速，有些部分纯属临场发挥，我自己也不知道接下来会发生什么。他们叫我做一些特定的事情，留下清晰的行踪。门迪不希望我写信给你，但我保留了我的想法。他低估了你。他一点也没注意到邮筒的破绽。"

"你知道是谁杀了西尔维娅？"

他没有直接回答我。"告发一个女人杀人总是很艰难的，哪怕你从不把她放在心上。"

"这是个艰难的世界。哈兰·波特知情吗？"

他又笑了。"他有可能让其他人知道吗？我猜他不知情。我猜他认为我死了。只要你不说，谁会去告诉他？"

"我愿意和他说的话连一片草叶都写不满。门迪最近怎么样，或者说他还有最近吗？"

"他活得挺好。在阿卡普尔科。他能逃过一劫全靠兰迪。道上的弟兄不赞成对警察动粗。门迪没你想象中那么坏。他还是有颗心的。"

"蛇蝎也有。"

"唉，好吧，喝杯螺丝起子如何？"

我没有回答他，起身走向保险箱。我转动旋钮，取出一个信封，信封里装着麦迪逊肖像和一股咖啡味的五张百元钞。我把这些纸片倒在办公桌上，然后捡起五张百元钞。

"这些我留下了。各种开销和调查差不多就花了这么多。我挺喜欢摆弄麦迪逊肖像。现在还你了。"

我把它摆在他面前的办公桌边缘上。他看着钞票，但没有去拿。

"你的你就留着吧，"他说，"我还有很多。你可以不管那些事的。"

"我知道。她杀死丈夫，逍遥法外，也许会过上更好的生活。他没什么了不起的，当然了，只是个有思想有情绪的血肉凡人。他也知道究竟发生了什么，他拼命想带着秘密生活下去。他写书。你也许听说过他。"

"听我说，我那么做也是身不由己，"他慢慢地说，"我不希望任何人受到伤害。我待在这儿连一点机会都不会有。一个人不可能在那么短的时间内想得面面俱到。我吓坏了，我逃跑了。否则我应该怎么做？"

"我不知道。"

"她有疯狂的一面。她本来就有可能杀死他。"

"是啊，有可能。"

"唉，你别这么冷淡。咱们找个凉爽清静的地方喝一杯吧。"

"这会儿没时间，马约拉诺斯先生。"

"我们曾经是很好的朋友。"他闷闷不乐地说。

"是吗？我忘记了。在我看来，那是另外两个人。你打算永远待在墨西哥了？"

"嗯，对。我都不是合法入境的。不过我从一开始就不是。我说过我出生在盐湖城。其实我出生在蒙特利尔。我很快就会拥有墨西哥国籍。需要的只是个好律师而已。我向来喜欢墨西哥。去维克多餐厅喝杯螺丝起子冒不了多大的风险。"

"拿走你的钱，马约拉诺斯先生。上面沾着太多的血。"

"你是个穷人。"

"你怎么知道？"

他捡起那张钞票，在瘦削的手指之间摊平，漫不经心地塞进内侧衣袋。他咬住嘴唇，他的牙齿非常白，只有棕色皮肤衬托下牙齿才会这么白。

"你送我去蒂华纳的那天早上，我能告诉你的都告诉你了。我给过你机会报警告发我。"

"我并不生你的气。你就是那种人而已。有很长一段时间我摸不透你。你有些方面很好，也有些好品质，但也有些地方不对劲。你有你的标准，你按这些标准生活，但它们都是个人标准，无关任何形式的伦理和顾虑。你为人挺好，因为你天性不坏。但你无论和匪徒黑道还是和正人君子待在一起都同样开心，只要黑道的英语足够流利、餐桌礼仪算是过得去就行。你在道德方面是个失败主义者。也许是战争把你变成了这样，但也可能你生来如此。"

"我不明白，"他说，"真的不明白。我想报答你，你却不要我报答。我能说的已经全告诉你了。你不可能支持我的。"

"这是你对我说的最动听的话了。"

"很高兴我身上还有你喜欢的东西。我陷入困境。我凑巧认识知道怎么处理困境的那种人。他们欠我人情，因为很久以前战争中的某件事情。我这辈子很可能只有那一次迅速做出了正确的决定。我说我需要他们，他们帮助我，而且不计代价。马洛，身上没有标价牌的世上不止你一个人。"

他隔着办公桌探过身来，拿了一支我的香烟。他深褐色的脸上泛起不均匀的红色，衬托着伤疤显现了出来。我望着他从口袋里掏出时髦的瓦斯打火机点烟。我又闻到了他身上的香水味。

"你深深打动过我，特里，用一个微笑、一下点头、一次挥手和在这儿那儿的安静酒吧里安安静静喝几杯酒。感情还在的时候真是不错。别了，朋友。我不会说再见。我已经和你说过再见了，那时候说再见还有意义。那时候说的再见悲伤、孤独而决绝。"

"我回来得太迟了，"他说，"整容手术很花时间。"

"要不是我用烟熏你，你根本不会回来。"

他眼睛里忽然泪光一闪。他飞快地重新戴上太阳镜。

"我一直在犹豫，"他说，"我拿不定主意。他们不希望我向你透露任何情况。我只是没拿定主意而已。"

"别担心了，特里。你身边总会有人替你拿主意的。"

"我参加过突击队，朋友。他们不收窝囊废。我受了重伤，让纳粹医生医治你可没什么乐趣。对我造成了某些影响。"

"我全都知道，特里。你在许多方面都是个很可爱的男人。我不是在评判你。我从不评判你。只是现在的你已经不是你了。你早就死了。你穿高级时装，抹高级香水，优雅得像个五十块一次的妓女。"

"只是演戏而已。"他近乎绝望地说。

"但你从中得到了乐趣，对吧？"

他露出苦笑，嘴角耷拉下去。他耸耸肩，一个充满表现力和活力的拉丁式耸肩。

"当然了。演戏为的就是演戏。没有其他目的。这儿——"他用打火机拍拍胸口，"什么都没有。我曾经有过，马洛。很久以前有过。好吧，看来事情到此为止了。"

他站起身。我站起身。他伸出一只瘦削的手。我和他握手。

"别了，马约拉诺斯先生。很高兴认识你，尽管相处的时间很短暂。"

"再见了。"

他转身走出房间。我望着门关上。我听着他的脚步声在仿大理石走廊里远去。过了一会儿，脚步声变得微弱，然后就消失了，但我还是继续听着。为什么？我希望他忽然停下，回来说服我改变想法？唉，他没有回来。这是我最后一次见到他。

我再也没见过这些人里的任何一个，警察除外。和警察说再见的办法还没发明出来呢。

欢迎你从《漫长的告别》进入
读客经典文库

你想成为什么样的人？对你来说什么是重要的？这个世界应该是什么样子？

我们在生命中遇到的问题，每个时空的人们都经历过，一些伟大的人留下一些伟大作品，流传下来，就成了经典。正是这些经典，共同塑造并丰富着人类的精神世界。

读客经典文库，首次以"自我成长需求"为分类标准，重新梳理浩若烟海的经典著作，将上千部经典排成一张"成长路线图"。在这里，每本书都是一个入口，从任何一个入口出发，你都可以找到下一本适合你读的书，并由此建立自己一生的阅读计划。

跟随读客经典文库，遍读人类历史上那些伟大的书，认识世界、塑造自我，成长为更强大的人。

 读客经典文库
根据你的成长需求梳理经典名著
制定你一生的阅读计划

如果你在人群中感到格格不入，
一定要读《局外人》！

14个改变人类命运的天才，
14个影响人类文明的瞬间！

用自己喜欢的方式
度过短暂的一生！
100周年精装插图纪念版

《欧·亨利短篇小说精选》
经典文库编号 090

《弗兰肯斯坦》
经典文库编号 027

《约翰·克利斯朵夫》
经典文库编号 026

《巴黎圣母院》
经典文库编号 036

《尤利西斯》
经典文库编号 041

《童年》
经典文库编号 112

《一个青年艺术家的画像》
经典文库编号 033

《春琴抄》
经典文库编号 048

一直以来，
我们只读了
《小王子》的三分之一！

怪不得村上春树读了12遍！
每每陷入困境，
村上春树便打开《漫长的告别》

"生而为人，我很抱歉"
的全面诠释。

《呼啸山庄》
经典文库编号 030

《红与黑》
经典文库编号 024

《基督山伯爵》
经典文库编号 012

《枕草子》
经典文库编号 085

《三个火枪手》
经典文库编号 019

《羊脂球》
经典文库编号 035

《夜莺与玫瑰》
经典文库编号 021

《包法利夫人》
经典文库编号 013

《少年维特的烦恼》
经典文库编号 003

《爱伦·坡短篇小说集》
经典文库编号 004

《小妇人》
经典文库编号 005

《卡门》
经典文库编号 006

《了不起的盖茨比》
经典文库编号 007

《茶花女》
经典文库编号 008

《人间喜剧》
经典文库编号 009

《银河铁道之夜》
经典文库编号 010

《野性的呼唤》
经典文库编号 016

《一个陌生女人的来信》
经典文库编号 017

《丛林之书》
经典文库编号 015

《道林·格雷的画像》
经典文库编号 011

《列那狐的故事》
经典文库编号 032

《伏尔泰小说精选》
经典文库编号 018

《海底两万里》
经典文库编号 029

《地心游记》
经典文库编号 087

激发个人成长

　　多年以来，千千万万有经验的读者，都会定期查看熊猫君家的最新书目，挑选满足自己成长需求的新书。

　　读客图书以"激发个人成长"为使命，在以下三个方面为您精选优质图书：

1. 精神成长
熊猫君家精彩绝伦的小说文库和人文类图书，帮助你成为永远充满梦想、勇气和爱的人！

2. 知识结构成长
熊猫君家的历史类、社科类图书，帮助你了解从宇宙诞生、文明演变直至今日世界之形成的方方面面。

3. 工作技能成长
熊猫君家的经管类、家教类图书，指引你更好地工作、更有效率地生活，减少人生中的烦恼。

每一本读客图书都轻松好读，精彩绝伦，充满无穷阅读乐趣！

认准读客熊猫

读客所有图书，在书脊、腰封、封底和前后勒口
都有"读客熊猫"标志。

两步帮你快速找到读客图书

1. 找读客熊猫

2. 找黑白格子

马上扫二维码，关注"**熊猫君**"

和千万读者一起成长吧！

图书在版编目（ＣＩＰ）数据

漫长的告别 / (美) 雷蒙德·钱德勒著；姚向辉译
. —— 海口 : 海南出版社, 2018.8（2019.9重印）
（读客经典文库）
书名原文: The Long Goodbye
ISBN 978-7-5443-8463-6

Ⅰ.①漫… Ⅱ.①雷… ②姚… Ⅲ.①长篇小说－美
国－现代 Ⅳ.①I712.45

中国版本图书馆CIP数据核字（2018）第202223号

漫长的告别

作　　者	（美）雷蒙德·钱德勒
译　　者	姚向辉
责任编辑	王振德
执行编辑	徐雁晖
特邀编辑	周奥扬　周量航
封面插画	肖　雯
内文插画	刘小梅　汪　芳
封面设计	读客文化　021-33608311
印刷装订	北京盛通印刷股份有限公司
策　　划	读客文化
版　　权	读客文化
出版发行	海南出版社
地　　址	海口市金盘开发区建设三横路2号
邮　　编	570216
编辑电话	0898-66817036
网　　址	http://www.hncbs.cn
开　　本	880毫米×1230毫米 1/32
印　　张	13.5
字　　数	291千
版　　次	2018年8月第1版
印　　次	2019年9月第3次印刷
书　　号	ISBN 978-7-5443-8463-6
定　　价	69.00元

如有印刷、装订质量问题，请致电010 87681002（免费更换，邮寄到付）